CAMOUFLAGE

PAUL GOEKEN
CAMOUFLAGE

VAN BUUREN UITGEVERIJ

'Voor mijn ouders'

Proloog

Het heeft iets onwezenlijks; een op het oog uitgestorven straat maar vol stadsgeluiden. Niets of niemand snoert Madrid de mond. Ook geen bommelding. Hij kijkt op zijn horloge. Zevenentwintig minuten geleden sprak een onbekende stem het voor intimi bekende, maar vooral gevreesde codewoord op een beveiligde lijn van de guardia civil in. Daarna volgen de straatnaam, merknaam, kleur en kentekennummer, en de resterende tijd tot detonatie. Dertig minuten klinkt een stuk langer dan een half uur; een eeuwigheid voor sprinters, een flits voor duuratleten. Maar voor de speciale eenheden van de guardia civil en Policia National was het echter een tijdsbestek waarin de klus geklaard kon worden. In gedachte complimenteert hij de stoere kerels in kevlar outfit die zo gedisciplineerd de omwonenden evacueerden en gelijktijdig de straat afsloten. Volgens de mannen en vrouwen van de uniformdienst zijn het superprofs waar stevig tegen opgekeken wordt. In zijn visie goedwillende amateurs die pas enkele sporten van de ladder hebben beklommen. Een redelijk gecompliceerde ontruiming zoals vandaag, is daar slechts één van. Na afloop van incidenten waarbij speciale eenheden zijn betrokken volgt altijd een evaluatie. De bandopnames daarvan belanden op zijn bureau. Eens in de zoveel tijd valt zijn oog op een deelnemer. Slimme positionering in het operationele gebied staan hoog bij hem in het vaandel. Daarentegen heeft hij ook personen uitsluitend op hun houding geselecteerd. Dit is één van de redenen waarom hij hier lijfelijk aanwezig is. In het veld registreren zijn ogen soms dingen die voor de camera verborgen blijven. Pas nadat hij het dossier van de uitverkorene heeft doorgespit en er aansluitend een kennismakingsgesprek heeft plaatsgevonden, beslist hij of de ambitieuze ambtenaar als bordenwasser in de haute cuisine van de Spaanse veiligheidsdienst mag beginnen. Eigenlijk is het een mengelmoes van intuïtie, ervaring en vakmanschap om de juiste persoon eruit te pikken, weet de man die eens onder de codenaam 'Lobo' voor zoveel consternatie binnen 'El Servicio' zorgde. Geheel volgens de procedure zet hij de helm op en drukt het vizier van veiligheidsglas naar beneden. Hoewel hij zich op honderd meter afstand van de rode Seat in een gepantserde minibus bevindt, draagt hij beschermende kleding. De secondewijzer telt geluidloos af. Zonder een spoor van nervositeit richt hij zijn ogen op de personenauto met explosieven. Zoals verwacht ontploft de bom precies op het juiste moment… acht straten verderop.

Alfonso Silva schiet overeind. Zijn ademhaling is als die van een astmapatiënt in een Nederlandse coffeeshop tijdens het happy smoking hour. Een aen al zweet, iedere plek op zijn lijf voelt doorweekt aan. Hij kijkt naar rechts, waar zijn vrouw in stilte van haar nachtrust geniet. Gelukkig maar, denkt hij opgelucht. Zij heeft zijn hand al genoeg vastgehouden tijdens angstaanvallen waarbij hij als een juffershondje lag te trillen. 'JOS' fluistert hij nauwelijks waarneembaar. 'Jefe de Operaciones Secretos; god wat klinkt dat toch stoer.' Chef van 'Oficina numero nueve', een elite-eenheid die binnen de Spaanse geheime dienst, de SECID, opereert, denkt hij meteen daarna. Uitspreken lukt niet meer, daarvoor walgt Alfonso Silva in deze situatie teveel van zichzelf. Berustend sluit hij zijn ogen, de beelden komen toch wel. Maakt niet uit of zijn ogen gesloten of open zijn. De geseling van zijn gestel duurt al vele maanden. Twee, hooguit drie nachten achter elkaar kan zijn geest afweer bieden tegen de verschrikkingen die in zijn kop wortel hebben geschoten. Vannacht is verzet kansloos, dus nutteloos. De imaginaire film begint de beelden al te projecteren. Slowmotion en flitsen wisselen elkaar af. Een vragende blik van de commandant van de guardia civil die naast hem in de bus zit, nadat de resonantie van de ontploffing hen bereikt. Een blikken stem die in zijn oortelefoon melding van een explosie in het centrum maakt. Het adres dat even later volgt, heeft op zijn geest dezelfde uitwerking als een naald die zenuwuiteinden bewerkt. Calle Princesa, El corte Inglès. Hij ziet in de achteruitkijkspiegel tijdens de dollemansrit naar hartje centrum zijn mannen in burgerkleding in zwarte personenauto's door het drukke verkeer slalommen. Zwaar opgefokt dat zij in de buurt van de afzetting op zoek waren naar bekende gezichten die live van hun afzichtelijke werk wilden genieten. Iets dat bij beroeps vrijwel nooit voorkwam: die bleven zelden langer dan noodzakelijk op de onheilsplek rondhangen.

Toch stonden de teams van 'Nueve' er, tenslotte kon iedereen een fout maken. Zijn geest neemt de route met het gemak van een computerfreak die iedere game tot in de finesse beheerst. Gillende sirenes behoren evenals houterige chauffeurs en overijverige politiefunctionarissen, hij verwenst ze allemaal hartgrondig. Angst, pure angst voor wat hij zodadelijk aan zal treffen, zoekt een verbale uitweg. Silva knijpt een deel van de lakens tot groezelig beddengoed. Zijn permanent gesloten oogleden trillen neurotisch. De op waarheid gebaseerde nachtmerrie lijkt keer op keer aan kracht te winnen. De stenen huid van het filiaal van Spanje's meest prestigieuze warenhuisketen is opengescheurd en verminkt. Brokstukken en glasscherven liggen over het trottoir verspreid. Wezenloos kijkende mensen strompelen door de welvaartsruïne of worden door al dan niet geüniformeerde personen ondersteund. Dit zijn de gelukkigen, dacht hij toen en denkt hij nu opnieuw. Voor de zoveelste keer betreed hij de baarmoeder van de hel. Ofschoon er voldoende ventilatie is, neemt de stank hem direct in een bedwelmende omklemming. Het eindproduct van de explosie tart iedere beschrijving. Hij drukt zijn hand voor zijn neus en mond tegen de stank. Het afgeknepen 'observeer, concludeer... help' klinkt hier in de slaapkamer even machteloos als op de mishandelde parterre van het warenhuis. Observeren is hier een belediging, conclusies trekken een gotspe van formaat, en helpen... Hij kan alleen zichzelf assistentie verlenen, de enige gevolgtrekking die niet vloekt. De hopen gebroken glas onder zijn voeten knarsen bij iedere stap even opstandig als kiezelstenen op een tuinpad na een gortdroge periode. Wat eens de parfumafdeling van El corte Inglès was, is door de explosie getransformeerd tot een vergaarbak van stukken interieur, druipende vloeistoffen, glassplinters, en menselijke resten. Het was druk op het moment van de explosie, meldt een deel van zijn hersens dat nog in functie is. Schurende voetstappen klinken achter hem en winnen terrein. Mensen van 'Nueve', denkt hij terwijl zijn benen slapper worden. Want wie anders haalt het in zijn hoofd om hier binnen te stappen? Een automatische denkwijze waarin echter voor chauvinisme geen plaats is. Zijn maag begint op te spelen. Een kwestie van seconden voordat hij moet overgeven, weet hij. Om niet in het directe bijzijn van zijn mannen een vorm van slapheid te tonen, doet hij een paar stappen schuin naar voren naar een zwaar beschadigde pilaar van natuursteen. Nadat hij de tijdelijke schuilplek heeft bereikt, begint hij meteen oncontroleerbaar over te geven. Tijdens de derde golf valt zijn blik op het lievelingstruitje van zijn dochtertje met daarin het zwaar verminkte lichaam van een kind zonder hoofd. 'Uggghhhh', raspt Silva. Hij haalt een paar keer stevig adem, en merkt dat zijn vrouw op haar knieën naast hem zit. Haar tengere vingers rusten op zijn arm. 'Rustig, Alfonso, je bent gewoon thuis. Alles is in orde, schat' klinkt het vanuit een schijnbaar andere dimensie. 'Oké', antwoordt hij timide, bijna automatisch. 'Het gaat wel weer.' De daaropvolgende minuten verlopen voorspelbaar traag. 'Ga maar, schat.' Hij kust zijn vrouw teder op haar lippen en stapt uit bed. Nagestaard door twee betraande ogen opent hij de tussendeur naar het aangrenzende vertrek. Eenmaal binnen, buigt hij over de opstaande houten wand van het bedje heen en kust zijn dochter voorzichtig op haar wang. Geluidloos laat Alfonso Silva zich door beide knieën zakken, waarna hij naast het bedje op de houten vloer plaatsneemt. Het wachten begint. Waarop weet hij niet. Zolang hij hier zit is zijn alles veilig. Daar draait het om. De standvastige blik in zijn bruine ogen bevat meer duisternis dan de omgeving rondom hem. Het is tevens de oogopslag van een killer.

1

Abdelkader Ben Brahim kijkt zo strak mogelijk voor zich uit. Hij haat iedere vorm van dociele beleefdheid, maar laat de situatie onveranderd omdat deze er nou eenmaal om vraagt. Wachten tot de meester spreekt, het is niet anders. Hij onderdrukt een opkomende vloek, aangezien het op dat moment zo stil in de auto is dat de andere passagiers zijn gedachte misschien wel kunnen horen. Rotsachtige uitlopers van het Atlasgebergte zorgen voor een korte, knersende onderbreking van de onheilspellende kalmte als de banden van de Mercedes even van het provisorische wegdek raken. De schemering is vijf minuten geleden ingetreden om tijdens een bescheiden overgangsperiode het landschap met een variëteit aan grijze tinten te bedekken. Met de minuut worden de lichtbundels die de chauffeur moeten leiden sterker. Hier op het platteland wordt het snel donker, weet Ben Brahim. Een dikke kwarteeuw geleden heeft hij vaker dan hem lief was het miljoen-sterrenhotel haar deuren voor hem zien openen. Een prachtig gezicht, dat stond buiten kijf, maar de slaapzak van toen haalt het niet bij de slaapvertrekken van nu in zijn geriefelijke landhuis, even buiten Marrakesh. De gelige blik van de wagen tast steeds nadrukkelijker de route af. Silhouetten van kale bomen en zwerfpuin integreren met de tel meer in de duistere mantel van het heuvelachtige landschap. Een onherbergzaam oord waar alleen een schorpioen verliefd op kan worden, of heel misschien een uitgemergelde gier na een productieve dag. Ben Brahim kijkt naar links. Nergens licht er aan de zijkant van de auto iets op, wat erop zou duiden dat ze gevolgd worden. Toch moeten er meerdere wagens in het spel zijn, weet hij zeker. 'Chillaba', de Zwerver, zoals de bijnaam van de man aan zijn rechterzijde luidt, neemt geen genoegen met een chauffeur, en de lijfwacht die hen op dit moment scheidt. Bij iedere zichzelf respecterende westerse, of westers georiënteerde veiligheidsdienst, staat Khalid Mossaoui al jarenlang in de top tien van meest gezochte personen. Het is dus niet meer dan logisch dat deze superterrorist zich op vijandig terrein als een staatshoofd laat omringen door een cordon lijfwachten. In tegen-

stelling tot het gevolg rondom publieke personen zijn deze onzichtbaar. Hun aanwezigheid staat echter voor hem vast. Ergens in de vallende duisternis houden spiedende ogen het luxevervoermiddel nauw-
lettend in de gaten. Misschien wel vanuit de Japanse middenklasser
met geblindeerde ramen waarin hij dik een uur geleden stapte. Een klinische rit bracht hem van Marrakech' bruisende centrum naar een uit-
valsweg waar opstuivend zand de aangrenzende krottenwijken van
nog meer ellende voorzag. De overstap in de limousine was even kort
en onverwacht als het telefoontje dat hij vanmorgen kreeg. Een paar
seconden waarin hem werd toegesnauwd hoe laat en waar hij moest
zijn, bleken het resultaat van een intensieve speurtocht die vijf maanden had gevergd. Uitgevoerd door een team van specialisten dat door-
lopend balanceerde op een flinterdunne draad, waarbij een enkele
misstap al rampzalige gevolgen kon hebben. Er zat een tijdsdruk op de
klus, terwijl de oppositie uit twee kampen bestond. Het terroristische
web met daarin de tarantula Mossaoui waarmee, via – via, toetreding
moest worden gezocht, én de Marokkaanse veiligheidsdienst, de DST,
wiens almachtige blik overal loerde. Alleen al de gedachte aan informatie die kon leiden tot arrestatie van 'Chillaba', voorzagen de van
oudsher aartsluie agenten van extra energie. Een bezoek aan het hof
van koning Mohammed VI – dat ongetwijfeld na zo'n heroïsche daad
zou volgen – was niets minder dan het voorportaal van een glanzende
carrière zonder daadwerkelijke inspanning. Ben Brahim draait zijn
hoofd kalm naar rechts. Ongemak en nieuwsgierigheid hebben het
van geduld gewonnen. Hij kan er begrip voor opbrengen dat een uitgebreide introductie die in de Arabische wereld zo vanzelfsprekend is,
hier geen opgeld doet. Daarvoor is de entourage ongeschikt, laat staan
het onderwerp. Maar om nu stommetje te gaan zitten spelen...
Onwillekeurig kruipt een koude rilling naar zijn nekwervels omhoog.
Dit is een ontmoeting die te lang op zich heeft laten wachten, maar
desalniettemin te vroeg komt, schiet het in een kortstondig ogenblik
van paniek door hem heen. Door denkbeeldig met zijn hoofd te
schudden, geeft hij zichzelf een reprimande. Dwaze contradicties zijn
speeltjes voor nietsnutten met een overschot aan tijd. Geen van beide
is op zijn persoon van toepassing. Wat hem betreft heeft het nu lang

genoeg geduurd. De man naast hem heeft een volle baard en draagt een wit gewaad waaronder de torso van een volwassen mannetjesbuffel verscholen gaat. Hoewel de reus met schijnbare desinteresse voor zich uit staart, voelt Ben Brahim dat iedere beweging van zijn kant wordt opgemerkt. 'Lamtaka', De Hamer, meer dan een bijnaam plus wat gruwelijke anekdotes uit het geruchtencircuit zijn de informanten niet te weten gekomen. Zo zou Mossaoui's favoriete lijfwacht nooit wapens bij zich dragen en er een duivels genoegen in scheppen om nekken en ruggen als twijgen tussen zijn armen te breken. In de paar seconden dat hij het monstrueuze wezen heeft kunnen bekijken, weet Ben Brahim dat in dit geval de geruchten jammer genoeg op waarheid berusten. Hij raapt al zijn moed bijeen en buigt een fractie naar voren. Khalid Mossaoui is klein van stuk en mager, wat nog eens extra geaccentueerd wordt door de aanwezigheid van de levende vleesberg naast hem. Diepe groeven vanaf de geprononceerde jukbeenderen tot de kaken waar een verzorgde baard de slag met de grijze tand des tijds aan het verliezen is. Zijn huid heeft de kleur van de Sahara op een onstuimige dag. Licht- en donkerbruine tinten zijn in de loop der jaren samengesmolten, waardoor een kleur is ontstaan die het dichtst in de buurt van mokka komt. In tegenstelling tot zijn lijfwacht draagt 'Chillaba' geen zonnebril. Een verstandige zet, denkt Ben Brahim vol ontzag. Door de vurige blik in de gifgroene ogen zouden de glazen toch maar smelten. Doordat hij zijn hoofd weer in de standaardpositie manoeuvreert, komt de tulband van de chauffeur met daarin de donkere kleur nill waarop het nomadenvolk zo gek is, in beeld. 'Het pact van Cordoba' klinkt het rechts van hem. Een constatering, geen vraag. Mossaoui heeft gesproken. Op een toon die even ondoorgrondelijk klinkt als de stem van de woestijn. Nu niets zeggen, legt hij zichzelf op. Alleen luisteren. Wachten tot er een concrete vraag wordt gesteld. 'Wat door moet gaan voor een samenwerkingsverband, vormt in werkelijkheid een papieren manifest waarmee ons volk op een sluwe manier van al haar normen en waarden zal worden beroofd. Aanvankelijk zullen de ongelovigen hun kapitalistische denkwijze met een satanische glimlach die oogt als uiterst vriendelijk onder het volk verspreiden. Hemelszoet, als dadels, verkwikkend als muntthee.

Eenmaal verzekerd van de nodige bijval zal hun gedachtegoed zich vermenigvuldigen met de snelheid van maden in bedorven vlees.' Even abrupt als Mossaoui begon met spreken, stopt hij. Het is Ben Brahim onduidelijk of er bijval wordt verwacht, dus houdt hij zijn lippen stijf op elkaar. Wie zwijgt stemt tenslotte toe, waarschijnlijk het verstandigst. Een belerend vervolg, waar hij min of meer op rekent, blijft uit. Echt rouwig kan hij daar niet over zijn. Zijn hersens hebben al moeite genoeg om de opruiende nagalm van de merkwaardige woordkeus in het juiste perspectief te plaatsen. Aan citaten uit de koran, waar Chillaba volgens zeggen er meer van kent dan er daadwerkelijk bestaan, heeft hij nu geen enkele behoefte. De stilte in de auto wordt plotseling beklemmend. Ondanks de onaangename atmosfeer laat zijn gezonde verstand zich niet intimideren. Nog niet, hoewel de vreemde, naargeestige stemming daar al verandering in begint te brengen. Analyseer! legt hij zichzelf in stilte op, je bent nu nog fris. Hij sluit een handvol seconden zijn ogen en ademt zo geluidloos mogelijk in. Mossaoui is een Marokkaanse handelaar in dood en verderf, dat is zo zeker als het gegeven dat de zon altijd vanuit het oosten een nieuwe dag aankondigt, is de eerste zin die bij hem opkomt. Een intermediair die contacten heeft met een onwaarschijnlijk aantal radicale, gewelddadige moslimcellen over de hele wereld. Muze van hooggeplaatste godsdienstwaanzinnigen die met een enkel gebaar annar almukaddasa, het heilige vuur, in de blikken van fanatieke strijders kunnen laten gloeien. Gelukkig getrouwd met een abstractie genaamd Jihad. Andere geloofsovertuigingen worden door deze man per definitie als goddeloos betiteld. Een compromisloos iemand, wars van ieder product wat maar in de verste verten naar het duivelse westen riekt. Ja, ja... Het tweede gedeelte van de voorlaatste zin is een pertinente leugen. Hij onderdrukt een glimlach, aangezien dit op deze plaats en met dit onaangename gezelschap bedelen om moeilijkheden is. De enige reden waarom hij hier nog levend en wel zit, is even simpel als banaal. Geld. Een onderhandelingspunt waarvoor uiteindelijk iedereen door de knieën gaat. En zeker Mossaoui. Want evenals 'Chillaba' heeft hij zijn huiswerk door anderen laten maken. Uit dit gedegen onderzoek bleek dat de werkzaamheden van de man met de gifgroene ogen die intenser straalden dan de zorgvuldigst geslepen saffier, bepaald lucratief te noemen waren. Een paleis buiten Rabbat, twee gelijksoortige stulpjes rond Tripoli en Tunis, nummerrekeningen bij vijf banken in evenzoveel landen, en transportmiddelen waar je u tegen zegt. Ook deze sector was dus met zijn tijd meegegaan. Na het bestuderen van researchmateriaal werd dat hem al snel duidelijk. Tja, de tijden dat werknemers in deze branche in tochtige achterkamers hun snode plannen moesten smeden en kampten met een chronisch tekort aan financiële middelen, zijn verleden tijd, weet hij nu. Het gegeven dat Mossaoui regelmatig gesignaleerd wordt in vijfsterren hotels, onderschrijft dit. In het geval van 'Chillaba' is terrorisme big business waarbij, afhankelijk van de situatie, het geloof fungeert als product of pressiemiddel. Een bedrijfstak die floreert naargelang het aantal werknemers toeneemt. In tegenstelling tot het reguliere bedrijfsleven zijn de arbeidskrachten goedkoop en vallen buiten iedere sociale verzekering of andere wetgeving. Het gros van de 'soldaten van God' bestaat uit in achterstandswijken geronselde islamitische jongeren. Mensen die, behalve hun leven dan, weinig tot niets te verliezen hebben. Eenmaal in de opleidingskampen worden ze één met de doctrine. Hun leven krijgt weer zin. Ze zijn strijders van God, krijgen ze steeds te horen, in plaats van armlastig uitschot dat alleen uit mensonwaardige holen kruipt om amok te maken. Door de ongelovige imperialisten stelselmatig geroofd erfgoed moet herwonnen worden. Het enige ware geloof dient verspreid te worden, evenals het onverschrokken bestrijden van de ongelovige honden met alle daarvoor voorhanden middelen. Dit is een taak die slechts voor weinigen is weggelegd, horen ze dagelijks vele malen. Een heilige missie, gewenste plicht, het hoogst haalbare. De uitverkorenen wacht het martelaarschap. Een enkele reis naar de hemel waar Allah hen persoonlijk zal binnenleiden. Achtergebleven familieleden worden financieel ondersteund. Het feit dat hun eigen bloed het martelaarschap heeft bereikt, zorgt voor aanzien binnen de gemeenschap. En achting is precies datgene waarvan de jonge rekruten gedurende hun korte nachtrust dromen. Een dikke fundamentalistische saus verbergt het vergiftigde gerecht wat uiteindelijk bij iedere strijder zwaar op de maag zal komen te liggen, weet Ben Brahim. Maar toch weigert hij Mossaoui en zijn collega's, die als volleerde managers de opleidingen in goede banen leiden, te veroordelen. Natuurlijk haat hij de mannen en vrouwen die het enige geloof voor geld verkwanselen en daarmee de profeet Mohammed te schande zetten intens. Als goed moslim dient hij deze onderkruipsels dan ook bij de ware autoriteit, de imam, aan te geven. Maar hij doet het niet. Hij heeft deze schoften nodig om zijn plannen te realiseren, wat van hem automatisch een slecht mens maakt. Komt bij dat hij in het verleden meerdere malen de regels van de koran heeft overtreden. De twee procent van zijn geschatte vermogen die hij als gerespecteerd moslim ieder jaar aan de minder bedeelden schenkt, weegt niet op tegen zijn zonden. Hij heeft gewoonweg te veel boter op zijn hoofd, zoals ze in het westen zeggen, denkt hij ironisch. Ben Brahim sluit even zijn ogen. De bespiegelingen verdwijnen. Geld, het paspoort wat elk denkbare grens tot een formaliteit bestempeld. Jij betaalt, zij leveren. Tijd om een concreet bedrag te noemen. Deze deal is voor beide partijen even lucratief. Voor hen op korte termijn, voor jezelf op de lange termijn. Spreek! Beveelt hij zichzelf.

'Vijfhonderd miljoen dirham, contant. In iedere valuta die u wenst. De helft vooraf.' Hoewel hij de woorden beheerst articuleert, lijkt zijn eigen stem aan een ander toe te behoren. In de daaropvolgende stilte onderwerpt zwerfpuin de schokbrekers van de limousine aan een serieuze test. De achterwielophanging pareert de aanslag met verve, waardoor zijn bovenlichaam alleen maar een paar seconden licht naar rechts overhelt. 'Vijftig miljoen dollar is een alleszins redelijk bedrag voor hetgeen u van mij verlangd, Abdelkader Ben Brahim'.

Pure hebzucht klinkt door in de bedachtzame stem. Opmerkelijk, denkt Ben Brahim cynisch terwijl hij weer strak voor zich uit kijkt.

Matthew Price ziet vanaf het strand van Meloneras de adembenemende zonsondergang. Violette tinten absorberen kalm het heldere blauw dat twaalf uur lang het dak boven de horizon heeft gevormd. Een verdwaalde meeuw scheert door de lucht, terwijl enkele cumulus wolken afsteken tegen de blauwe hemel. De zeewind blaast over de zuidelijke kuststrook van Gran Canaria. Zou dit de ultieme definitie van vrede zijn? denkt hij in een filosofische opwelling. Zijn mondhoeken krullen licht. Mafkees, genieten is één, dat mag, maar stom tegen jezelf lullen slaat helemaal nergens op. Hij draait zijn hoofd naar rechts, en ziet zijn klanten eveneens met volle teugen van het uitzicht genieten. Buiten hun huidige gezichtsveld bedekken de contouren van Gran Hotel Costa Meloneras een fors gedeelte van het achterliggende landschap. Het grootste viersterren hotel van Spanje, in tegenstelling tot de meeste logementen op de archipel volledig in Canarische handen, heeft een capaciteit van twaalfhonderd kamers die meestal ook geboekt zijn. Een vakantiefabriek met alles erop en eraan. Uiterst verzorgd massatoerisme in het kwadraat. Hoewel de geboren Amerikaan diep in zijn hart gruwelt van de groteske omvang, overheerst toch een gevoel van dankbaarheid bij een blik op het gecultiveerde stenen paradijs. Zijn inpandige duikschool draait vrijwel uitsluitend op cliënten vanuit het hotel. Wat jammer genoeg niet gold voor 'Pío Diving' in 'Bella Vista'. Daarvoor had het hotel eenvoudigweg een te gering aantal beschikbare bedden. Zijn duikschool aldaar moest het hoofdzakelijk hebben van mensen uit San Agustín zelf, en het aangrenzende toeristenbolwerk Playa del Inglès. Toch draaide het uitstekend, wat ook te maken had met de massale belangstelling van de pers nadat hij samen met de PADI-examiner Jens Hamann onderwater een dolgedraaide Engelsman overmeesterde. Een rancuneuze gek, die in opdracht van een gestoorde zakenman heel duikminnend Europa met tal van aanslagen op de duikbasis in zijn greep hield. Dat deze opdrachtgever de vader van zijn vrouw Claudia bleek te zijn, maakte de zaak voor de pers alleen maar interessanter. Aangezogen door verhalen in de media, viel een invasieleger van duikers zijn bescheiden duiktoko binnen. Prettig bezopen door de ontstane euforie, besloot hij een balletje op te gooien bij de directie van het megahotel in Meloneras, het verlengstuk van Maspalomas, wat weer grensde aan Playa del Inglès. Niet eens tot zijn verbazing gaven de hotshots hem toestemming een duikschool in het hotel te beginnen. 'En toen kwam de grote recessie' fluistert hij onhoorbaar. Mensen kregen beduidend minder te spenderen. Een gegeven dat de reiswereld tijdig onderkende, waarna vergaande maatregelen getroffen werden. Door de reisorganisaties, waarvan het

17

Duitse TUI verreweg de grootste speler was, werd operatie 'Buurman' opgestart. Drijfveer hierachter waren talloze enquête's waaruit overduidelijk bleek dat naast de auto, de vakantie voor de meeste mensen een heilige koe bleef. Alleen de bijkomende kosten tijdens het uitstapje bleken in veel gevallen een onoverbrugbare kloof. Hieruit trok de reiswereld de conclusie dat het roer radicaal om moest. Niet de consument, maar de aanbieders moesten wegen creëren waarop de klant de weg naar de bestemming vond. Het oeroude 'All included'-systeem waarmee Club Med ooit zoveel furore had gemaakt, werd uit de kast getrokken. De prijzen gingen drastisch naar beneden om zo de invoering van het 'nieuwe' systeem te bespoedigen. De consument betaalde op het reisbureau een bedrag, waarna de financiële kous af was. Dit hield onder meer in dat de klanten zoveel konden eten en drinken als ze maar wilden. Animatieteams stonden op ongeveer ieder uur van de dag klaar met een overdaad aan spelletjes. Het kleine beetje geld dat men te spenderen had belandde bij inpandige shops. Bij aankomst het hotel in, bij vertrek eruit. Armoetoerisme, lonend voor de reiswereld, maar funest voor de middenstand die knarsetandend constateerde dat de complexen weliswaar afgeladen waren, maar dat slechts een handvol nieuwsgierigen de omliggende winkels bezocht. De hotels en appartementscomplexen konden slikken of stikken. Beter een halfvol ei, dan een lege dop. De organisaties die meewerkten konden rekenen op flinke mondelinge promotie en een uiterst verzorgde pagina in de reiscatalogi. Aangezien de situatie voor complexen qua bezettingsgraad ronduit alarmerend te noemen was, ging het merendeel om. Hotel 'Bella Vista' besloot dit niet te doen, herinnerde Price zich als de dag van gisteren, wat uiteindelijk resulteerde in een faillissement. Samen met Claudia had hij tijdig de beslissing genomen hun oude stek de rug toe te keren en alles op de nog in de kinderschoenen verkerende duikschool in Meloneras te zetten. Ze moesten wel, want terugkeren naar Boston of Frankfurt, Claudia's geboorteplaats, waren weinig aanlokkende opties. Carmelo, hun goedlachse vriend, divemaster en tevens uitbater van een Ierse pub in San Agustín die tegen alle nieuwe regels in goed bleef lopen, was het met de beslissing om met 'Bella Vista' te stoppen, roerend eens.

Price draait zijn hoofd, steekt zijn hand omhoog en zwaait naar de twee grijze rubberboten die snel zijn richting opkomen. Het gebaar is meer voor de show, dan uit noodzaak. De bestuurders weten exact waar hun klanten zich bevinden. Het gejank van de benzinemotoren verstomt, waarna de boten zichtbaar vaart minderen. 'Ritsen dicht, uitrustingen omdoen, vrienden' zegt Price vol enthousiasme. 'Met een beetje geluk liggen de zeemonsters al op jullie te wachten!' Een dame van middelbare leeftijd glimlacht flauwtjes om de standaardgrap. Naast haar schatert een grote blonde kerel het net even te hard uit. Die moet straks dus in de gaten gehouden worden, prent hij zichzelf in. Praatjes aan wal zijn vaak een voorbode van angsthazerij in het donkere water waar alleen een lichtbundel desoriëntatie voorkomt. 'Als je klaar bent, loop je rustig naar de boten toe,' hoort hij Carmelo in het Engels zeggen. Het eerste buddypaar meldt zich, waarna de rest rap volgt. Een goed teken, weet Price. Twijfel en treuzelaars houden de boel op, wat voor irritatie zorgt bij de rest van de groep. Deze mensen staan te popelen, wat de staf enigszins geruststelt. Qua vaardigheid en discipline vraagt een nachtduik veel van de gasten. Van de begeleiding wordt een veelvoud hiervan geëist. Vanwege het beperkte zicht, duikt men in kleine groepen. Twee buddyparen onder begeleiding van één staflid. Voor onervarenheid is er 's avonds op zee geen plaats. Dit geldt zowel voor deelnemers als begeleiders. Aangezien er zich maar liefst twintig duikers hebben ingeschreven, zijn twee instructeurs, Dirck den Vlieger en Jens Hamann aan de staf toegevoegd. Weliswaar concurrenten die duikscholen in het nabijgelegen Arguineguin en Puerto Rico runnen, maar allebei zeer ervaren. De groep moet een kleine twintig meter waden, dichterbij kunnen de rubberboten niet komen. Geroutineerd tillen Den Vlieger, Hamann, Claudia en Pablo, een divemaster van Den Vlieger de aangereikte duiksets in de boten. Voorafgegaan door een grijnzende Carmelo hijst Price zich als laatste aan boord.

Tien meter. De inktzwarte duisternis wordt tijdelijk opengescheurd door lichtbundels die eruitzien als lichtzwaarden uit de zoveelste episode van Star Wars. Price richt zijn onderwater lamp op zijn linkerhand en maakt het 'alles oké'-teken; drie opstaande vingers, terwijl de wijsvinger en de duim samen een rondje vormen. Zijn vier metgezellen bevestigen het teken. Prima, denkt hij, so far so good. Behoedzaam strekt hij zijn rechterarm schuin omhoog – voor een instructeur is het een doodzonde om tijdens een nachtduik iemand te verblinden – en schijnt naar boven. Aansluitend laat zijn rechterhand de lamp rondjes draaien; het internationale teken voor 'alles oké' op afstand. Claudia, Carmelo en Den Vlieger beantwoorden het signaal direct. Hamann laat even op zich wachten, waarna het gevraagde teken verschijnt. Goed getimed, jongen, denkt Price, terwijl twee pretaccolades zijn ademautomaat omsluiten. Aangezien er tussen de begeleiders onderling zo'n twee meter ruimte moet zitten, is de wetsuit van Hamann, de laatste man die van boord is gegaan, hooguit tien seconden echt nat. Nauwelijks in het water dient de Zwitser zich al naar de wensen van de duikleider te schikken. Geen lol aan, weet Price. En al helemaal niet als je als voormalig examinator veel hoger op de hiërarchische duikladder staat. Hij draait zich honderdtachtig graden om en vervolgt de afdaling. Zonder het daadwerkelijk te zien, weet de Amerikaan dat de rest volgt. Op vijftien meter diepte verschijnen contouren van vergane glorie in het uiteinde van zijn sterke lichtbundel. Eens zo glimmend ijzer is in de loop der jaren door de oceaan systematisch mishandeld. Op drieëntwintig meter diepte klopt hij uit gewoonte tegen de klinker waaraan de afdaal- en opstijglijn is bevestigd. Met zijn linkerhand beweegt hij het gevlochten nylon een paar maal stevig op en neer. Op een enkele rafel na oogt dit gedeelte van de lijn solide. Nog een maand of drie, schat Price, dan moet het tuig vervangen worden. Vier beheerste vinslagen brengen hem van midscheeps naar boeg waar de tour begint. Tien jaar geleden besloot de toenmalige eigenaar dat het verouderde vaartuig zelf een groter gevaar voor de bemanning vormde dan de oceaan met al haar grilligheden. Voordat de sloophamer toesloeg, kocht een duikvereniging uit de hoofdstad Las Palmas de kotter voor een habbekrats. Met toestemming van de Canarische regering werd het wrak op een voor duikers toegankelijke plek afgezonken. Een rode boei aan de oppervlakte markeerde de duikplek, en diende tevens de netten van de beroepsvisserij voor schade te behoeden. Price vangt in de sterke lichtbundel van 100 Watt een handvol leden van een krabbenfamilie. Tussen de bruine scharen van het grootste exemplaar zit iets wits ter grote van een pinknagel. Gelet op de nervositeit die bezit van de soortgenoten heeft genomen, is het voedsel. Hoogstwaarschijnlijk ontsnapt aan de gulzige kaken van een roofvis. De een zijn dood is de ander zijn brood, concludeert hij nuchter. Zijn linkerhand maakt een opwaartse beweging, zodat de romp van wat eens een stoere vissersboot was, in beeld komt. De kiel is tot de waterlijn door het mulle zand verzwolgen. Ter verfraaiing heeft de tand des tijds roestige patrijspoorten in de romp geslepen, waarvan het marineleven gretig gebruikmaakt. De donkerbruine kop van een Atlantische murene verschijnt in de ronde opening. Ritmisch gaan de kaken van het dier open en dicht. De werking van de kieuwen achter de agressief ogende kop loopt simultaan met deze beweging. Gewoon een manier van ademen, weet Price, ervan uitgaande dat de ervaren duikers om hem heen ook van dit feit op de hoogte zijn. Een juiste veronderstelling, aangezien iedereen ogenschijnlijk kalm het dier bestudeert. Hij laat de lamp bescheiden heen en weer bewegen, waardoor de directe omgeving van de murene oplicht. Rond het gat maakt een kleine bewoner van het nautische rijk clowneske zwembewegingen. De gele strepen op de bleke rug van het beestje lichten in de bundel duidelijk op. Price grijnst wanneer de rakker vlak voor de murene stilhoud, om er daarna vliegensvlug vandoor te gaan. Nadat de durfal dit spelletje tot driemaal toe heeft herhaalt, zet hij samen met de twee buddyparen nog eenmaal de donkere rover in de spotlights. Een witgeel aureool omlijst de constant kauwende kaken. De heldere, tevens spookachtige entourage geeft het dier nu iets duivels goddelijks, een soort heilige satan. In de spits toelopende bek glinstert een rij messcherpe naalden. Price besluit verder te trekken. Genoeg blinkende naalden voor vandaag. Op datzelfde moment verdwijnt de murenekop met voor het menselijk oog onwaarneembare snelheid. Voordat iemand van het gezelschap er zelfs maar aan denkt het kunstlicht iets te verplaatsen, ligt het dier weer in de standaard positie. Het eens zo levenslustige visje tussen de rij solide naalden. Price haalt laconiek zijn schouders op, ze moeten door. Een gebiedende beweging volgt. Een vijftal vinslagen later bevindt de kopgroep zich recht boven het wrak. Price houdt in en steekt beide handen naar voren. Bevestigingen volgen, waarna de buddyparen op onderzoek gaan naar iets wat al tot in den treuren toe geïnspecteerd is. Lichtbundels flitsen over het wrak, waardoor het decor wat weg krijgt van een nachtelijke rallyrit waarbij iedereen hopeloos is verdwaald. De vijf begeleiders hangen drie meter boven het wanordelijk georkestreerde lichtspektakel. Hun taak is het opsporen van buiten proportionele bellenstromen wat kan duiden op paniek. Ook houden ze goed in het oog dat geen van de duikers het wrak door de halfvergane luiken binnenzwemt, wat ten strengste verboden is. Maar iedereen houdt zich aan de van te voren gemaakte afspraken, constateert Price tevreden. Na vijf minuten wijst hij met wijs- en middelvinger naar zijn masker, en houdt gelijktijdig de hogedrukslang van zijn manometer omhoog, een universeel gebaar in de duiksport. Evenals zijn staf heeft hij de beschikking over een polscomputer waarop alle benodigde informatie in één oogopslag valt af te lezen. Zonder plichtplegingen trekken de vier stafleden simultaan aan de ontluchtingskoorden van hun trimvesten waardoor er lucht uit de ventielen ontsnapt. De zorgvuldig opgebouwde neutrale status verdwijnt hierdoor even snel als de stijgende luchtbellen. Ze dalen op de manier van een parachutist wiens valscherm nog ongeopend is. Vlak voordat ze naast de fundivers belanden, drukken ze met hun linkerduim de inflatorknop in. 'Pfffffft', klinkt de samengeperste lucht ongecompliceerd tijdens het betreden van het trimvest. De vrije val wordt abrupt afgeremd, zachtjes toucheren hun onderbenen het aloude ijzer. Binnen anderhalve minuut krijgt Price de gevraagde informatie doorgeseind. Er zitten geen 'happers' bij, iedereen heeft minder dan de helft van zijn of haar luchtvoorraad geconsumeerd. Hij glimlacht tevreden, de duik loopt voorbeeldig. Toch wacht iedereen, afhankelijk van de lichaamstaal, heimelijk of openlijk op het slotakkoord. De boeg dient als referentie. Eenmaal recht daarboven begint hij te tellen. Na zestien identieke vinslagen houd hij zijn benen stil. De bodem bevindt zich drie meter onder hem en oogt in het kunstlicht maagdelijk wit. Met een bijna majestueus gebaar nodigt hij zijn cliënten uit om er op hun knieën plaats in te nemen. Binnen de minuut zitten twintig duikers braaf naast elkaar, terwijl evenzoveel lampen recht vooruit wijzen. Samen met de schijnwerpers van de begeleiding, licht de rechthoek verder op. Een bioscoop op de bodem van de oceaan, denkt Price. Jammer dat het doek leeg is. Hoewel iedereen voor de hoofdfilm betaald heeft, is het nog maar de vraag of deze daadwerkelijk vertoond gaat worden. Om misverstanden te voorkomen heeft hij in de briefing duidelijk gemaakt dat de kans op een spektakelstuk gering zou zijn. Dit om hooggespannen verwachtingen te temperen. Tien meter voor hen ligt de rand van een trog. De zandbodem loopt hier steil af naar een diepte van vierhonderd meter. Langs de wanden hiervan patrouilleren de grote diepzeejagers; haaien, marlijnen, grote tonijnen en soms dolfijnen. Doordat de oceaan altijd golft en stuwt, drijft op deze plek een scala aan kleine organisme naar het oppervlaktewater. Voor inktvissen, barbelen, sardines en makrelen een lekkernij. In het kielzog van deze kleine rovers die meestal in grote groepen opereren, zwemt de top van de voedselketen. Solitaire jagers met een eeuwige honger, verder aangespoord door de trillingen die potentiële prooi uitzend. De zandbodem als natuurlijke dekking gebruikend, stormen ze in een sneltreinvaart met geopende bekken op de buit af. Een prachtig schouwspel, weet Price uit ervaring. Mits vanaf gepaste afstand bekeken een ongevaarlijke bezigheid. Mensenvlees staat in principe niet op de menukaart van haaien, om over marlijnen maar te zwijgen. Deze prachtig gestroomlijnde dieren die in sommige gevallen een lengte van wel vier meter kunnen bereiken en zich bij voorkeur op grote diepten ophouden en alleen om te jagen het oppervlaktewater trotseren, hebben, voorzover hij weet, nog nooit een mens aangevallen. Haaien genieten daarentegen zelfs in de eenentwintigste eeuw nog een kwalijke reputatie. Alle gedetailleerde informatie ten spijt, blijft voor het overgrote deel van de wereldbevolking de haai dezelfde meedogenloze moordmachine die het dier al sinds mensenheugenis is. Een absurde stelling, aangewakkerd door de media die er als de kippen bij zijn wanneer een haai een surfplank voor een onvoorzichtige zeehond heeft aangezien. Haaien vallen mensen niet bewust aan, daarvan is hij overtuigd. Als er sprake is van een grote witte haai die in Australië badgasten opvreet, of een solitaire tijgerhaai die in de wateren rond Hawaï probeert het

23

toeristenbestand naar een aanvaardbaar niveau terug te dringen, dan gaat het uitsluitend om gestoorde exemplaren. De kans op een ontmoeting met zo'n beest is praktisch nihil. Het scherm voor hem blijft wit, maar vooral akelig leeg. Ik heb ze verteld dat de kans op grote vis klein is, verzekert Price zichzelf, terwijl bij de duikers de verveling zichtbaar toeslaat. Door met name de overbevissing is de populatie van haaien de laatste tien jaar met vijfenzeventig procent gedaald. Voor de hamerhaai, een soort die vroeger regelmatig rond het eiland werd gesignaleerd, ligt het percentage beduidend hoger, namelijk negenentachtig procent. Maar wat krijgen we nou? De witte rechthoek verandert langzaam van kleur. Helder wit wordt gebroken wit en vervolgens crèmekleurig. Door opstuivende zandkorrels verandert de rechthoek spoorslags in één grote vlek waarvan de randen binnen notime onzichtbaar zijn. Verrast door de ontstane situatie, kijkt Price bevreemd om zich heen. Ofschoon het zicht bedroevend slecht is, kan hij ontwaren wat op dit moment noodzakelijk is. Net als hijzelf zijn de overige begeleiders een armlengte verwijdert van de buddyparen voor wie zij verantwoordelijk zijn. In een noodsituatie kan er direct adequaat ingegrepen worden. Het beetje wat de spikkelmist prijs geeft, ziet er in ieder geval rustgevend uit. Duikers nog op de aangewezen plek, lampen recht vooruit. Schijnend in het niets. De miljarden oplichtende zandkorrels kunnen voor verwarring zorgen. Een soort sneeuwblindheid. Toch peinst Price er niet over zijn klanten te sommeren de lichten te doven. Hij weet nu wat hij heeft, wat hij ervoor terug krijgt is giswerk. Afwachten, spreekt hij zichzelf in gedachte toe. Die onverklaarbare storm waait wel over. Waarna we rustig… Shit! Een kolossale vis schiet vanuit het beangstigende decor rakelings langs hem heen. Nadat het dier hem gepasseerd is, krimpt hij instinctief ineen. Jezus Christus, wat was dat nou? Tijd om hierover na te denken wordt hem nauwelijks gegund. Vier armen recht voor hem zwaaien wild in de lucht. Trekken strepen door de crèmekleurige huid die wonderbaarlijk snel heelt. Price maakt zich breed, spreidt beide armen zover mogelijk uit en krijgt met veel moeite aan weerszijde twee schouders van de buitenste buddy's te pakken. 'Rustig blijven'! schreeuwt hij door zijn ademautomaat tegen de twee duikers die zich in het midden van de merkwaardige sandwich bevinden. Water geleidt geluid prima, een gegeven waarmee hij nu zijn voordeel doet. Er wordt geknikt, niet van harte, maar dat zal hem een zorg zijn. Deze mensen hebben zojuist volledig onverwacht een gigantische vis aan zich voorbij zien glijden en zijn zich kapot geschrokken. Terwijl hij de twee buddyparen omarmt, kijkt Price vanuit zijn ooghoeken naar de contouren van Claudia. Tot zijn opluchting heeft zij exact dezelfde beslissing genomen en de zaak lijkt zo op het eerste gezicht onder controle. Over het wel en wee van de rest kan hij alleen maar speculeren. Verantwoordelijk daarvoor is de aanzwellende zandstorm die het zicht tot hooguit drie meter beperkt. 'Auuuuw'! Een onzichtbare hand slaat zijn hoofd naar rechts. De staartvin is fors en typerend voor de haaiensoort waarmee hij in deze netelige toestand niet geconfronteerd wil worden. Mako, gaat het in een opspelend waas van pijn door hem heen. Volle neef van de grote witte openwaterjager, bij tijd en wijle een agressieve klootzak. Tot zijn verbazing verdwijnt de haai niet door het gordijn dat hen omfloerst, maar blijft bijkans roerloos in het nog aanwezige blikveld hangen. Bij een tweede blik op het dier steigeren tienduizenden haren ongecontroleerd tegen de binnenkant van zijn wetsuit. Ietwat gekromde rug, borstvinnen naar beneden, een staartvin die ontegenzeglijk aanzet voor een sprint. Kolere, hij valt aan! De staartvin verplaatst in een fractie van een seconde miljarden watermoleculen, waarna de jager uit het zicht verdwijnt. Op weg naar een onzichtbare prooi. Onverbiddelijk, accuraat als het zwaard van de eenzame samoerai. Beheers je, legt Price zichzelf op, geen gekke dingen doen. In de palmen van allebei zijn handen trillen twee verschillende schouders een erbarmelijk ritme, wat weinig goeds voor de komende minuten voorspelt. Een korte blik op Claudia laat ontzetting zien. Evenals bij hemzelf bungelt haar duiklamp aan een koordje dat om de linkerpols is gewikkeld. Ze komt overduidelijk handen tekort om het paniekspook dat in de geesten van haar klanten rondwaart tegenspel te bieden. Wegwezen voordat er ongelukken gebeuren, beslist hij gedecideerd. Vrije opstijging maken, terug naar het wrak, alles is beter dan hier rond blijven hangen. Drie hartslagen later bevestigd een gruwelijk aangezicht zijn gelijk. Miljarden korrels wijken venijnig voor iets dat schoksgewijs hun kant uit komt. Zijn eerste indruk is scheepsafval, misschien wel een oversized plastic tas. In een flits verscheurt een haaienkop de mist, waarna een angstaanjagend gebit zich een weg door het geval voor hen baant. Het dier schudt hevig met de monsterlijke kop, waardoor de rest van het imposante lijf een wanstaltige dans uitvoert. Kaken scheuren en trekken, tussen de gekartelde tanden glanst mat een witte buit. Een snelle beweging van de puntige achtersteven doet de haai buiten beeld verdwijnen. Wat rest van de prooi stuitert onhandig in de richting van de duikers die als versteend het gedrocht in hun lichtbundels gevangen houden. Price slikt koortsachtig om braakneigingen te onderdrukken. Wat eens een mens was, is veranderd in een klomp aangevreten vlees waaruit een wirwar van witte spieren en afgekloven botten steekt. Vanwege het ontbreken van gelaatstrekken is het gezicht onherkenbaar. Holtes, in plaats van ogen staren hem leeg aan. Fladderend op de ontstane watercommotie bieden resten wit vlees zich ongegeneerd aan ter consumptie. Begeleid door een wilde kreet van afschuw kotst Price zijn automaat onder. Zijn geluk is de moderne techniek in de ademautomaat die de smurrie direct filtert en verwijdert, zodat hij onbelemmerd door kan ademen. De schouder in zijn rechterhand schokt; nog meer halfvergane etensresten stoken het vuur van de voedselgekte verder op. De duiker recht voor hem reikt naar zijn linkerkuit, en haalt vliegensvlug een mes tevoorschijn. Hoewel zijn zintuigen nog verre van optimaal zijn, reageert Price als door een zeeslang gebeten. 'Nee, doe weg!' Hij zet zich af en krijgt de pols van de man te pakken. 'Heeft geen zin, bloed, bloooeeeeeeed !' schreeuwt hij angstig en pissig tegelijk. Een volwassen makohaai met een mes bewerken heeft evenveel effect als een olifant met een knuppel slaan. Het grote verschil is echter dat de olifant je uit narrigheid hooguit een mep met zijn of haar slurf geeft, terwijl de mako compleet gestoord wordt van de eigen bloedgeur en geheid in een moordmachine verandert. 'Terug!' brult Price. Zijn ogen spuwen blauw vuur. De man recht voor hem aarzelt een fractie van een seconde, waarna zijn opgefokte lichaam enigszins verslapt. Met opengesperde ogen waarin angst blinkt, glijdt de man terug naar de fictieve bescherming van zijn groepje. Price volgt direct, weg van de menselijke resten. Op het moment dat hij een aantal decimeters stijgt om zodoende achter het bibberende kwartet te komen, wordt het doemscenario dat al even aan zijn gezonde verstand vrat bewaarheid. Een kleine twee meter boven hem doemt een witte buik op. Aangedreven door een nerveuze staart verdwijnt het lijf in de richting van Claudia. Voordat hij kan vloeken, schreeuwen, janken of wat dan ook, verschijnt een grauwe kop in de vorm van een aambeeld op het macabere toneel. Ruim drie meter pure spierbundel trekt in enkele seconden die tientallen minuten lijken te duren aan hem voorbij. De mako is geen solitaire jager die toevallig op een lijk is gestuit, weet hij zeker. Het zit hier vol met hongerige, dolgedraaide haaien, wat impliciet inhoudt dat er nog veel meer buit rondzweeft. En om daar onderdeel van te worden ligt geenszins in zijn toekomstplanning. Claudia en de rest verkeren in doodsgevaar, gonst het door hem heen. Ingrijpen, nu! Hij draait om zijn as en haalt met zijn vlakke linkerhand stevig uit. De tik raakt twee hoofden. Ogen waarin lethargie, angst en wanhoop zichtbaar zijn, werpen blikken waaruit sprankjes drijvende hoop naar een anker reiken. Price grijpt de voor hem meest rechtse duiker bij de schouder, en meldt de rest door middel van een korte hoofdbeweging te volgen. Terwijl hij aanzet, doorkruist een barracuda drie lichtstralen. Vanwege de enorme snelheid waarmee het dier zich voortbeweegt, ziet Price slechts een flits van de 'zeesnoek'. De ultrakorte ontmoeting spreekt echter boekdelen. Hij is een absolute fan van barracuda's, heeft tussen duizenden gedoken, en kent ze derhalve als zijn broekzak. Deze reactie is uniek. Hij voelt dat de door het desolate dier verspreide trillingen in het water doordrenkt zijn van opperste hysterie. Wat zich hier afspeelt valt buiten zijn competentie. Daar! Het zandkordon geeft silhouetten prijs. Duikers die plat op hun buik op de bodem liggen, de lampen schuin naar boven gericht. Twee haaien scheren over hen heen. Price misbruikt de eerste duiker als kussen om naar Claudia toe te kunnen kruipen. Terwijl hij 'naar het wrak!' schreeuwt, treft haar oogopslag hem frontaal. In haar donkere kijkers leest hij doodsangst. Instinctief volgt Price haar ontzette blik die haast apathisch in de crème doodsdeken links van hem staart. In de buitenste rand van het aanwezige lichtschijnsel happen drie haaien gretig naar evenzoveel ontzielde lichamen. De uitzinnige dieren staan zo goed als loodrecht in het water, de koppen naar de bodem gericht. Doordat de voedselgekte naar het kookpunt stijgt, is de doelmatigheid verdwenen. Blind bijten de monsters om zich heen. Zowel naar de prooi als elkaar. Stukken zwevend vlees fungeren vluchtig als extra huiveringwekkend detail. In een belachelijk korte periode is de gestileerde tijdloze gratie die hij altijd zo bewonderde, veranderd in een betonnen muur van dodelijke realiteit. Hierbij vergeleken is Dantes hel een wandvulling voor de peuterspeelzaal. Hij wil sommeren, maar komt niet verder dan wat binnensmonds gestamel. Zijn linkerhand doet een bij voorbaat kansloze poging de stijgende duiker te stoppen. Even maken zijn nagels contact met vibrerend rubber, een kwart tel later streelt het gladde lichaam van de oceaan alweer sarcastisch zijn vingers. Hij kreunt inwendig om de aanstaande pijn van een ander. Menselijke restanten hobbelen in zijn richting. De wilde meute volgt zoals strontvliegen bij een vergeelde bruidstaart doen. 'Wit' mompelt hij, terwijl beelden van de murene en de krabbenfamilie in een flits aan hem voorbijtrekken. Ongewild is zijn linkerarm nog steeds in gestrekte positie om te redden wat hoogstwaarschijnlijk al verloren is. Zijn knieën draaien een verre van volmaakte cirkel in het zand. Door de snelheid van handelen komt de lamp die aan zijn linkerpols hangt omhoog. Overal waar het licht priemt, zijn lichaamsdelen zichtbaar. Hier heelhuids uit komen lijkt volslagen onmogelijk, vluchten is een tijdelijk uitstel van executie. Toch moet hij een poging wagen, lijdzaam afwachten totdat de gekartelde dood hen komt halen mag geen optie zijn. Zijn hersens bevinden zich in een gordiaanse knoop die met één geniale handbeweging ontward dient te worden. Op het moment dat hij gevoelsmatig in een parodie op een standbeeld verandert, snijdt paniek het groeiende gezwel van aanstormende vertwijfeling in stukken. Zijn vingers openen de twee kliksluitingen van het trimvest. In één vloeiende beweging buigt hij voorover, duwt zijn onderrug hard omhoog, pakt met twee handen de fleskraan achter zijn nek, en trekt. Met een doffe klap belandt de duikset vlak voor hem op het zand. Doordat de aansluiting van de rubberen lagedrukslang tamelijk eenvoudig meedraaien toestaat, blijft het bitje van de ademautomaat stevig in zijn mond zitten. De knokkel van zijn rechterwijsvinger tikt tegen Claudia's masker. Hij heeft haar onverdeelde aandacht nodig, zij is nu de spil waar het om draait. Vervolgens wijst hij op zichzelf en houdt de duikset als een soort van schild omhoog. Vervolgens priemt zijn rechterwijsvinger in het licht van haar duiklamp naar zijn doodsbange vrouw. Als eerste maakt zijn hand een golvende beweging, gevolgd door een gestrekte, vlakke hand die traag op en neer gaat. Een paar tellen laat hij de duikset los. Twee wijsvingers die vastberaden tegen elkaar worden gehouden maken de opdracht compleet. Een blik vol onzekerheid is zijn deel. 'Nu, godverdomme!' schreeuwt Price met alle overredingskracht die nog in zijn geest huist. Zonder op een reactie te wachten pakt hij de duikset op, zet af en beland naast de drie duikers uit zijn eigen groep. De duikset in zijn rechterhand volgt anderhalve seconde later. 'Zwemmen, volgen!' Ter aansporing geeft hij de laatste van het gezelschap een por. Langzaam komt de menselijke trein op gang. Price zwemt een kleine meter hoger dan de duikers die zich vlak boven de bodem voortbewegen. Met beide handen omklemt hij de verharde rugsteun van het trimvest waaraan de persluchtcilinder is bevestigd en houdt de set met half gebogen armen voor zich uit. Twee zwemslagen later heeft hij Claudia's lichtbundel in het vizier. De laatste in de rij bevinden zich ter hoogte van zijn vinnen. Het tempo dat Claudia aangeeft is van cruciaal belang. Gaat ze te snel, dan is hij het overzicht kwijt. Zwemt ze daarentegen te langzaam, dan zijn ze niets anders dan lekeenden. Price positioneert zijn lichaam in een hoek van vijfenveertig graden. Tijdens de helse trip draait hij constant om zijn as zodat zijn blik een weids bereik heeft. Zijn lamp volgt de beweging als het licht van een vuurtoren tijdens een verre van heldere nacht waarop iedereen het liefst binnen wil zijn. Uit de mist duikt de spitse grijns van een mako op. De punten van de borstvinnen wijzen naar beneden, rug gekromd...... 'Kut!' Voordat het dier zijn tanden in de duiker beneden hem kan zetten, haalt Price uit. De duikfles raakt de haai frontaal op de torpedovormige kop. Het akelige geluid van metaal op kraakbeen vult voor even zijn gehoorgangen. Meer geschrokken dan aangeslagen kiest de jager het hazenpad. Alsjeblieft, klerelijer, denkt hij. Hij begint weer te draaien en heeft meteen in de gaten dat

29

de duikers te dicht op elkaar zwemmen. Het tempo voorin stokt. Claudia! Krachtig zet hij aan. Op de plek waar eigenlijk Carmelo en zijn duikers zich zouden moeten bevinden, vechten twee blauwe haaien letterlijk om een been. Eromheen zwemmen, denkt hij en zwenkt met zijn lamp naar rechts. Doordat het mistgordijn van geen wijken wil weten, blijven ze verstoten van de betrekkelijke veiligheid van diep zwart. Carmelo en de rest zijn er geweest, weet hij nu zeker. Hun plek is opgevuld door furieuze monsters. Aan zijn rechterzijde neemt de zandstorm in hevigheid toe. Wat er zich daar afspeelt is hem meer dan duidelijk. Een huivering raast over zijn ruggengraat. Rest nog één mogelijkheid. Extra dosis krankzinnigheid in een poel vol waanzin. Hij maakt een paar handgebaren die door zijn vrouw met ongeloof worden ontvangen. Aansluitend schuift hij zijn rechterarm door de banden van het trimvest en pakt met zijn linkerhand de bungelende reserveautomaat vast. In de rechterhoek van zijn masker ziet hij Claudia de aanwijzingen aan de rest doorgeven. Gaan! Met de hoogste snelheid die zijn benen hem toestaan schiet hij op de haaien af. Vlak voordat het provisorische schild contact met de vijand maakt, draait hij de reserveautomaat op zijn kop en drukt gelijktijdig de waterlosknop in. Een belletjesgordijn begeleidt de forse klap. Eén rover heeft hij beslist geraakt; de staartvin die zich uit het strijdtoneel terugtrekt is daarvan het bewijs. Tussen de wilde stroom van de 'blazende automaat' in, glinsteren stukken blauwe huid als hard plastic in zonlicht. Een combinatie van overmoed en angst geeft hem de kracht naar, wat hij aanneemt, de flank van het dier te trappen. Zonder aarzelen kiest de haai het hazenpad. Voor even, weet Price. Hij stijgt anderhalve meter, waarna de bellentrein onder hem door raast. Er is nu geen sprake meer van bedachtzaamheid. Ze moeten zo snel mogelijk naar het wrak. Het fictieve schild van opstijgende lucht dat uit negen automaten spuit, kan de groep een paar kostbare seconden bescherming bieden. Maar niet langer. Zijn kuiten protesteren als hij er opnieuw het uiterste van vraagt. Een paar ferme klappen brengen hem recht boven Claudia die als een bezetene de groep aanvoert. Nog vijf meter, denkt Price. Een kompas of patronen in het zand waaraan je de juiste richting kunt aflezen zijn overbodige luxe. Hij weet precies waar ze zich bevinden. In de optrekkende mistflarden twinkelen lichtpunten. Goed gedaan mannen! denkt hij opgetogen. Ook Claudia kent de route. Met een speling van enkele centimeters schiet de reling onder haar buik door, waarna ze haar rug kromt en in de ingewanden van het schip verdwijnt. Price maakt zich breed, schiet met zijn rechterarm door de banden van het trimvest en grijpt in volle vaart naar de reling. De vingers van zijn linkerhand vinden houvast. Tijdens het verliezen van hoogte pakt zijn rechterhand de reling en reikt zijn linkerhand naar beneden. Zijn rechterschouder protesteert krakend vanwege het overgewicht. Hij grijpt de eerste duiker in zijn blikveld bij de schouder, trekt haar omhoog en duwt haar vervolgens onzachtzinnig over de reling. Hoewel het een tengere vrouw betreft, voelt zijn linkerarm aan alsof er langdurig tweehonderd kilo lood aan heeft gehangen. De volgende duiker in de panische rij heeft geen hulp nodig. Geflankeerd door een wolk luchtbellen glijdt de man soepel over de reling heen. Wanneer Price opnieuw iemand de helpende hand wil reiken, is een andere arm hem voor. Terwijl Price' vingers op contact wachten met een in wilde vaart naderende klant, kijkt hij opzij. Carmelo hangt als de nautische broer van Spiderman naast hem. Linkerhand aan de reling, de rechterhand vooruitgestoken. Beide vinnen lijken met onzichtbare lijm aan de ijzeren boegwand geplakt. Op het moment dat Price de duiker binnen de muren van het maritieme fort trekt, ziet hij een ondeugende flikkering in de ogen van zijn beste vriend. Onvoorstelbaar. Twee seconden denkt hij woedend: waarom ben jij me niet komen halen, klootzak? De stupiditeit van deze vraag dringt echter meteen tot hem door. Carmelo, Den Vlieger en Hamann hebben hun klanten in veiligheid gebracht, en daarmee juist gehandeld, beseft hij. Zonder hen zouden de problemen vele malen groter zijn geweest. Gezamenlijk werken ze de laatste drie duikers binnen. Direct hierna zwemmen ze naar het middengedeelte waar een concentratie van lichtbundels zichtbaar is. Het zicht is zeer redelijk tot goed. Uitlopers van omgewoeld zand dwarrelen in de zwarte materie. Price schijnt naar boven, maar kan vooralsnog niets ontdekken. Hoewel de weg die zij nu nog af hebben te leggen door duisternis omgeven zal zijn, gloort er toch enige hoop in zijn hart. Hij zwenkt met zijn lichtbundel over de groep. Wat hij vreesde wordt direct zichtbaar. De zeven duikers die aan zijn doldrieste ontsnappingspoging hebben deelgenomen zitten zonder lucht. Doordat zij met hun reserveautomaat of octopus een bellengordijn vormden, zijn de persluchtflessen bijna vacuüm getrokken. Den Vlieger en Hamann hebben adequaat gereageerd; twee duikers slurpen bij hen lucht, vijf anderen krijgen lucht uit de flessen van nieuwe buddy's. Price kijkt op zijn polscomputer. De digitale cijfers geven veertig bar aan. Niet veel, maar voldoende voor een normale opstijging. Claudia zal over dezelfde voorraad lucht beschikken. Sportduiken is hun werk, waardoor ze minder lucht verbruiken dan recreanten. Er is geen tijd om zijn plan aan het begeleidingsteam uit te leggen. Iedere seconde telt. De stafleden zijn ervaren rotten die precies weten wat er nu moet gebeuren. Hij zet als eerste de opstijging langs de lijn in. Met de duikset om zijn rechterhand ter verdediging draait hij om de lijn heen. De lichtbundel in zijn linkerhand kerft willekeurig in de duisternis. Niets te zien, laat het alsjeblieft zo blijven, bidt hij in stilte. Zoals hij al verwachtte, rijzen er vanuit de diepte een aanzienlijk aantal luchtbellen omhoog die hem in een consequent tempo voorbijstreven. Hij laat zijn lamp even langs zijn lichaam zakken en ziet twee hoofden op nauwelijks anderhalve meter van zijn vinnen. Perfect. De stafleden in het schip sturen als eerste de duikers die assistentie met de octopus verlenen naar boven. Normaal gesproken hebben de duikers die zich als eerste uit het vreetfestijn terugtrokken voldoende lucht over. Normaal gesproken wachten zij dus enkele minuten om duw- en trekpartijen tijdens de opstijging te voorkomen. Normaal gesproken... Jezus, wat is normaal gesproken in deze situatie? Price duwt zijn linkerpols tot vlakbij het glas van zijn masker en leest de getallen van het scherm af. Veertien meter, vierentwintig bar. Moet lukken. Hij haalt rustig adem en blaast gelijkmatig uit. Het laatste beetje lucht is voor hem even belangrijk als insuline voor een suikerpatiënt. Mocht hij zonder komen te zitten, dan is flauwvallen mogelijk. De duik heeft lang geduurd, te lang. Stikstofbellen hebben zich tijdens het verblijf onderwater in de bloedbanen genesteld. Daar komt nog eens bij dat zware emoties en fysieke inspanningen dit proces versnellen. De eerste zet om de stikstof te laten verdwijnen is een opstijging met een snelheidspercentage dat de achttien meter per minuut niet mag overschrijden. Close, tweemaal heeft hij het doordringende piepje dat waarschuwt als er te snel wordt gestegen, gehoord. Toch gaat het, kantje boord waarschijnlijk lukken. Volgens de PADI-regels dient er bij iedere duik een veiligheidsstop van drie minuten op vijf meter diepte gemaakt te worden.

Geconcentreerd houdt Price zijn computer in de gaten. Vier meter diep, vijftien bar over. Hij stopt met stijgen. Naast het duikschild probeert zijn lamp agressie op te sporen. Niets, geen aangespannen vin of hongerige bek te bekennen. Hij duwt zijn benen achterwaarts omhoog, waardoor hij horizontaal in het water komt te liggen. Rond hem wemelt het nu van de luchtbellen. Tussen de zes en vier meter diepte is de eerste groep bezig de overdaad aan stikstof uit hun bloed te verwijderen. Nog tweeëneenhalve minuut te gaan, negen bar in de fles. Hij kan slechts hopen dat de mensen onder hem een gunstiger luchtperspectief hebben. Hier op het zuidelijke gedeelte van het eiland is maar één beschikbare recompressietank. In het geval van een collectief decompressie-ongeval ontstaat er een gigantisch probleem. De 'minder erge' gevallen krijgen dan zuurstof toegediend, waarna op de beurt gewacht moet worden. Een scenario dat hij snel uit zijn geest verbant. Hij volgt de lichtbundel. Zwart. Rustgevend fluweelzwart. Nog twee minuten hangen, nog drie bar over. Rustig ademt hij de in theorie laatste teug perslucht in. Eén minuut vijftig, nul bar. Uit ervaring weet Price dat er altijd een restje lucht in de fles zit dat niet door de sensor van de computer wordt opgepikt.

In het zwembad heeft hij het uitgeprobeerd. Drie, soms vier extra teugen. Onder hem valt godzijdank nog geen onrust van een 'zonderluchtsituatie' waar te nemen. Het merendeel van de overtollige stikstof is nu zo goed als verdwenen, waardoor de kans op een zwaar geval van caissonziekte vrijwel tot nul gereduceerd is. Hij vraagt en krijgt lucht. De digitale letters op de computer worden hem per seconde gunstiger gezind. Bij de vijfde hap naar lucht in overtime stokt de automaat. Hij trekt zichzelf in een verticale lichaamshouding, strekt zijn linkerarm en begint langzaam omhoog te zwemmen. Om een longembolie te voorkomen, blaast hij geleidelijk luchtresten uit die zich nog in zijn longen bevinden. Vlak voordat zijn hand met frisse zeelucht in aanraking komt, schampt er iets tegen zijn rechterkuit. Hij negeert tijdens het bovenkomen de brandende pijn, spuugt de automaat uit, waarna de adem van de oceaan een gelukzalig moment zijn beide longen voedt. 'Pablo, hulp!' Gevoelsmatig schreeuwt hij bijzonder luid. Voor de divemaster die aan boord de logistiek verzorgt, klinken de woorden als timide gefluister in de duisternis. Hij reikt naar het lichtschijnsel en trekt Price met set en al in de boot. 'Wat is er allemaal aan de hand?' vraagt hij zonder plichtplegingen. In zijn ogen wordt de eerste paniek zichtbaar. Price zet zijn masker af en ontdoet zich van zijn vinnen. De extra verlichting op de console geeft een met dekens bedekte op zijn zij liggende duiker prijs. Ontdaan van zijn duikspullen ademt de man door een masker dat is aangesloten op een fles waarin pure zuurstof zit. Het is het meest probate middel tegen stikstof dat er op dit ogenblik voorhanden is. In gedachten complimenteert Price de divemaster met zijn kordate optreden. 'Hoe erg?' vraagt hij zo neutraal mogelijk. 'Voorzorg voor zover ik het kan beoordelen is het eerder een shock dan een decompressie. Hij is volledig bij kennis en verzekerde me de hele opstijging doorgeademd te hebben. Stijgsnelheid onbekend. Wist wel te melden dat het hem nog veel te langzaam ging vanwege happende haaien.' Quasi-nonchalant haalt hij zijn schouders op. 'Dat laatste zal de schrik wel wezen. Mensen roepen maffe dingen in stress-situaties. Verder geen plotselinge flauwtes of zichtbare bloedingen.' Aansluitend dwaalt zijn blik naar Price' rechterbeen. 'Wat van jou niet valt te zeggen. Wat is dat voor een rare wond?' Na deze zin voelt Price de stekende pijn terugkeren. Hij betast zijn rechteronderbeen wat een onaangename grimas tot gevolg heeft. Alsof het een afgedragen derdehands wetsuit betreft, zit er ter hoogte van zijn kuit een gat. Afgeschaafd door ruwe haaienhuid die door de opstaande randen aanvoelt als grof schuurpapier. Hoewel er straaltjes zwartglinsterend bloed langs zijn enkel lopen, beseft Price wat een ongelofelijke mazzel hij heeft gehad. Een doodordinaire schaafwond. Veroorzaakt door een dier dat in staat is hem in een handomdraai te verminken. 'Stelt niks voor,' zegt hij schouderophalend. Pablo gaat het de komende minuten zwaar te verduren krijgen. Bloederige voorinformatie zou makkelijk

34

verkeerd kunnen vallen. Price gaat op zijn knieën zitten en zet strijd-lustig de duikset rechtop naast zich neer. Geholpen door de maan komen de luchtbellen in zijn vizier. 'Beurtelings trekken we ze in de boot. Geen gesprekken of gedraal. Pakken, trekken, daarna de volgen-de. Jij neemt de eerste.' De afgebeten toon waarop hij spreekt laat Pablo's wenkbrauwen fronsen. 'Opletten' zegt hij bits. Voor een vraag of tegenwerping is nu geen ruimte. Zijn rechterhand draait rap de aan-sluiting van de eerste trap met de fleskraan los. Ontluchten van de tweede trap is overbodig. Lege tank, druk is dus niet meer aan de orde. Ten slotte trekt hij aan het klittenband waarmee de fles aan het back-pack bevestigd zit. Het backpack verdwijnt met een achteloze zwaai ergens achterin de boot, de fles legt hij binnen handbereik naast zich neer. Pablo reikt naar voren, en commandeert middenin de beweging 'automaat uit' tegen de buddy met de octopus in zijn mond. Hij grijpt de luchtdonor bij diens fleskraan, waarna de man als een uit de klui-ten gewassen pinguïn over de wand naar binnen glijdt. Enkele secon-den later ondergaat de buddy hetzelfde lot. Tijdens deze handeling kijkt Price met een schuin oog naar de omgeving rondom de lucht-bellen. Het schuimt en bruist, als zeepbellen spatten ze aan de opper-vlakte uit elkaar. Waar hij naar zoekt, blijft ongezien. Totdat iedereen uit het water is, hoopt hij. Voorlopig, vreest hij. Het volgende buddy-paar dient zich aan. Met vereende krachten brengen ze hen in veilig-heid. Tot Price' grote opluchting verschijnt het gezicht van zijn vrouw aan de oppervlakte. Voordat er een woord aan haar lippen kan ont-snappen, helt hij ver naar voren en hijst haar binnen. Ze heeft dus toch kieuwen, schiet het bewonderend door hem heen. In plaats van zijn gevoel te volgen en haar te omarmen, snauwt hij veel te bits 'schijn me bij'. Confuus van alle gebeurtenissen reageert Claudia automatisch. Ze neemt naast Price plaats, waarna het bellenfestijn oplicht. 'Eromheen, lieverd,' beveelt Price op een heel wat aangenamere toon. Gehoorzaam draait ze met haar lamp cirkels. De rest van de eerste groep komt boven. Heelhuids, ziet Price vrijwel meteen. Wanneer Claudia hulp wil bieden, houdt hij haar tegen. 'Blijven schijnen' zegt hij gedecideerd. 'Net zo lang tot iedereen binnen is.' Vijftien man binnen, Carmelo, Den Vlieger, Hamann en vijf recreanten nog onderweg, rekent hij snel. Carmelo één, de instructeurs twee mensen onder hun hoede. Op grond van ervaring sluit Jens de rij, tenminste zo zou ik het doen. Twee hoofden komen gelijktijdig boven water. 'Jezus, wat een...' Verder komt Carmelo niet. Price pakt hem vast en sleurt zijn vriend in de Zodiac. 'Niemand stapt over, maat. Iedereen blijft in deze boot, zorg daarvoor!' Enkele ogenblikken later heeft ook Carmelo's buddy houvast onder zijn zitvlak. 'Jawel, commandant,' hoort Price zijn gabber mopperen. Terwijl die door blijft pruttelen, verschijnt er een schim in Price' linkerooghoek. '23.00 uur, nu!' snauwt hij. De lichtbundel schiet van linksonder naar linksboven. In tegenstelling tot wat hij dacht te zien, kabbelen de golven gemoedelijk door. Nergens een oneffenheid te bekennen. Claudia kamt de beperkte zone verder uit, maar krijgt niets anders dan het ritme van de zee voor het voetlicht. Hij vloekt van opluchting.

Pablo strekt zich voor de zoveelste keer. Weer een binnen, denkt Price. Zonder zijn ogen van het zoeklicht af te wenden, verleent hij assistentie aan de eerstvolgende in de minirij. Pablo sjort aan het zware lijf van Den Vlieger, achter zijn rug belet Carmelo duikers voor meer ruimte in de naastgelegen boot te kiezen, Claudia blijft op het water schijnen. We gaan het redden, gonst het door zijn hoofd. We gaan het redden, verdomme! De woeste kreet van Claudia en de schrik die zijn hart een halve tel verlamt, vallen in dezelfde ijzige seconde. De nachtmerrie die zich in zijn gedachte afspeelde, wordt nu realiteit. De monsterlijke afmeting van de vin steekt af tegen het vlakke, lichtgele decor. Op de donkergrijze huid glinsteren waterdruppels. De vin verplaatst extreem weinig water, waardoor het lijkt alsof dier en materie één zijn. De schuine lijn waarin de haai nadert ligt in het verlengde van de rubberboot. Tien meter, schat Price. Een afstand van niks voor zo'n kanjer. 'Carmelo, vervang me!' Hij helt naar rechts over en omklemt de fles. Geheel volgens schema duiken drie hoofden op. Vijf meter, de vin verdwijnt soepel onder de oppervlakte. Onder een wolk van paniekerig gegil grijpen twee handen naar evenzoveel fleskranen. 'Uuumppfh!' Ofschoon Hamann volledig wordt overstemd, heeft de korte kreun op Price meer impact dan het wilde gebrul dat het luchtruim vult. 'Hij proeft' fluistert Price onhoorbaar voor de rest. Zijn ogen speuren naar een puntig gezwel op de huid van de oceaan. 'Licht rechts van Jens!' Naast hem glibberen twee kerels de tjokvolle boot binnen. Onbeholpen staat hij op. De flesvoet rust op de wand. In één beweging tilt hij de cilinder op, en draait deze honderdtachtig graden zodat de fleskraan naar beneden wijst. Aansluitend brengt Price beide armen boven zijn hoofd. In stilte bidt hij een schietgebedje: laat hem niet van onderen komen. Dan gebeurt alles in een flits. Een hand omklemt Hamanns fleskraan, waarna het bovenlichaam van de Zwitser omhoog komt. Op het moment dat alleen nog zijn benen in het water bungelen, verschijnt de driehoek in het zoeklicht. De snelheid van de haai is enorm. Als een torpedo schiet het dier door het water. Price ramt de fleskraan uit alle macht in de rug van de aanstormende jager. Hij verliest zijn toch al wankele evenwicht en klapt schuin voorover. In zijn val ziet hij hoe Hamanns lichaam onder hem vandaan wordt getrokken. Exact op de plek waar de Zwitser zich zo even bevond, raakt zijn linkerschouder het water. Instinctief trekt hij zichzelf in de foetushouding. De klap, de pijn, de afgrijselijke afdaling in de onverzettelijke kaken van het monster blijven echter uit. Hij schiet terug naar de oppervlakte, waar Carmello's hand als hijskraan fungeert. Tijdens zijn klauterpartij over de gladde wand, duiken Pablo en Claudia het water in. 'Wat.' 'Jens is bovengekomen' legt Carmelo hem het zwijgen op. Price rolt onhandig de boot binnen. Ledematen en apparatuur dienen nu uitsluitend als houvast waarmee hij zichzelf weer op de been helpt. 'Meer licht!' brult hij tegen iedereen en niemand in het bijzonder. Hoewel iedere beschikbare lamp op hen staat gericht, en de drie in het water daardoor baden in het licht, kan het Price' goedkeuring allerminst verdragen. 'Spreiden' roept hij met een stem waarin angst, bezorgdheid en paniek doorklinken. 'Spreiden, verdomme. Laat me die klote omgeving zien.' De helft van de duikers gehoorzaamt meteen. Rondom het trio dat zienderogen naderbij komt, tasten lichtbundels het wateroppervlak af. Price' blik is overal en nergens. In het centrum ervan zwemt de liefde van zijn leven. Tunnelvisie, toch zien zijn ogen ieder detail, elke huidrimpel van de oceaan. Hij wil van alles schreeuwen, maar zijn vocabulaire blijft beperkt tot een stamelend 'kom op nou.' Na een handvol seconden die hem enkele jaren van zijn leven kosten, biedt een woud van armen assistentie. Door deze spontane manoeuvre helt de rubberboot vervaarlijk over. 'Terug, stelletje eikels!' gilt Price woest. Zijn hart bonkt als een wilde in zijn borst, alleen het laatste restje zelfbeheersing weerhoudt hem ervan om te gaan meppen. Geschrokken deinst bijna iedereen terug. De zwaarbeladen boot komt hierdoor weer recht te liggen, maar het zeewater stroomt toch al over de randen naar binnen. Price, Carmelo en Pablo tellen met gestrekte armen de centimeters af. Geen van hen heeft oog voor de extra ballast die ongewild aan boord is gekomen. Bijna gelijktijdig vinden de drie mannen een houvast. Claudia, Den Vlieger en Hamann landen onzacht tussen het duikvolk dat zich direct over hen ontfermt. Gek van opluchting kruipt Price op handen en voeten naar zijn vrouw. In zijn kielzog volgen Carmelo en Pablo. Opnieuw helt de boot over, een flinke plens maakt een apathisch tegen de wand steunende vrouw nog natter dan ze al was. 'We zinken', zegt ze zonder enige stemverheffing. Voor de mensen om haar heen die in één duik meer ellende hebben meegemaakt dan in alle voorafgaande onderdompelingen samen, is dit letterlijk én figuurlijk de druppel die de emmer doet overlopen. Een eens zo stoere Zweed begint ongecontroleerd te schokschouderen. Naast hem bijt een jonge vrouw keihard in haar onderlip. 'We gaan eraan!' verwoordt een Schot luid wat de meerderheid denkt. Aanzwellend gekreun en gegil bevestigd dit. Price ziet dat zijn vrouw niets mankeert. Zijn linkerhand rust voor even op haar door neopreen omsloten rechterbeen. De drang om haar voor eeuwig te omarmen is groot, toch draait hij zich half van haar weg. Den Vlieger staat al, terwijl Hamann naar zijn linkervin wijst waaruit een hap in de vorm van een halve maan is genomen. ' Die sukkel had mijn vin te pakken. Na een paar meter vond ie het welletjes en liet los,' zegt hij opschepperig. 'Jezus, Jens,' stamelt Price. Voordat hij iets in de trend van 'wat een geluk' toe kan voegen, dringt de zopas ontstane situatie onder zijn klanten tot hem door. De groep recht voor en rondom hem bestaat grofweg uit hysterische en lethargische mensen. Of ze gillen en doen idioot, of ze wachten als dode vogels op wat komen gaat. 'Pablo, leg de andere boot zo strak mogelijk langszij' beantwoordt hij de vragende blik in de ogen van de divemaster. De

Canario trekt met alle macht aan het touw dat beide boten verbindt, waarna twee wanden zacht met elkaar in aanraking komen. Op eigen initiatief hopt Carmelo over. Na een lichte aarzeling volgt Den Vlieger. 'Materiaal overbrengen' zegt Price rustig. Claudia ontdoet een emmer van loodgordels en begint daadkrachtig te hozen. Onder leiding van Hamann en Price verzamelen de overactieve recreanten allerlei duikmateriaal dat onverwijld in twee paar divemasterarmen verdwijnt. Hoewel het water nog tot aan zijn kuiten reikt, wint de boot aan drijfvermogen, maar het is te weinig om de oceaan op snelheid te kunnen bedwingen. Een paar flinke golven uit het niets jagen een boot met een diepgang als deze onherroepelijk naar de spreekwoordelijke kelder. 'Haai,' zegt een vrouw timide, haast liefkozend. Als een der weinige schijnt ze nog met haar lamp over het gerimpelde uiterlijk van de oceaan. Met de handigheid van een volleerd schilder blijft haar gele penseel de vin bestrijken. Ze giechelt wat voor zich uit en zegt op de toon van een ondeugend kostschoolmeisje 'haaie baaie haaiebaai'. 'Eerste twee man overstappen,' zegt Price terwijl een heel naar gevoel zich van zijn ruggengraat meester maakt. Aansluitend start hij de motoren. Het robuuste dieselgeluid overstemd zijn 'volgende'. De evacuatie verloopt snel. Bij iedere duiker die de overstap maakt, ontstijgt de boot verder aan de zuigende omarming van de oneindig veel sterkere tegenstandster. 'Claudia, anker'. Inclusief zichzelf telt Price zes passagiers. De snelle stijger ligt nog altijd onder een inmiddels doordrenkte deken. Zittend op haar knieën houdt zijn buddy de wacht. Ze heeft alleen oog voor haar duikmaat. Ze plukt nerveus aan de deken. Haar lippen bewegen continu. Blijkbaar spreekt ze zacht, want Price vangt zelfs geen geluid op, laat staan dat hij kan horen wat ze zegt. Het is alsof hij naar een tolk van het journaal voor doven kijkt. De bonkige Schot heeft naast de doemdenkster plaatsgenomen, wier lichtbundel de haaienvin nog steeds weigert los te laten. Begrijpend knikkend als een uit de kluiten gewassen kleuter hoort hij haar wartaal aan. 'Tien kleine duikertjes… Haaie, baaie, haaie… en het zijn er nu nog maar negen… hi, hi, hi, hi, hi.' Een harige hand aait de vrouw teder over haar wang. 'Negen kleine duikertjes… Haaie, baaie, haaie… en het zijn er nu nog maar acht… hi, hi, hi, hi, hi.' Hemelse goedheid, denkt

Price. Hij schudt zijn hoofd. 'Anker binnenboord' schreeuwt Claudia vanaf de punt. Handig de inderhaast achtergelaten duikspullen ontwijkend, komt ze zijn kant op. 'Wegwezen, Matt'. Ze grijpt de emmer en begint weer te hozen. Op het moment dat Price de gashendel naar voren wil drukken, treft een waanzinnige gil hem als een verdwaalde zweepslag. 'Zijn broer, ooooohhh, zijn broer, ooooohhh, zijn broer komt ons opvreten!' De Schot heeft de compleet over haar toeren geraakte vrouw stevig rond haar middel vastgepakt. Met haar rechterhand maakt ze wilde steekbewegingen naar een plek vlak naast de boot. Iedere keer als de lichtbundel neerdaalt, komt hooguit een halve seconde een donkergrijze vin in beeld. Twee volwassen haaien rond de boot, analyseert Price zo snel als zijn hersens toelaten. Een in het zicht, de andere omsloten door duisternis. Wachtend op een kans, misschien. Beelden van de wateren rond Zuid-Afrika schieten door zijn geest. Opengesperde kaken die zomaar een bootschroef aanvielen, waardoor deze prompt vastliep. Of was het niet zomaar, maar bewust gedaan? 'Hou op!' ontschiet hem. Zwaar geërgerd wil hij de constant dazende vrouw afblaffen om haar, al is het maar voor even, stil te krijgen. Hij kan zich echter net op tijd beheersen. Daaropvolgend een moment van zwakte. Waarom sluit ik niet gewoon mijn ogen en wacht tot alles voorbij is? Zijn geest zakt weg in een droge waterval van welbehagen. Lekker slapen, ontbijtje, beetje rondlummelen... 'Matthew!' De scherpte in Claudia's stem brengt hem meteen terug in enkelhoog water. De realiteit eist een beslissing. Hij knikt kort naar Claudia. 'Pak twee lampen en ga op de punt liggen.' Zijn rechterhand neemt de gashendel in een stevige greep. 'Op nul, gas' zegt hij luid tegen Den Vlieger die al in startpositie staat. 'Naast elkaar blijven.' 'Right'. Mede door de spanning weet de Belgische duikschoolhouder dit typisch Engelse woord met een Vlaamse saus te overgieten. 'Drie, twee, een...' Gelijktijdig worden de dieselmotoren opgezweept. Het rauwe gebrul van de op toeren rakende machines overstemt alles behalve Price' gedachten. Doordat de boot snelheid maakt, klimt de boeg. Hij maant zijn rechterhand tot beheersing. Rustig aan. Hoe harder je vaart, hoe meer de voorplecht omhoogkomt. Het binnengestroomde water stroomt dan naar de achtersteven waar de motoren zich bevinden. Nou kunnen die diesels wel het nodige verdragen, denkt Price gespannen, maar een plotselinge golf die van bovenaf komt brengt toch de nodige risico's met zich mee. Nu stilvallen, staat gerant voor een collectieve breakdown. Tijd om hier verder over na te denken wordt hem niet gegund. In Claudia's lamplicht doemt een omvangrijk obstakel op. Aangezien het dier recht op hen afzwemt, heeft de haaienvin meer weg van een kromme peilantenne die boven de oppervlakte uitsteekt. Vijftien meter, vliegensvlug schat Price de kansen in. Hij moet het dier ontwijken, dat staat buiten kijf. Het stevige materiaal overleeft ongetwijfeld een frontale botsing; na de klap blijft de boot gewoon dobberen. De rotorbladen zijn de achilleshiel. Komen deze in aanraking met het robuuste lijf, dan slaat de motor vast. Meer bloed in het water, een stuurloos vaartuig waarop de massale gekte uitbreekt. 'Hou je vast!' brult hij. Er is geen tijd meer om zijn wankele strijdplan met Den Vlieger te bespreken. Acht meter, zeven, zes. Op hoop van zegen, denkt Price en draait het stuurwiel met een reuzenzwaai naar links. Hierdoor stroomt het nog aanwezige water naar bakboord. De stuurboordzijde maakt zich los van het water. De Zodiac ligt nu 'op één oor'. In tegenstelling tot de zeilsport waar schippers dit soort capriolen met catamarans regelmatig uithalen, wordt dezelfde stunt met een rubberboot door iedereen met enige vaarkennis bestempeld als 'waanzinnig'. Claudia houdt met beide handen het touw dat rondom de boot is gespannen vast. Als een volleerd trapezewerker wiens trapeze is losgeslagen, vecht ze tegen de zwaartekracht. Haar enkels hangen in het water, waardoor er nog meer spanning op haar armen komt te staan. De vier duikers zijn tegen elkaar aangerold en zoeken wanhopig naar houvast wat er helaas niet is. Het is een kwestie van luttele seconden voordat er iemand overboord slaat. Price rukt het stuurwiel naar rechts. De boot gehoorzaamd direct. De bodem krijgt meer grip, waarna de stuurboordzijde bruusk op de oppervlakte van de oceaan landt. Hij sluit instinctief zijn ogen en zet zich schrap. De zo gevreesde klap blijft echter uit. De Zodiac glijdt zonder op ontoegeeflijke hobbels te stuiten over de golven. Vijf seconden houdt Price zijn adem in, om daarna krachtig uit te blazen. We hebben de haai ontweken, gaat het door hem heen. Het is verdomme gelukt! Hoe het precies is gegaan – misschien was de haai allang ondergedoken – is onbelangrijk. Iedereen, inclusief het materiaal, heeft het overleefd. Sterker nog, in vergelijking tot wat ze hebben moeten doorstaan is de schade minimaal. Enigszins onvast op haar benen komt Claudia zijn kant op. Bij de overige vier passagiers aangekomen gaat ze op haar hurken zitten. Ofschoon Price het gemurmel niet kan verstaan, concludeert hij uit de lichaamstaal en voorzichtig opgestoken duimen dat de gemoedstoestand er, wonder boven wonder, op vooruit is gegaan. Voordat zij zich bij haar man voegt, deelt Claudia een paar welgemeende schouderklopjes uit. Op het moment dat zij haar benen weer strekt, ziet Price zelfs een glimlachje op het gezicht van de vrouw die daarnet nog compleet over haar toeren was, doorbreken. Great! Hij zwaait uitbundig naar Den Vlieger die met zijn zwaarbeladen boot zijn richting op komt. 'Alles oké hier!' schreeuwt de gezette Vlaming boven het gebrom van de motoren uit. Price balt triomfantelijk zijn vuist vanwege de geslaagde ontsnapping. Aan de horizon twinkelen de lichtjes van Meloneras ondeugend, uitnodigend. Daarachter grijnst de commerciële gezelligheid van Playa del Inglès hem toe. Eten, drinken, feesten. Geniet, het ergste waar je tegenop kunt lopen is een kater. De Amerikaan lacht uitbundig. Pure zenuwen, weet hij.

2

Ernst Ulm kijkt met een vette grijns die een rij onnatuurlijk witte jackets blootlegt om zich heen. Het uitzicht laat zich niet met één enkel woord definiëren. Schoonheid, wanstaltigheid, geilheid, hebberigheid, eenzaamheid, gelukzaligheid en vergankelijkheid wisselen elkaar af. Godkolere, wat een circus, denkt hij geamuseerd. Zowat alles wat een mens begeert, maar waar hij van walgt tegelijkertijd binnen handbereik. Vergeleken met enkele minuten daarvoor, is de marmeren dansvloer beneden hem betrekkelijk leeg. Het hoogbejaarde volk rust uit op de geïntegreerde stenen zitjes rondom de plantenbakken. Puffend, hoestend, schalks lachend. Opnieuw hebben ze een etappe uit hun Tour de la Vie waarvan de finish angstig naderbij komt, uitgereden. In afwachting tot het gelukzalige moment waarop de organist populaire wijsjes uit vervlogen tijden ten gehore brengt, sparen ze nu hun krachten. Langs hen heen schuifelen toeristen uit alle windstreken over het marmer. Overduidelijk op zoek naar wat er hier voor iedereen ook maar verkrijgbaar is. Het terras rondom Ulm is tot op de laatste plaats bezet. Openlijke gluurders van allerlei pluimage. Er is vanaf hier frontaal uitzicht op het pleintje dat iedere avond op gezette tijden dienst doet als balzaal voor de oudere medemens. Aan het tafeltje links voor hem zit een opvallend echtpaar. Zij is het lekkerste wijf dat hij in tijden heeft gezien. Grote tieten, hoogblond opgestoken haar, een door de zon donkerbruin gepolitoerd gezicht. Ze spreekt tamelijk veel met haar handen waardoor de lange, paarse nagels uitdagend door de lucht zweven. Haar zware, zoete parfum overbrugt schaamteloos de afstand tot zijn forse reukorgaan, wat hem alleen maar meer ophitst. Zogenaamd geïnteresseerd in het potsierlijke optreden van de oudjes, heeft hij het afgelopen kwartier onopvallend een aantal steelse blikken op dit zalige, ordinaire stuk kunnen werpen. Ze heeft echt alles waar hij zo gek op is, denkt hij verlekkerd. Waarom deze kanjer zich inlaat met die oerlelijke kerel naast haar, is voor hem geen vraag maar een weet. Geld. Iets anders komt er in zijn brein niet op. Met een jaloerse blik vol gezonde afkeer onderwerpt hij de man aan een korte inspectie. Een mouwloos wit shirt met daarop een groene krokodil is op zich geen verkeerde keus voor iemand die tegen de zeventig loopt, denkt Ulm sarcastisch. Een ware collectie van extravagante ringen waarvan de ingezette briljanten een slechtziende nog zouden verblinden, kan zijn goedkeuring wel verdragen. Hij wil 'prima spul' mompelen, maar houdt zich in. Knokige vingers waaraan al dat moois wordt gedragen, zijn daar grotendeels verantwoordelijk voor. Tien twijgen die bijeen worden gehouden door een morsig netwerk van aderen. Het gezicht van de man slaat echter alles. De oude snoeper heeft een kop als een maanlandschap. Wangen en voorhoofd worden ontsierd door een regiment aan bulten van variabele grootte. Een zeldzame vorm van acne heeft indrukwekkende kraters in de rijstpapieren huid achtergelaten. Toch lacht de alien alsof hij net is gecast voor een reclamespot van Lancôme. Tering, wat moet die gozer gevuld zijn, denkt Ulm, zowel met respect als met afgrijzen. Zijn ogen laten het oude monster los, waarna diens minstens dertig jaar jongere echtgenote weer volop in the picture komt. 'Blijf je soms de hele avond naar die hoer staren?' vraagt Ulms vrouw Ingrid bits. Ze loenst vuil naar de dame die qua uiterlijk door kan gaan voor haar ietwat oudere zus. 'Ach, hou toch op mens,' antwoordt Ulm quasi-verontwaardigd. 'Ik zit die griezel naast haar te bekijken.' Hij speurt de directe omgeving af naar iets wat aanleiding geeft tot acute verandering van de gesprekstof. Schuin rechts van hem zitten twee vrouwen innig te converseren. Spijkerjack versus kort wit truitje. De één steil donker haar, de ander golvend blond. Lijkbleek gezicht contra lichte make-up op een gebruind gelaat. Mannetje, vrouwtje. Bingo. Geheel tot zijn genoegen trekt het vrouwtje opzichtig haar hoofd terug nadat het manwijf haar plotseling over de wang aaide. Schalks tikt Ulm zijn vrouw tegen haar bovenarm en knikt met zijn hoofd in de richting van het tweetal. 'Eén pot nat!' Zonder op een reactie te wachten, begint hij onstuimig te lachen waarbij zijn imposante bovenlijf driftig meedeint. 'Die lelijkerd hoeft vanavond haar speeltjes echt niet tevoorschijn te toveren.' Uit ergernis laat zijn vrouw een diepe zucht ontsnappen. 'Ik heb te veel van dit soort onderbroekenhumor aan moeten horen, Ernst,' zegt ze op kille toon. 'Zonder uitzondering van klootzakjes die het verschil tussen tweeëntwintig centimeter en tweeëntwintig milli-meter niet wisten.' Ulm lacht vrolijk door. Ingrid heeft jarenlang in een toplessbar gewerkt, wat haar verbale kwaliteiten alleen maar ten goede is gekomen. En wat ze nou precies zegt zal hem ook een rotzorg zijn. Zijn escapade van daarnet is naar de achtergrond verdreven, en daar draaide het uiteindelijk allemaal om. De eerste tonen uit het elek-trische orgel klinken als modern hoorngeschal door shoppingcenter Kasbah. Gladiatoren maak u gereed! Het overgrote deel van de oudjes staat kwiek op, de schuifeltoeristen maken plaats, terwijl het publiek op de terrassen er weer eens goed voor gaat zitten. De organist zet een wals in waarop met hemeltergende tierigheid wordt gezwierd. 'Mooi hè?' zegt Ingrid vertederd. Een glimlach speelt om haar vuurrode lip-pen. Ze knippert hevig met haar lange wimpers. 'Zo wil ik ook oud worden, lieve beer van me.' Haar slanke linkerhand toucheert liefelijk zijn rechter kolenschop, waardoor een assortiment van gouden heb-bedingetjes rond haar pols vrolijk rinkelt. 'Ach, poppetje van me', ant-woordt Ulm zo aanminnig mogelijk. 'Dat gaat helemaal goed komen. Jij bent toch mijn eeuwige zonnetje?' Hij heeft een uitgesproken hekel aan dit soort weeïge conversaties. Al helemaal omdat zijn vrouw zomaar door kan gaan voor een buitenechtelijke dochter van Marilyn Monroe. En tegen dat soort vrouwen spreek je domweg niet op deze manier. In sommige gevallen komt hij er echter niet onderuit. Uitsluitend vanwege het feit dat hij anders een narrig ding in plaats van een acrobate in zijn bed vindt, laat hij zich verleiden tot zulke prietpraat. 'Geniet maar lekker, schat, ze zijn weer begonnen.' Het kost hem moeite de zoetsappigheid uit zijn strot te persen, maar het resul-taat mag er zijn. Met een gelukzalige blik bekijkt Ingrid het in zijn ogen wanstaltige gebeuren. Ulm speurt voorzichtig in de rondte. Beetje bij beetje, aangezien zijn vrouw nog in de beginfase van de trance verkeert. Het is godverdekut toch ongehoord, denkt hij terwijl zijn ogen stiekem verkennen. Wat een onvoorstelbare handel! De tip die hem drie dagen geleden ter ore kwam, leek in eerste instantie larie-koek. Opschepperij van een plaatselijke dealer die regelmatig op het terras van zijn Bierstube 'Hannover' in shoppingcenter Yumbo te vin-den is. Bij flinke inname kan 'Arehucas Ron', de alcoholische trots van het eiland, je hersens flink door elkaar schudden, weet hij uit ervaring. Blijkbaar had de poederhandelaar juist op die dag een heldere kop, want tot nog toe klopt alles nog. De eigenaar van het terras is inderdaad een volslagen mafkees die zijn geld er in recordtempo doorheen jaagt. Kennissen uit 'het milieu' bevestigden dit. Een neusgeile gokverslaafde, wat zeggen wil dat hij tussen het spelen door verbazingwekkende hoeveelheden cocaïne opsnuift. Waar de absurde bedragen vandaan komen, is hem nu volledig duidelijk. De vijfentwintig tafeltjes van café 'Veltins' zijn tot op de laatste stoel bezet. Vier serveersters lopen hun benen uit hun reet om het gulzige vakantievolk van drank en snacks te voorzien. Een tafel is hoogstens een paar seconden vrij. Samen met het aangrenzende 'Pepito' is dit dé hotspot van de Kasbah, misschien wel van heel Playa del Inglès, realiseert Ulm zich. Natuurlijk wist hij dat die halve lijken zich hier iedere avond stonden uit te sloven tot de dood er zowat op volgde. Totaal oninteressant, aangezien die lui nog geen cent bezaten om uit te geven. Alleen maar goed voor iedere dag een halve kip of pizza. Met zijn tweeën, welteverstaan. Maar die wandelende skeletten zijn nu de trekkers, het geld wordt door anderen uitgegeven. Voor een aanzienlijk deel hier, op dit fantastische terras. Dat dus heel snel van mij is, weet de omvangrijke Duitser zeker. Hij drukt zichzelf op het hart om er morgenochtend direct werk van te maken. 'Die snuifkop moet lekker oppleuren' murmelt hij binnensmonds. Zonder haar hemelse blik geweld aan te doen fluistert zijn vrouw: 'Zei je iets?' 'Wat een lieve mensjes, hè?' antwoordt Ulm. Het uitzicht begint hem met de minuut beter te bevallen. Rond de op leeftijd zijnde gladiatoren vinden voornamelijk routineuze activiteiten plaats. Samen met Marokkaanse leerverkopers hangen Hindoes uit India verveeld met hun armen over de balustrade heen. West-Europese jongeren proberen leeftijdsgenoten te ronselen voor een bezoek aan een discotheek, later op de avond. Canarische uitbaters van speelholen hangen wat in hun hokjes. Wisselgeld glijdt als water door hun beringde vingers. Glad glimlachende gerants beschikken over een overvloed aan vreemde talen en mooie praatjes waarmee de klant als het ware naar binnen wordt gezogen. Ulm lacht genoegzaam. Het is een geraffineerd opgebouwde filmset. Wat op moet vallen heeft de hoofdrol. Bladderende verf, scheuren in het plaveisel en krakkemikkige daken figureren nadrukkelijk. Een fata morgana van vergane glorie. Prachtig, gewoonweg smullen. 'Hé oma, denk aan je stoma!' bralt een aangeschoten jongen. Ulm houdt zijn lippen stijf op elkaar. Waait wel over, denkt hij. Ingrid zit gebiologeerd naar de levende handel te staren. Het beoogde avondje uit voldoet tot nog toe zichtbaar aan haar verwachtingen. Hij hoopt dat die brulboei verder zijn kop houdt, aangezien zij zich wel eens aan het geschreeuw zou kunnen gaan ergeren. Wat dat betreft kent hij Ingrid goed genoeg. Dan kan ze als een blad aan de boom omslaan, en veranderen in een ware furie. 'Opa kijk eens naar je lul, d'r hangt nog een gebit aan!' Ulm reageert voordat Ingrids vervoering in afkeer verandert. Hij draait zijn lompe bovenlijf een kwartslag naar links om de boosdoener eens diep in de ogen te kijken. Een methode die bij personen zonder doodsverachting altijd werkt. Zover komt het echter niet. In zijn gespeelde verontwaardiging vergeet hij de indrukwekkende zwemband om zijn middel die de laatste maanden een buitenproportionele vorm heeft aangenomen. Het tafeltje krijgt een zwiep, zijn bierpul en Ingrids karaf witte wijn kletteren op de grond. Zijn 'scheisse' wordt aangevuld door 'wat doe je nou, zak!' waarna Ingrid geschrokken opzij buigt om de schade op te nemen. In een poging om te redden wat er te redden valt, ontgaat wat zich verder afspeelt hem volkomen. Tussen de dansende ouderen duikt plotseling een opvallende man op. Hij is van top tot teen gekleed in kaki en groen. Zijn baardgroei is even wild als de blik in zijn gitzwarte ogen. Eenmaal in het midden van de groep aangekomen, houdt de man opeens stil. Het ongetemde in zijn oogopslag verdwijnt, aangezien beide ogen wegdraaien alsof het een epileptische aanval betreft. 'Kijk, die gekke Turk gaat ook...' De grappenmaker kan deze zin niet afmaken. Een ijzingwekkende gil overstemd alles en iedereen. 'Iaaaaalalalalalalalayayayay!' Tegelijk trekt de woesteling in één beweging met beide handen zijn jack open. 'Allah oakbar, ialalayayaya, Allah oakbar!' Een explosie gaat vooraf aan de allesverzengende vuurzee op de dansvloer. De daaropvolgende schokgolf voelt als een onzichtbare hand die een ongenadig harde zwiep uitdeelt. Ondanks zijn verdekte positie, rolt Ulm op zijn zij. Ingrid ligt half onder hem.

Ze kreunt, maar op het eerste gezicht lijkt ze niet gewond. Ulm schudt zijn hoofd een paar keer en kreunt 'tering'. Steunend als een afgepeigerde os lukt het hem op beide knieën te gaan zitten. In een waas overziet hij de situatie. Middenin de dansvloer zit een krater met een doorsnee van zo'n twee meter. Pluimen rook dwarrelen eruit omhoog en lossen op in de zwoele avondlucht waarin ieder geluid is geabsorbeerd. De directe omgeving rondom de krater oogt als een slachterij van kannibalen op een chaotische vrijdagmorgen. De vloer is overwegend rood gekleurd, uiteengereten lichamen liggen in abstracte poses op het marmer. Hier en daar een verdwaald hoofd, arm of been. Het prieeltje van de organist is ineengestort. De man zelf bloed als een rund en maakt spastische bewegingen. Ulm kokhalst, maar houdt de drank binnen. Hij knippert vertwijfeld met zijn ogen in de hoop dat de nachtmerrie even snel verdwijnt als dat hij gekomen is. Het waas trekt op, waardoor de slachting voor zijn ogen helderder, gruwelijker wordt. Een snikkend 'pappa' onderbreekt de lichte ruis in zijn oren. Zijn linkeroog ontdekt de vrouw naar wie hij een paar minuten geleden nog zo wellustig staarde. Van haar platte schoonheid is weinig over. Haar blonde haar lijkt langdurig door een centrifuge te zijn behandeld, een rode veeg loopt vanaf haar voorhoofd tot haar kin, net als bij een indiaan op oorlogspad. Haar truitje is tot aan haar navel opengescheurd. Eén borst bloot, eerder obsceen dan sensueel. Met beide handen ondersteunt ze het hoofd van de man met het gedrochtelijke gezicht. Een metalen splinter steekt triomfantelijk uit diens voorhoofd. 'Pappa, pappa… néééééé !' Ulm wendt zijn gezicht half af, zijn rechteroog registreert direct de lesbienne met het korte steile haar. Ze kruipt op haar knieën tussen gebroken plastic en bewusteloze lichamen. Haar linkerhand klauwt in haar bebloede gelaat, terwijl haar rechterhand wanhopig naar menselijk contact zoekt. 'Eline… Eline… waar is mijn zusje… Eline… Eline!' Tot zijn grote opluchting hoort hij Ingrid 'Wat is er gebeurt, Ernst?' stamelen. Ze probeert overeind te komen, wat hij haar belet. 'Rustig blijven liggen, pop.' Ondanks de ravage om hem heen, is zijn gezonde verstand weer teruggekeerd. Dat hij aansluitend het pand van Veltins, de basis, met een korte alziende blik inspecteert en daaruit concludeert dat het daarbinnen qua schade wel meevalt, is een hommage aan zijn concentratievermogen maar ook aan zijn verknochtheid aan iedere vorm van geldelijk gewin. Een achterlijk hard geschreeuw rukt hem echter abrupt in de huidige realiteit terug. 'Iaaaaalalalayayaya!' In een kwart hartslag deduceert zijn brein het 'hoe en wie'. De oerkracht van zijn lichaam zet hem op beide voeten. 'Allah oakbar, Allah oakbar!' Een zonderling in het groen staat aan de uiterst linkerkant van 'Pepito' tussen een horde verdwaasden die herstellend zijn van de klap. Impulsief stapt Ulm in zijn richting. 'Iaaalalalalyayaya !' De man opent met beide handen zijn jack. In een halfgebogen houding duikt Ulm naar voren, hij weet wat er nu komt en hoe stom hij is geweest om geen dekking te zoeken. Onzacht komt de gezette Duitser op het marmer van de eerste verdieping terecht. De klap, de pijn, de stilte van de dood waar hij zo voor vreesde blijft echter uit. Bedrieglijk snel voor een man met zijn omvang krabbelt hij op. De afstand tot de fanaticus schat hij op vijftien meter. Aangedreven door reuzendijen raken alleen de ballen van zijn voeten het gladde kalksteen. De man in het groen staat stokstijf. De waanzin in zijn ogen heeft plaatsgemaakt voor diep ongeloof. Hij trekt nogmaals aan de koorden waarmee de explosie een voldongen feit had moeten worden. 'Aaaahhhggg!' de gil klinkt als de schreeuw van een zwaargewond dier, maar is er een van diepe schaamte. Het aangeslagen volk in de buurt van de man kijkt angstig, verbouwereerd en afwezig. Niemand durft, doet of kan iets. De kogel komt van rechts en is één meter vijfennegentig lang en honderddertig kilo zwaar. Als een volleerd American-footballspeler deelt de Duitse zwaargewicht een bodycheck op volle snelheid uit. Het 'uuuggghh' klinkt gelijktijdig met een scherp knak, die duidelijk maakt dat de terrorist ten minste één rib heeft gebroken. Ulms wilde run eindigt abrupt tegen een pilaar. Uit de mond van de man die tijdelijk als menselijk stootkussen fungeert, welt opnieuw een geluid op dat weinig goeds voorspelt op. Terwijl zijn buit geluidloos in elkaar zakt, wankelt Ulm achteruit. Hij hapt naar adem. Kolere, denkt hij hevig door zijn mond ademend, ik lijk wel gek. Eén keer vlammen, daarna rondom naar de klote. De bewonderende blikken van de tot zichzelf komende massa, dringen niet tot hem door. Schelle, korte tonen uit de fluiten van opgewonden bewakers creëren een nauwe opening in de menigte. Met overdreven gebaren en rode koppen die belachelijk afsteken tegen hun smetteloos witte overhemden, weten ze in een mum van tijd chaos in de betrekkelijke rust die er heerste te scheppen. Daarbij komt het steeds sterker wordende geluid van sirenes, wat de gemoederen behoorlijk ophitst. Ulm doet een paar passen achteruit en draait zich dan om. Het laatste wat hij wil is hier blijven om door plaatselijke smerissen te worden verhoord. Hij loopt naar zijn vrouw toe die de zussen inmiddels heeft herenigd. Achter zich hoort hij opgewonden geschreeuw in allerlei talen, universele kotsgeluiden en hysterische uithalen. Ingrid heeft beide zussen in een omarming en huilt uit pure onmacht met hen mee. Lomp legt hij zijn rechterknuist op haar schouder en zegt 'kom'. In eerste instantie stribbelt ze tegen. 'Ik wil hier blijven, die meiden kunnen nu niet zonder mij.' Een beekje van mascara baant zich een weg door het rougelandschap. De rode lipstick voldoet niet aan de verwachting die de reclamecampagne voorspiegelde; op haar wangen en kin zitten rode vegen. Ulm hoeft zijn stem niet te verheffen. De intonatie die hij legt op 'nu' en 'meekomen' spreekt voor zich. Met tegenzin accepteert ze zijn uitgestoken hand. 'Het is allemaal zo verschrikkelijk' zegt ze desperaat, terwijl ze zich naar de dichtstbijzijnde uitgang laat leiden. 'Het is vreselijk, lieverd' antwoordt Ulm meegaand. Op het moment dat de straat in beeld komt, draait hij zijn hoofd iets meer dan een kwartslag naar links. Gedurende de aanblik op wat zopas nog een goudmijn was, maken zijn hersens een supersnelle berekening van de renovatiewerkzaamheden. Het bedrag dat zich openbaart als een nare droom doet hem mismoedig het hoofd schudden. 'Dood-en doodzonde is het, poppetje van me.'

3

Hoewel de airco de verstikkende juni hitte buitensluit, loopt het zweet in straaltjes langs zijn lichaam. Hij houdt het maar op een uitlaatklep van innerlijke woede, dat lijkt op dit moment de meest plausibele verklaring.

Hij weet dat er van hem geëist wordt te allen tijde te relativeren. Hoe gruwelijk de gebeurtenis zelf ook is, of hoe afgrijselijk de beschrijvingen ervan in het dossier. Klinische afstandelijkheid en messcherpe analyses zijn belangrijke bestanddelen in het takenpakket van 'de machtigste man van Spanje' zoals zijn functie door hoge ambtenaren van Binnenlandse Zaken wel eens gekscherend wordt omschreven.

Alfonso Silva wrijft in zijn donkerbruine ogen, en haalt vervolgens zijn handen door zijn gitzwarte haar. Twee dossiers liggen op de cederhouten tafel voor hem. De inhoud van beide blinkt uit door wreedheden tegen onschuldige individuen. Met klinische afstandelijkheid beschreven, dat wel, denkt hij cynisch. Laat ik die opsporingsambtenaar maar vragen mijn baantje over te nemen.

Hij trommelt met de vingers van zijn rechterhand het eerste deuntje dat hem te binnen schiet. Afleiding, al is het voor even. Het uitzicht vanaf de eerste etage van de villa is niet bijzonder. Een ommuurde tuin met daarin twee vijvers, daarachter een brede laan met aan weerszijden palmbomen. Op de stam van twee ervan glundert het hoofd van een plaatselijke politicus naar de schaarse voorbijgangers. Ciudad Jardin, de villawijk van Las Palmas waar alleen de goedgesitueerde burger of een kapitaalkrachtig orgaan zich een stulpje kan veroorloven. Het ministerie van Binnenlandse Zaken behoort tot die laatste categorie.

Ach, het uitzicht kan nauwelijks beroerder zijn dan wat hij het afgelopen uur heeft aanschouwd. Een diepe zucht begeleidt deze gedachte. Twee misdaden van importantie in een kort tijdsbestek op één en hetzelfde eiland. Ondanks het feit dat nog geen enkele organisatie de aanslagen heeft opgeëist, begint de onzichtbare handtekening langzaam maar zeker op te lichten.

De afgebroken bromfietsuitlaat van een pizzakoerier verscheurt de rust in de wijk

'Als je eens wist, kerel' mompelt Silva met een zuinige glimlach. 'Indien nodig, vergroten we je band zover uit dat het profiel tot in detail zichtbaar is.'

Acht camera's registreren vierentwintig uur per dag wat er zich in de directe omgeving van de villa afspeelt. Verborgen infrarood sensoren pikken iedere onregelmatigheid tussen de muur van gevlochten beton en de voordeur op. Het huis zelf is eveneens van hightech voorzien. CESID-procedures, alleen met buitensporig krachtig vernietigingsmateriaal heeft de oppositie een kleine kans van slagen. Beslist geen overdreven veiligheidsmaatregelen, weet Silva. Hun tegenstanders beschikken over voldoende krachtige wapens.

Twee tuinmannen komen op hun dooie gemak vanuit het materiaalhok aangesloft. Eenmaal bij de muur aangekomen, beginnen ze onkruid te wieden. Nuñez en Calbeldo zijn hier voor drie jaar gestationeerd, en mede verantwoordelijk voor de bewaking. Compromisloze CESID-knapen voor wie routinewerk nooit een sleur mag worden. Onder hun kleren dragen ze de verkorte versie van het MP 5 Heckler & Koch-machinepistool. Een handig wapen met zesendertig negen millimeter patronen in het magazijn. Voor veel CESID-leden een favoriet wapen aangezien het eenvoudig in een attachékoffer te vervoeren valt en trefzeker vanuit de heup vuurt. In de opslagruimte staat tussen tuingereedschap een arsenaal aan handwapens en bijpassende munitie verborgen, voor het geval ze in een gevechtssituatie belanden en zich plotsklaps moeten terugtrekken.

Hun bewegingen worden gadegeslagen door het derde teamlid, Belda, die op de benedenverdieping achter een zee van beeldschermen zit. Silva's eerste indruk van de mannen is positief; wat ze waard zijn als het er echt op aan komt is een heel ander verhaal. Voor het geval ze in de toekomst de ambitie krijgen om naar 'Neuve' over te stappen, parkeert hij de drie namen ergens in een achterkamer van zijn brein.

Hij haalt diep adem, houdt vijf tellen vast, en blaast stevig uit. Zonder een blik op het geschreven woord te werpen vat hij alles kort samen.

Naar schatting vijfendertig lichamen in zee, negentien aangespoeld, zakken vol aangevreten lichaamsdelen geborgen door een vanuit Cartagena inderhaast ingevlogen duikteam van de guardia civil. De slachtoffers zijn allen Marokkaanse mannen, tussen de twintig en achtenveertig jaar oud. Identieke kleding. DNA-onderzoek wees verder uit, dat ze voor het te water gaan al gedrogeerd waren. Volgens de experts hebben de lijken tussen de zestien en vierentwintig uur in het zeewater gelegen.

Silva kijkt strak voor zich uit. Het groene gras onder hem verandert in een oneindig donkere plas waarop een boot dobbert. De maan als stille getuige. 'Plop' hoort hij pijnlijk duidelijk. Opnieuw een 'plop' tart iedere vorm van beschaving. Bewusteloze mannen worden als afval overboord gesmeten. Voer voor de vissen. Letterlijk.

Hij knippert een paar maal met zijn oogleden. Het beeld vervaagt, het gras is weer groen. De woede blijft. Het 'waarom' knaagt harder dan het 'wie'.

De rapporten met daarin het verhoor van enkele duikers heeft hij vlot doorgelezen. Verkeerde tijd, verkeerde plek; typisch een geval van jammer. Voor eventuele nazorg zijn er voldoende instanties waar deze mensen terecht kunnen.

Buiten schoffelen Nuñez en Calbeldo met een onwaarschijnlijke traagheid, een medewerker van de gemeentelijke plantsoenendienst zou er jaloers op zijn.

Met behulp van een verzameling foto's flitst zijn geest naar de onheilsplek in hartje Playa del Inglès. De beelden in zijn hoofd zijn onwezenlijk, maar tevens zo verdomd bekend. Alweer mag 'waarom' op meer belangstelling rekenen dan 'wie'.

Beheerst slaat hij één voor één de dossiers dicht. De beschrijvingen en foto's van de drama's die zo'n veertig uur geleden plaatsvonden legt hij in een la van het bureau. De beelden draagt hij vanaf nu met zich mee; hij sluit zijn ogen. Vierentwintig leden van 'Nueve' zijn in paren van twee aan het werk. Twaalf man in Las Palmas en net zoveel in het zuiden van het eiland. Stap voor stap neemt hij de namen en de gegeven opdrachten door. Pas nadat hij de conclusie heeft getrokken dat dit momenteel het hoogst haalbare is, doet hij zijn ogen weer open. Aansluitend schuift hij de leren draaistoel naar achteren. Tijdens het opstaan protesteert iedere vezel in zijn pezige lichaam tegen het slaaptekort van de afgelopen maanden. Een dof gebonk in beide slapen begeleidt hem naar de deur; hij recht zijn schouders en verlaat de kamer.

Op het oog ontspannen loopt hij de houten wenteltrap af. De hal in de kelder is twee meter breed, vier meter lang en tweeënhalve meter hoog, en er is slechts één deur. Met de knokkels van wijs- en middelvinger klopt hij twee keer op het vierkant van kogelvrij glas. Het norse gezicht van Felippe Castro verschijnt. Een metalen klik gaat vooraf aan een akelig gepiep waarmee het openen van de deur gepaard gaat.

Silva betreedt de Spartaanse moderne graftombe, de kale stenen ruimte meet drie bij drie. De muren zijn glad en worden schaars verlicht door een peertje aan het plafond. Er is geen meubilair, toilet of andere voorziening en een mengsel van vocht, zweet en urine beheerst de atmosfeer.

Antonio Goncha leunt nonchalant tegen de achterste muur. Een flauwe glimlach op zijn gezicht contrasteert met de scherpe blik in zijn helblauwe ogen. Hij draagt witte gympen, een spijkerbroek en een effen groen shirt. Nergens een bobbel dat op een wapen duidt. Silva groet hem met een korte hoofdknik.

Naast Goncha staat een kleine, gedrongen man met een Arabisch uiterlijk. De tolk, weet Silva, 'geleend' van de guardia civil.

Castro sluit de deur en doet een stap naar links waardoor zijn één meter achtennegentig en honderdenvijf kilo weer in één lijn met zijn partner komt te staan. Op de vloer is een rode cirkel geverfd. Exact in het midden ervan zit een man op zijn knieën. Hij draagt alleen wit ondergoed en een verband rond zijn borstkas. Stalen handboeien houden zijn polsen bij elkaar. Zonder daarbij zijn hoofd te bewegen, daalt Silva's blik. De man kijkt hem uitdrukkingloos aan, maar iets anders had hij ook niet verwacht.

Abdelkader Ben Brahim wrijft over zijn aanzienlijke maag en boert ingetogen. Het lamsvlees was weer mals, de groentes uiterst smaakvol en het dessert van verschillende fruitsoorten verser dan vers, constateert hij met voldoening. Het beste van het beste, voor het merendeel afkomstig van zijn eigen landerijen.

Hij staat kalm op, waarna zijn vrouw aan de andere kant van de rechthoekige tafel geheel volgens de traditie hetzelfde doet. Pas als hij het aangrenzende balkon heeft bereikt, draait zij zich om. Vergezeld door twee dienstmeisjes verlaat ook zij het vertrek, zij het door een andere uitgang. Haar bestemming is de tv-kamer, waar zij in het gezelschap van het onderdanige duo haar avond met het kijken naar religieus correcte programma's doorbrengt. De landsheer zelf heeft plaatsgenomen op de met zachtgeel satijn overtrokken donzen kussens van een ouderwetse schommelbank die niet zou misstaan in een Doris Day-film.

Hij geeft evenveel om dit meubelstuk als een kind om zijn of haar favoriete speelgoed. Alleen zit de liefde bij hem dieper. De bank is een erfstuk van zijn vader waaraan een blanco prijskaartje van onschatbare emotionele waarde hangt. Hij heeft hem al diverse malen laten restaureren, en steevast bedroeg de rekening een veelvoud van het bedrag dat zijn vader ooit voor de bank had neergeteld.

Hij wrijft teder over de witgeverfde, ijzeren armleuning. De plek waar zijn ouweheer na een dag van hard werken zijn rechterarm te ruste legde. In zijn linkerhand een kop muntthee. Hij ziet het als de dag van gisteren voor zich. Net als bij zoveel mannen op leeftijd die in stilte over vroeger mijmeren, verzachten Ben Brahims gelaatstrekken zich en valt er een waas die goedaardigheid suggereert over zijn bruine ogen. Met zijn linkerhand wrijft hij bedaard door zijn korte, verzorgde baard die ondanks een onstuimige levenswandel weinig sporen van grijze inmenging vertoond.

De langwerpige zetel is een symbool van zowel duurzaamheid als volharding, weet hij, terwijl zijn vingers nogmaals over het koele ijzer glijden. Gekocht van het eerste geld dat zijn vader in de Westelijke Sahara verdiende. Diep in zijn hart weet hij dat dit een leugentje is, maar soms is het beter toeven in een verdraaide waarheid. De bank heeft zijn vader overleefd en zal hem ook overleven, daar is hij zeker van. In de toekomst zullen zijn zonen, kleinzonen en achterkleinzonen vanaf deze plek voorzichtig schommelend nadenken over het verleden en heden. Over de plaats waar eens het familiefortuin werd vergaard en de mogelijkheden het bezit kunnen vergroten.

Zijn zucht is een verlengstuk van weldadige rust. Hij geniet van het zachte satijn, het onbuigzame ijzer, de tijd van vroeger en de goudkleurige kroon in de verte die de lichten van Djemaa el – Fna op het centrum van Marrakech hebben geplaatst. De stad waaruit hij als een arme sloeber vertrok, om er puissant rijk terug te keren. Mede dankzij zijn vader. De man die het aandurfde zijn geboortegrond te verlaten om in de Westelijke Sahara een beter bestaan op te bouwen. Een beslissing die hij nam in 1975, enkele weken nadat wijlen koning Hassan de Tweede de voormalige Spaanse woestijnkolonie veroverde. Een veldtocht die later als 'De Groene Mars' de geschiedenisboeken in zou gaan.

Na 91 jaar besloot Spanje definitief met haar koloniale verleden in Afrika te breken. De voorheen Spaanse Sahara heette nu Westelijke Sahara, en werd teruggegeven aan haar oorspronkelijke bewoners; de Saharawis. De grote vreugde onder het van oudsher nomadenvolk veranderde binnen korte tijd in diepe treurnis. Geheel tegen de wens van de wereldraad in, trokken troepen uit Marokko en Mauritanië het gebied binnen. In hun kielzog de gelukszoekers die hun kans schoon zagen. Het gebied was rijk aan grondstoffen. En om dit materiaal naar boven te halen waren arbeiders nodig, was de logica van velen. Dat hiermee volledig werd voorbijgegaan aan de rechten van de Saharawis, was wel duidelijk.

'Papa' fluistert hij zacht.

Van kleermaker in de stadsjungle, naar uitbater van een theehuis annex winkel in levensmiddelen. Alles wat buiten deze branche viel, maar verhandelbaar was, kreeg eveneens een plek in of buiten het met vereende familiekrachten in elkaar getimmerde hok. De bezoekers van het gammele pand waren zonder uitzondering arbeiders die van 's morgens vroeg tot laat in de middag hun loon in de mijnen verdienden. Noeste kerels, even onbuigzaam als het binnenste van de aardkorst waaruit zij de kostbare mineralen haalden.

Hij glimlacht meewarig, ziet zichzelf in een oude rammelkast van een vrachtwagen achter het stuur zitten. Zijn twee jongere broers op de halfvergane bank naast hem. Hun leergierige blikken schieten alle kanten op. Meerijden naar het veel noordelijker gelegen Tarfaya, waar de goederen voor hun vaders handelspost worden gekocht, is een waar feest voor de twee tieners.

Yoessoef en Moestafa; hun blikken van onschuld en grootse verwachting over de toekomst staan al decennia lang op zijn netvlies gebrand. Hij wrijft over het litteken op zijn rechteronderbeen, dat op dit soort momenten altijd begint te branden, een soort reminder. Zestien mei negentienzevenenzeventig mag namelijk nooit vergeten worden. Een dag vol smart.

De situatie in de regio werd met de dag grimmiger. Wat al jarenlang een politieke kwestie was, leek nu door wapengekletter te worden beslecht. Marokko had twee derde van de Westelijke Sahara in handen, het andere, meest zuidelijke stuk, was van Mauritanië. De Saharawi's waren het kind van de rekening. Ruim honderdzeventigduizend van hen, tachtig procent van de bevolking, werden door beide mogendheden verdreven en eindigden in Algerijnse vluchtelingenkampen. Degenen die zich niet uit hun geboorteland lieten verjagen, richtten de militante organisatie Popular Front for the Liberation of Saguia el Hamra and Rio de Oro op, beter bekend als POLISARIO.

Door middel van guerrillatactieken maakte deze beweging het de heersende orde bijzonder lastig. Dat er bij die manier van oorlog voeren regelmatig burgerslachtoffers vielen, maakte de leiders van Front POLISARIO bitter weinig uit.

Ben Brahim wiegt met zijn bovenlichaam in een traag ritme. Het ritme van de klaagzang zonder klanken, aanvang van opnieuw een rouwproces alleen maar een begin kent.

In plaats van het uitgestrekte landgoed, ligt de route naar Tarfaya weer voor hem. Doordat het er vergeven was van kuilen en bobbels kon je het nauwelijks een weg noemen. De zoveelste steen die hij raakte bleek echter geen natuurlijk obstakel te zijn. De klap die van onderen kwam, deed de truck kantelen. Een glijpartij van oud staal op oeroude ondergrond volgde.

Ben Brahims gezicht vertrekt in een pijnlijke grijns. Voor de zoveelste keer klimt hij verdwaasd door de versplinterde voorruit uit de met bloed besmeurde cabine. Evenals toen duizelt het in zijn hoofd. Nadat de mist voor zijn ogen is opgetrokken, verdwijnen de steken in zijn rechterbeen meteen. De reden daarvan is de eerste aanblik op het verwrongen wrak. Bewegingloos liggen zijn beide broers tegen elkaar aan. Er is meer bloed dan zijn geest wil of kan bevatten. Hij knippert hevig met zijn ogen en bijt op zijn onderlip.

Het rechtervoorwiel van de wagen raakte de landmijn, waardoor zijn broers de volle laag kregen. Als door een wonder liep hijzelf verhoudingsgewijs een schram op. Jammer genoeg, heeft hij jarenlang gedacht. De momenten dat hij zichzelf daar op die verlaten vlakte graag dood had willen zien liggen waren talrijk. Als er iemand had moeten sterven, dan had hij dat moeten zijn. Daarvan is hij tot op de dag van vandaag overtuigd.

'POLISARIO,' zegt hij hardop. In iedere letter klinkt woede, minachting en wraakzucht door.

Ondanks het vreselijke verlies, besloten zijn ouders en hij te blijven. Een beslissing die na twee weken van rouw werd genomen.

De daaropvolgende twee jaar werkten zij gedrieën praktisch nonstop. De energie hiervoor haalden zij uit hun intense leed, waardoor zij in machines veranderden die op goedkope en altijd aanwezige brandstof functioneerden.

De ommekeer, tenminste wat hem betrof, kwam in negentiennegenenzeventig. De guerrillaoorlog woedde op zijn hevigst, en Front POLISARIO boekte succes op succes. Mauritanië gooide de handdoek in de ring. De oorlog kostte het land te veel geld en levens. Het laatste was overigens verre van doorslaggevend.

Onder ingetogen gejuich van de Saharawicommando's, trokken de tanks zuidwaarts. Op de blijdschap van het woestijnvolk volgde spoedig een domper; Marokkaanse strijdkrachten trokken eveneens in zuidelijke richting en bezetten in recordtempo de gehele Westelijke Sahara.

Het grote geld lag ten zuiden van Bu Craa, wist hij van pioniers die het geweld aldaar ontvlucht waren. POLISARIO, zoals het inmiddels in de volksmond heette, had in die streek de hoogste concentratie strijders. Een situatie waar spoedig verandering in zou komen, zo schatte hij in.

Want tegen het machtige Marokkaanse leger hadden ze eenvoudigweg geen kans.

Hij ontwaakte uit de roes die hem twee jaar lang in een zombie had veranderd. Zag de ongekende mogelijkheden. Het wemelde in het pas veroverde gebied van de kool, kobalt, ijzer, lood, tin, zilver en van de zinkmijnen. Om maar te zwijgen over fosfaat, waarvan vijfenzeventig procent van de wereldreserve zich in de Westelijke Sahara bevond. Door de stap te wagen kon hij wellicht het grote geld verdienen, zodat zijn ouders van een onbezorgde oude dag konden genieten.

Na zowel verstandelijk als emotioneel overleg met zijn vader en moeder, besloot hij – tegen hun zin in – zijn plan ten uitvoer te brengen.

Hij knikt. Ja, het is al de ontberingen waard geweest. Het eeuwige zandhappen, de onwaarschijnlijk grote temperatuurverschillen van dag en nacht, de dreiging tegen een verdwaalde kogel aan te lopen, de gevechten op leven en dood van mijnwerkers onderling, enzovoort. En alles en iedereen heeft op een bepaalde manier meegedragen aan de status die hij heden ten dagen heeft bereikt, daarvan is hij overtuigd.

De informatie klopte, het was er allemaal. In abominabele staat, waarmee de Mauritaniërs voor de zoveelste keer bewezen een vissersvolk te zijn. De Marokkanen die in navolging van het leger het gebied binnentrokken, pakten de zaken echter gedegen op. Met steun van de regering in Rabat ontstond er in de nieuwe streek een bloeiende economie.

Door een goede handelsgeest en heel veel geluk, bezat hij binnen vijf jaar twaalf winkels waar voornamelijk genotsartikelen werden verhandeld. Een ruim begrip, aangezien zijn koopwaar varieerde van groente en fruit tot zelfgestookte drank en condooms voor de illegale bordelen. Hij werd een welvarend man, maar nog lang niet rijk genoeg voor dat wat hij zich langzamerhand ten doel stelde.

Zijn eerste streven, een rustige oude dag voor zijn ouders, was al bereikt. Hij had hun winkel aan zijn keten toegevoegd, waarna ze als welgestelde burgers naar Marrakech terugkeerden.

Op één van de schaarse keren dat hij hun een bezoek bracht, raakte hij 's avonds in een theehuis op het grote Djemaa el – Fnaplein, het bruisende centrum van zijn geboortestad, in gesprek met Omar Morabit. Hij had de man nog nooit eerder ontmoet, maar diens naam wel eens horen vallen. Het gesprek dat volgens de normen in opperste beleefdheid aanving, kabbelde naarmate het later werd aimabel voort. Ze besloten de volgende dag verder te praten. Twee dagen werden uiteindelijk een volle week van onderhandelen.

Morabit was een handelaar in hasj, iemand uit de middenklasse. Vol ambitie om in de heersende rangorde een aantal plaatsen naar boven op te schuiven. Geld was daarvoor het aangewezen middel. Hiermee kon de tussenhandel worden uitgeschakeld.

Tja, dat was me wat, denkt hij bedachtzaam. Wat begon met een bezoek aan het noordelijk gelegen Ketama, groeide uit tot drie volwassen plantages in diezelfde provincie. Vier jaar na hun eerste gesprek in hartje Marrakech, waren ze de ongekroonde keizers van Marokko's grootste hasjimperium. Een in eigen beheer gekweekt product werd via het in naam Spaanse eiland Ceuta naar Europa geëxporteerd. De bedragen die ze met deze handel binnensleepten waren duizelingwekkend. Hij was financieel onafhankelijk, zoals het tegenwoordig werd genoemd. Sterker nog, als hij toen op zeker was gegaan, dan hadden de kinderen van zijn achterkleinkinderen nooit hoeven werken.

Nee, een groot gedeelte van zijn vermogen werd besteed aan een ideaalbeeld dat hem al jarenlang voor ogen stond. Een missie voor gerechtigheid. Postuum eerbetoon aan zijn broers.

Begin jaren negentig verwerkelijkte hij zijn plannen. Twee goed uitgeruste huurlingenlegers trokken de Westelijke Sahara binnen. In totaal veertig oorlogsveteranen uit alle windstreken opereerden gezamenlijk of afzonderlijk met slechts één doel voor ogen; zoveel mogelijk Polisariostrijders doden. Op iedere omgebrachte guerrillastrijder stond een extra premie.

Hij knijpt zijn ogen tot spleetjes, waardoor zijn gezicht een woeste uitdrukking krijgt.

'Polisarioschorem!' brult hij.

Heden ten dagen telt zijn privé-macht ruim tweehonderd krijgers. Een geoliede machine die succes na succes boekt. In sommige gevallen bijgestaan door het Marokkaanse leger, dat officieus samenwerkt.

Het geluid dat uit zijn keel opwelt klinkt als het gegrom van een aangeschoten beer.

De commandanten hebben hem verzekerd dat het nog hooguit twee jaar duurt voordat de laatste Polisariohond is uitgeroeid. Tijd die hem echter niet gegund wordt.

'Het verdrag van Cordoba, het pact van Cordoba... het verraad van Cordoba,' lispelt hij.

'Drie maal is scheepsrecht. In 2000 probeerde de koning het, in 2004 de regering, en nu is het alsnog raak. Toetreding van Marokko tot de Europese Unie.'

Ben Brahim haalt diep adem en blaast hard en luidruchtig uit.

Negen maanden geleden zijn ze in het diepste geheim bij elkaar gekomen in Cordoba. Hoge Spaanse en Marokkaanse ambtenaren. In hun zakken volmachten van de ministers van Binnenlandse Zaken, Buitenlandse Zaken, Landbouw en Visserijzaken. De banden tussen beide landen zijn altijd al goed geweest, op het innige af. Natuurlijk waren er wel eens problemen zoals met het eilandje Leila, door de Spanjaarden Perejil genoemd, maar het werd onderling immer snel en vreedzaam opgelost.

Voor zowel Marokko als Spanje is het toetreden van Marokko tot de EU een goede zaak. Marokko wint er aanzienlijk mee. Eventuele protesten van het fundamentalistische gedeelte van de bevolking wegen niet op tegen de enorme voordelen die het lidmaatschap van de EU met zich meebrengt. Daar komt nog bij dat Marokko met de dag meer prowesters georiënteerd raakt, wat voornamelijk te maken heeft met de export naar Europa en het verblijf van miljoenen landgenoten aldaar.

Naast een aantal andere onderwerpen zoals het verkrijgen van opdrachten waarmee de Marokkaanse infrastructuur zal worden verbeterd, staat er voor Spanje hoofdzakelijk prestige op het spel. Door als initiator en gangmaker te fungeren, kan het in één klap een plaats rond de tafel waaraan de belangrijkste leiders spreken opeisen.

'Jaraa!' de vloek ontsnapt aan zijn lippen, maar is diepgemeend.

Dit keer hebben beide landen tot zijn spijt hun huiswerk naar behoren gemaakt. Op de drie hoofdpunten waar bij vorige gelegenheden de onderhandelingen nog stuk liepen, is nu overeenstemming bereikt.

Ten eerste is er de hasjhandel, een doorn in het oog van vooral de Fransen, en een aantal voormalige Oostbloklanden die recentelijk tot de EU zijn toegetreden. Hoewel een groot aantal lidstaten voorstander is van legalisering, weigeren met name de Fransen concessies te doen. In Cordoba hebben de Marokkaanse woordvoerders toegezegd de oogluikend toegestane plantages te ontmantelen en te herstructureren tot agrarisch gebied waarop door de EU geaccepteerde gewassen worden verbouwd.

Voor de Westelijke Sahara is een listige oplossing bedacht. Geheel volgens de wensen van de wereldraad zal het gebied worden overgedragen aan de Saharawi's. Aangezien Marokko fors heeft geïnvesteerd in de mijnbouw en infrastructuur, blijven er tot een nader te bepalen datum adviseurs in het gebied aanwezig. Deze adviseurs zullen de nieuw te vormen regering helpen bij politieke, economische en militaire vraagstukken. Ter compensatie van gemiste inkomsten, vloeit er vijfentwintig procent van de aantoonbare winst in de Marokkaanse schatkist.

Een slimme constructie, geeft hij tandenknarsend toe. Helemaal als je bedenkt dat er inmiddels overeenstemming is bereikt met Mohammed Aldelaziz, woordvoerder van de Saharawi's, zoals hij via zijn kanalen in het veld heeft vernomen.

Het derde punt, de enclaves Ceuta en Melilla aan de noordkust van Marokko, was zeer zeker niet het minst hete hangijzer. Voor Spanje een vaste voet op het Afrikaanse continent, voor Marokko een geamputeerd kootje dat door middel van diplomatieke chirurgie terug op haar vinger moest worden geplaatst.

'Onvoorstelbaar' zegt hij op een toon die tussen gelatenheid en ongeloof balanceert. Het was voor hem gewoonweg ondenkbaar dat de Spanjaarden alleen al de gedachte aan teruggave serieus zouden nemen. En toch gaan ze het doen, weet hij.

Nadat de partijen er in Cordoba met elkaar uitkwamen, zou er een Spaanse lobby van hooguit één jaar volgen. In deze periode moesten er EU-lidstaten worden gevonden die zich achter het prestigieuze plan willen scharen. Een missie die hoogstwaarschijnlijk tot een goed einde gebracht gaat worden, want daarvoor is het basisplan sterk genoeg.

Hij grijnst gemeen om deze laatste zin.

De Spaanse obsessie om wereldgeschiedenis te schrijven neemt de meest gecompliceerde obstakels alsof het niets is. De teruggave van Ceuta en Melilla mag dan door welke raad dan ook worden toegejuicht, het Spaanse volk zal zo haar bedenkingen hebben. Marokko zal daarentegen expliciet dit punt op het nationale toneel in de schijnwerpers zetten.

Een ware triomf voor het volk! Broeders herenigt u!

Hij werpt een weidse blik over zijn landerijen, terwijl een bepaald gedeelte van zijn gedachten over de Westelijke Sahara zweeft. Een stukje van hem is altijd bij de mannen die daar strijden voor gerechtigheid. Iedere juist afgevoerde kogel of granaat brengt de vrede dichterbij. Zijn vrede. Soldaten en vechtersjassen zijn het, zeker geen terroristen. Kerels die hij nergens anders kan of wil inzetten.

'Niets of niemand stopt wat ik in gang heb gezet,' fluistert Ben Brahim tegen de opkomende maan. 'Dat hebben jullie inmiddels wel ondervonden. De bodem onder al die hoogdravende theorieën is voor het overgrote deel al weggeslagen.'

Zijn vingers glijden haast plechtig over het ijzer, waarna hij aanstalten maakt om op te staan.

'Ik ben heel benieuwd of jullie de nu ontstane consequenties durven dragen,' voegt hij er op neutrale toon aan toe en wandelt bedaard naar binnen.

In het midden van de suite zit Khalid Mossaoui in een comfortabele leren fauteuil. Hij draagt een zwart maatpak met daaronder een gebroken wit overhemd en zilvergrijze das. Hij heeft zijn baard afgeschoren en in zijn verzorgde kapsel is geen korrel zand terug te vinden. Een Arabische zakenman met een westerse kledingstijl.

Geconcentreerd bekijkt hij de plattegrond die voor hem op een ronde, glazen tafel ligt. Meer om zijn ogen te ontspannen dan uit nieuwsgierigheid, laat hij af en toe beurtelings zijn blik op de nieuwszender Al Jazeera of het panorama van Algiers rusten.

Twee armslengten van hem vandaan zit Lamtaka. Met de nietszeggende blik in zijn ogen en het vertrouwde witte gewaad om zijn torso is hij voornamelijk zichzelf.

Nadat er twee bescheiden klopjes hebben geklonken, staat de reus op en opent de deur. Stoïcijns vouwt Mossaoui de plattegrond op. Het is een blauwdruk van de Petronas torens in Kuala Lumpur. Op tien centimeter na vierhonderdvijfenveertig meter hoog. Tevens een doelwit dat hoog op de lijst staat van een groepering in het oosten waarmee hij banden onderhoudt. Een interessant project waarin hij eventueel wel pro Deo wil participeren. Hij staart in de verte en overdenkt kort de opties die straks ter sprake gaan komen.

Zijn bezoek wordt bij wijze van spreken eerder door een doek dan een filter gezeefd, dus over veiligheidsmaatregelen hoeft hij zich hier niet druk te maken. Naast Lamtaka zijn er nog drie man in het aangrenzende perceel, twee op de gang en één beneden in de lobby. Daar komt nog bij dat zijn bezoeker een ondergeschikte is.

De man die binnenkomt is rond de dertig en draagt vrijetijdskleding. Modieuze grijze gympen, corduroy broek, zwart Armani-shirt. Onder zijn rechteroksel houdt hij een stapeltje kranten. Zonder een woord te zeggen neemt hij naast Mossaoui plaats en legt de kranten naast zich neer.

Ook 'Chillaba' zwijgt; zijn blik is naar beneden gericht en dat blijft zo.

Na twee minuten van stilte wijst Mossaoui op de binnenzak van zijn colbert.

'Wederom broeders die de elfde september willen evenaren, een nobel streven.' Een voorzichtige glimlach volgt.

De man naast hem knikt bevestigend. 'Indien het Allahs wil is zullen ze daarin slagen, abi.'

Hoewel er op Mossaoui's gelaatstrekken niets valt af te lezen, glimt hij lichtelijk van binnen. Hij vindt het uitermate prettig om door Omar Adneffi met 'vader' te worden aangesproken. Een titel die uitsluitend wordt gebruikt wanneer men grote achting voor iemand heeft. Aangezien Adneffi geen zoon is, streelt het zijn ego.

'Een interessant project, Omar. Ik kom er later op terug.'

Opnieuw knikt zijn luitenant. In zijn rechterhand houdt hij de kranten klaar.

'Het ziet ernaar uit dat de oppositie flink geschrokken is,' zegt hij.

Mossaoui steekt zijn hand uit, en bladert aansluitend door El Mundo, Elalam en The New York Times. Tien minuten later overhandigt hij de kranten aan Adneffi.

'De Spanjaarden schreeuwen moord en brand, Marokko ontkent iedere betrokkenheid en de Amerikanen...ach, die zijn nauwelijks meer serieus te nemen.' Hij grijnst laconiek.

'Er wordt alleen gerefereerd naar Al-Qaida, hun nationale nachtmerrie. Ze hebben nog steeds geen flauw idee hoe het werkelijk in elkaar zit.'

Adneffi trekt beide wenkbrauwen op. 'Maar...'

Mossaoui's opgestoken rechterhand doet hem abrupt zwijgen.

'Ik begrijp je verbazing, Omar. Je bent een fervent strijder; een ware zoon van Allah. Er zijn echter zaken in het aardse leven die anders zijn dan ze lijken.'

Een adorerende blik van een man die zich op dit moment meer jongen voelt, is zijn deel.

'Ik wil graag leren, vader. Uw wijsheden geven mij kracht.'

Tijdens de stilte die nu valt, ondersteunt Mossaoui's linkerhand zijn kin. Een geliefde pose. De uitdrukking op zijn gezicht suggereert dat hij nog nooit een meerdere ontmoet heeft. In feite werken zijn hersens op volle snelheid. Omar Adneffi is zijn jongste luitenant. Twee jaar geleden geselecteerd uit een opleidingskamp, ongeveer vierhonderd kilometer ten zuiden vanwaar zij zich nu bevinden. Een fanatieke krijger gezegend met een scherp verstand. Iemand die begrijpt dat er strijd moet worden gevoerd, maar ook inziet dat de benodigde financiële middelen daarvoor ergens vandaan moeten komen. En 'ergens' is een groot begrip.

Pas na een langere periode van zo'n vier, vijf jaar, gaat hij tegenover zijn officieren dieper op de materie in. Gedurende die jaren heeft een natuurlijke selectie plaatsgevonden. Alleen de slimsten blijven over, in uitzonderlijke gevallen degenen met het meeste geluk. Adneffi staat nog op de eerste paar meters van deze met bloed geplaveide weg. Hij is een verbindingsofficier die, omdat de situatie erom vroeg, extra taken toebedeeld heeft gekregen. Doordat de lijfelijke aanwezigheid van hogere officieren vanwege uitlopende redenen in andere gebieden dringend gewenst is, doet Adneffi tevens de eindcoördinatie van deze klus.

Rashid Nasserbet, een ervaren officier, heeft de operatie op touw gezet. Omdat er zich een onverwachte kans voordeed om de Amerikanen in het hart te raken, moest hij de oude ijzervreter wel laten switchen. Het karwei op Gran Canaria brengt veel geld op, het project in de States staat echter garant voor eeuwige roem.

Adneffi is veruit de beste van de nieuwe lichting. Tot nu toe, voldoet hij aan zijn verwachtingen. De klus vergt nog een kleine week, daarna is er voldoende werk. De plattegrond in zijn binnenzak, symboliseert slechts een onderdeel ervan. Een gewaagde klus, waarbij hij de vaardigheden van Adneffi wellicht kan gebruiken. De man is slechts een klein radar in zijn organisatie, maar om het grote geheel draaiende te houden dienen alle onderdelen wel te functioneren.

De afvaardiging uit Maleisië wordt pas over een half uur verwacht. Hij heeft de jongeman bewust eerder laten komen om te investeren in de toekomst.

Behalve de keiharde fysieke opleiding, heeft Adneffi ook de klassieke geloofsindoctrinatie al ondergaan. Het is nu tijd voor een andere richting die het vak met zich meebrengt. Ook hierbij is de manier van onderwijzen van groot belang.

Wanneer hij begint te spreken, ligt er een devote uitdrukking op zijn gezicht.

'Van onze vijanden zijn de Amerikanen de machtigste, niet de gevaarlijkste. Een essentieel verschil dat ik je nu ga uitleggen.' Hij kijkt recht voor zich uit en ziet vanuit zijn rechterooghoek dat Adneffi aan zijn lippen hangt.

'In militaire zaken leunt iedere natie zwaar op de inlichtingendienst. Of het nu draait om externe zaken, zoals ondersteuning bij een missie, zelfs een invasie, of interne zaken wat kan variëren van verboden groeperingen tot buitenlandse infiltranten. Doet de inlichtingendienst zijn werk naar behoren, dan komt de uitvoerende partij, bijvoorbeeld een elite eenheid, nauwelijks voor verassingen te staan. Wordt er ech-

66

ter onzorgvuldige informatie verstrekt, dan zijn de gevolgen daarvan vaak desastreus.'

Hij last een korte pauze in. Zijn linkerhand masseert oppervlakkig beide wangen.

'In feite zijn de activiteiten van de Amerikaanse inlichtingendiensten vanaf negentieneenenveertig tot heden één aaneengeregen lint van mislukkingen. Te beginnen bij Pearl Harbour, via Vietnam naar Afghanistan en Irak.

In eigen huis doen ze het zo mogelijk nog belabberder. Er werd te pas en te onpas op presidenten geschoten, de KGB won de spionage-oorlog glorieus, en de eerste aanslag op eigen bodem heeft niemand aan zien komen.'

Een spottend lachje rolt van zijn lippen.

'De in films en boeken alom geprezen CIA is in feite een ongeorganiseerde bende. Afdelingshoofden en directeuren slijten ze in een hoger tempo dan Italianen kabinetten. Hoewel ze over de meest geavanceerde apparatuur beschikken, slaagt het zogenaamd hoog opgeleide personeel er steeds weer in de informatie verkeerd te interpreteren. Ook is de interactie tussen de binnen- en buitendienst een lachertje. Het reddingsdebacle met helikopters in Iran is daar een schrijnend voorbeeld van.

De lijnen binnen de FBI, die binnen de States werkt, zijn iets korter en dus overzichtelijker. Toch stapelen ook zij blunder op blunder terwijl intern een enorm gekonkel om hogere functies gaande is. Als je bedenkt dat er over de helden van de elfde september reeds lang voor die datum informatie in FBI-bureauladen lag, maar die simpelweg als onbelangrijk werd afgedaan, dan kun je die mensen toch niet meer serieus nemen?'

Hij stopt met praten. De voor de hand liggende bijval blijft uit.

'Heel goed, ibni' zegt Mossaoui. In plaats van het meer amicalere waladi, gebruikt hij de klassieke versie van 'zoon'.

'Uitstekend zelfs.'

In zijn neutrale gesprekstoon klinkt nu iets van enthousiasme door.

'Laat honderd gewapende kinderen op een vijftig meter verderop gelegen doelwit schieten. De kans is vrij groot dat er één voltreffer bijzit. Dat is even effectief als die enkele sluipschutter wiens schot altijd raak is.'

Na deze woorden knikt hij zelfgenoegzaam. De kunstmatige stilte die nu volgt wordt regelmatig onderbroken door de zware ademhaling van Mossaoui's lijfwacht, die doet alsof hij een tijdschrift leest.

'Wat u aan mij uit wil leggen...' probeert Adneffi onzeker, 'is dat kwantiteit gelijk aan kwaliteit kan zijn. Naar gelang de situatie zelfs inferieur of superieur.'

Een dunne glimlach maakt van Chillaba's lippen drie potloodstrepen.

'Zo ongeveer. De satan aan de overzijde van de oceaan kan putten uit een arsenaal moderne wapens die gehanteerd worden door dikbetaalde soldaten. Mede doordat hun verwerpelijke bondgenoten ze geen strobreed in de weg leggen, kunnen deze schurken praktisch overal ter wereld hun imperialistische politiek met dreigend wapengekletter ondersteunen. Dit gebeurt onder de noemer 'wereldvrede'.

Eenmaal op vreemd gebied, beginnen de problemen. Doordat er met overdreven veel materieel uit is gerukt, lijkt het voor het oog van de wereld dat de situatie volledig onder controle is. Niets is minder waar. Door de zwaargemanipuleerde media worden beelden van gebiedsverovering getoond, terwijl buiten het oog van de camera de lijken van, grotendeels zwarte soldaten, in plastic zakken verdwijnen.'

Leergierig kijkt Omar Adneffi zijn professor annex werkgever aan.

'De brullende leeuw kan gemakkelijker door de schorpioen worden benaderd dan andersom,'zegt hij zelfverzekerd. Voor het eerst tijdens hun samenzijn lacht 'Chillaba' openlijk.

'Een vergelijking die ik niet eerder heb gehoord, heel amusant.'

In de gitzwarte ogen van zijn pupil staat teleurstelling centraal. Ook de fiere lichaamstaal van zonet heeft plaatsgemaakt voor onverholen schaamte.

'Je schat mijn woorden verkeerd in, Omar' zegt Khalid Mossaoui verzoenend. 'Je hebt namelijk voor een groot deel gelijk.' Tot zijn genoegen raakt het compliment de juiste snaar. Nauwelijks waarneembaar recht Adneffi beide schouders, terwijl er een twinkeling in zijn ogen verschijnt.

Mooi, denkt de terroristenleider, de basis is gelegd. De man is nu als was in zijn handen, ieder woord zal worden geïnhaleerd alsof het de zuivere waarheid betreft. Een extra stage in diens gedachtegoed die moet worden geopend aangezien er veel belangen op het spel staan. Mochten er blokkades in het hoofd van zijn luitenant hebben gezeten, van welke aard dan ook, dan zijn deze door de inleidende woorden opgeheven.

'Om bij jouw beeldspraak te blijven; met veel uiterlijk vertoon eigent de leeuw zich de titel "koning van het dierenrijk toe". Het eigenlijke werk – jagen en bijeen houden van de troep – wordt gedaan door de leeuwinnen. Niet overgelaten, nee, hij kan het zelf niet. Daarvoor is hij te lui, te log en te dom. Een misplaatste titel dus, in feite vergaard door anderen. Toch kan de leeuw met één goedgeplaatste houw of beet praktisch ieder dier ter plekke doden.'

'Amerika' lispelt Adneffi.

'De mógelijkheden van Amerika, mijn zoon,' verbetert Mossaoui. Hij kijkt zijn ondergeschikte nu recht in de ogen.

'Het is niet de leeuw, maar de leeuwinnen waar ik het over wil hebben.'

Een verbaasde blik is zijn deel.

'En wel over het specifieke exemplaar dat in jouw territorium rondsluipt.'

'Wie..'

'Luister heel goed naar me, Omar, en sla alles op. Wat we hiervoor hebben besproken was een gericht stuk algemene ontwikkeling. Hetgeen ik je nu ga vertellen is van levensbelang.' Een beetje geschrokken van de rustige interruptie die aanvoelde als een verbale zweepslag, knikt Adneffi gedienstig. De meester doceert, de leerling absorbeert.

'Degene over wie ik het wil hebben heet Alfonso Silva. Wat dat betreft gaat de vergelijking met een leeuwin niet op, al wil ik daarbij wel opmerken dat ik een ontmoeting op de savanne met een hongerige leeuwin zou prefereren boven een gevecht met deze man. De kans op ontsnapping is bij het dier groter dan genade van Silva, geloof me.'

Hij laat een stilte vallen om extra gewicht aan zijn woorden toe te voegen.

'Alfonso Silva is van gegoede komaf, volbloed Spanjaard, geboren in

Madrid. Na zijn diensttijd solliciteerde hij tegen de zin van zijn ouders bij de Policia Nacional. Een basisopleiding en twee jaar uniformdienst later, ging hij op voorspraak van zijn toenmalige commandant bij de Unidad de Drogas y Crimen Organizado, UDYCO, het undercoverteam van de Policia Nacional. Hij werkte daar vijf jaar. Door zijn aangeboren intelligentie samen met een gezonde dosis lef, schopte hij het binnen drie jaar tot teamleider.'

Mossaoui trekt zijn colbert rond de schouders recht, en strijkt aansluitend met zijn linkerhand over de zijden stropdas. Een gebaar waar zakenmensen patent op hebben.

'Ondanks het feit dat zijn carrière ogenschijnlijk voorspoedig verliep, kreeg Silva het steeds minder naar zijn zin. Hoofdoorzaak daarvan was het werkterrein waarop zijn mannen opereerden. In Spanje vallen de havens, snelwegen, grensposten en vliegvelden namelijk onder de guardia civil. Hierdoor ging het grote werk systematisch aan UDYCO voorbij. Vond er, vaak na maanden van undercoverwerk, een grootschalige arrestatie in één van deze gebieden plaats, dan was het steeds de guardia die met de eer ging strijken. Vanzelfsprekend na een, verplichte, tip van Silva.

Ook het budget waarmee hij werkte werd hoe langer hoe meer een doorn in zijn oog. Het kwam regelmatig voor dat hij bij de administratie hemel en aarde moest bewegen om het overwerk van zijn mannen betaald te krijgen.

In deze periode lanceerde een zekere César Garincho een gewaagd plan. Dit afdelingshoofd van CESID, de Spaanse veiligheidsdienst, drong bij zijn superieuren aan op het vormen van een eliteteam naar het model van de Britse SAS. Een supereenheid van de CESID, dat direct onder het ministerie van Binnenlandse Zaken viel. Hierdoor zou alle kinnesinne van de overheidsdiensten onderling direct de nek worden omgedraaid. Binnenlandse Zaken was namelijk een overkoepelend orgaan, zodat er alleen een akkoord met het ministerie van Justitie bereikt moest worden. Dit lukte, waarna er onder leiding van Engelse en enkele Amerikaanse instructeurs met een opleiding in een kazerne net buiten Albacete werd begonnen.'

Zogenaamd om even te verzitten, stop Mossaoui met spreken. In de ogen van zijn toehoorder is nog geen spoortje van verslapping te bespeuren, ziet hij in een flits. Integendeel.

'Alfonso Silva was één van de cursisten. Zes maanden later was de eerste lichting van "oficina numero nueve" een feit.'

Hij ziet de glimlach op Adneffi's gezicht.

'Zo reageert bijna iedereen bij het horen van die naam, Omar. Nadat je ze in actie hebt gezien, valt er weinig meer te lachen,' zegt Mossaoui streng. Dit laatste is bluf, zelf heeft hij Silva en zijn mannen nog nooit in levenden lijve aanschouwt. De informatie is met stukjes een beetjes vergaard door bevriende groeperingen. De ETA, die niet onder deze noemer valt en waar het merendeel van de inlichtingen vandaan komt, heeft zich er zelfs dik voor laten betalen. Zoals een goed leider betaamt heeft Mossaoui zich ingelezen en kan hij de feiten moeiteloos oplepelen.

'Na een periode van anderhalf jaar waarin "Nueve" het ene na het andere succes boekt, gaat het mis. Nadat zij in het Baskenland een leeg appartement binnenvallen, ontploft er een bom. Het team van Silva verliest drie man. Geëmotioneerd legt hij de schuldvraag bij zijn chef Garincho neer en neemt ontslag.

Normaal gesproken zou hiermee zijn carrière bij "Nueve" ten einde zijn. Het loopt echter anders. Garincho blijft fouten maken waardoor er in een relatief korte periode opnieuw slachtoffers onder leden van "Nueve" vallen.

Vanaf hogerhand grijpt men in, waarna Carmelo Rodriquez de nieuwe "JOS", Jefe de Operaciones Secretas, wordt. Deze sluwe vos gebruikt zijn voorname positie voornamelijk om zichzelf te verrijken. Door het ministerie is echter bepaald dat er een intermediair moet komen, aangezien het gat tussen "JOS" en de mensen van de buitendienst te groot is. Een soort klankbord, dus. Tevens een hondenbaan die niemand van het inmiddels even corrupte team wil vervullen.

Rodriquez haalt Silva terug. In zijn optiek een geniale zet, omdat de uitgerangeerde Silva dankbaar zal zijn voor een tweede kans, en daardoor gemakkelijk naar zijn hand te zetten valt.

Al spoedig krijgt Silva door dat hij onder valse vlag geronseld is. Hij houdt echter het hoofd koel en verzamelt bewijzen tegen zijn chef en

71

diens trawanten.

Omringd door personen die leven van corruptie, is het logisch dat Silva's activiteiten uitlekken. Wanneer de kans zich voordoet, besluit Rodriques zich letterlijk van hem te ontdoen.

Decor is, hoe ironisch, Gran Canaria. Een onwaarschijnlijk grote school haaien belegert het eiland. De Spaanse regering huurt Ethan Cohen in, haaienexpert en Amerikaanse jood.'

Hij kijkt veelbetekenend naar Omar Adneffi die een schunnig gebaar met zijn rechterhand maakt.

'De jood heeft overigens gefaald, maar dit terzijde.'

Ter goedkeuring trekt Adneffi zijn linkermondhoek op, en grijnst.

'Omdat de haaien zich door niets en niemand laten verjagen, verandert het toeristische eiland in een kruitvat dat vanwege allerlei tegengestelde belangen op het punt staat te ontploffen. Middenin dit spanningsveld staat Silva met aan de ene kant de problemen die zich opstapelen, en aan de andere kant de leden van "Nueve" die wachten op Rodriquez' teken om hem te vermoorden. En passant wordt hij verliefd op Grace Wagner, een Zuid-Afrikaans lid van het team van de jood.'

Mossaoui's doordringende blik boort zich in de ogen van zijn toehoorder.

'Maar over Grace Silva-Wagner hoef ik jou toch niets meer te vertellen, nietwaar Omar?'

Een sluwe uitdrukking op Adneffi's gezicht spreekt boekdelen, toch antwoordt hij direct.

'Rashid heeft me gebrieft. Onze man is reeds in Madrid en wacht op een teken.'

'Goed zo', zegt Massoui emotieloos. Zijn blik wordt toegeeflijker terwijl hij verdergaat met zijn verhaal.

'Ondanks de precaire situatie waarin Silva zich bevindt, weet hij heel "Nueve" een hak te zetten en naar Zuid-Afrika te vluchten. De door hem verzamelde bewijzen belanden bij de minister van Binnenlandse Zaken, waarna Rodriquez zijn boeltje kan pakken.

Opnieuw is Silva's rol bij "Nueve" niet uitgespeeld. Drie jaar na de haaien-affaire wordt hij door hoge ambtenaren van BZ benaderd voor de post van "JOS" bij "Nueve". Na een periode van schandalen en blunders concludeerde BZ na een uitgebreide evaluatie dat er slechts één man geschikt was voor deze zware functie. Silva legt een eisen-pakket op tafel dat geaccepteerd wordt. Samen met zijn vrouw verhuist hij naar Madrid, waar enkele maanden later hun eerstgeborene, een dochter, het levenslicht ziet.'

Mossaoui knippert een paar maal met zijn oogleden en probeert de opkomende vermoeidheid van zijn gezicht te wrijven. Op bedachtzame toon zet hij het slot in.

'Als een dolle olifant dendert hij door de porseleinkast die "Nueve" heet. Iedereen tegen wie hij enige verdenking koestert dient te ver-trekken, terwijl hij gelijktijdig jong talent bij andere overheidsdiensten weghaalt. De structuur van "Nueve" verandert schrikbarend. De "mili-taire tak" brengt hij onder bij andere diensten zoals de Policia Nacional en de guardia civil. Zijn eigen eenheid werkt nog uitsluitend in bur-ger. Behalve de verplichte vechttechnieken en wapeninstructie dienen zijn mensen ook computercursussen en acteerlessen te volgen. Dit om op iedere situatie voorbereid te zijn. Ook gaan de lonen drastisch omhoog.'

Hij staat beheerst op. Op het moment dat Adneffi aanstalten maakt dit ook te doen, steekt hij gebiedend zijn rechterhand op. Zonder daar-bij zijn luitenant een blik waardig te gunnen, gaat hij verder.

'Voor zover wij weten bestaat "oficina numero nueve" uit een klei-ne veertig agenten. Stuk voor stuk gevaarlijke kerels die loyaal aan hun chef zijn. Samen met de Franse inlichtingendienst en de joodse Mossad, behoort "Nueve" tot de absolute top. Een tegenstander die je nooit, maar dan ook nooit mag onderschatten.'

Aansluitend strengelt Mossaoui zijn handen ineen. De uitdrukking op zijn gezicht krijgt nu iets vaderlijks.

'Dit is je eerste grote opdracht, zoon. Laat deze informatie je sterken in de strijd tegen het kwaad.' Hij draait zich half om en kijkt naar bui-ten.

'Vader,' hoort hij Adneffi bedeesd zeggen. 'Waarom doet Silva pre-cies wat wij verwachten?'

'Verweef het woord "nog" in deze zin en je hebt waar je om vroeg,' antwoordt Mossaoui zonder enige aarzeling. Alsof het een simpele vraag uit een onbenullige tv-quiz betreft.

Hij voelt de enigszins onzekere blik in zijn rug prikken en zegt: 'Ga nu, Allah zal over je waken.'

Een fractie na deze woorden legt Lamtaka zijn tijdschrift weg en loopt naar de deur. Drie stappen later maken zijn enorme knuisten de deurknop onzichtbaar.

'Omar, neem contact op met onze man in Madrid. Ik wil dat hij morgen zijn opdracht uitvoert.'

'Het zal gebeuren,' verzekert Adneffi hem.

'Silva heeft vroeger gewerkt onder de codenaam "lobo" wat wolf betekent. Zoals je weet vallen wolven bij voorkeur van achteren aan. Als onze man zijn werk heeft volbracht, heb je er een vijand bij. Zorg dus voor een paar extra ogen in je rug.'

Met de onmiskenbaar nietszeggende blik in zijn ogen opent Lamtaka de deur, waarna Omar Adneffi het luxueuze vertrek verlaat.

4

Het water dat langzaam zijn wetsuit binnensijpelt voelt kouder aan dan anders. De vinnen die normaal gesproken als gegoten zitten, knellen hevig. Matthew Price trekt aan de banden van zijn trimvest, aangezien de fles op zijn rug irritant heen en weer schuift. Drie meter. Hij neemt zijn neus tussen duim en wijsvinger en perst om het drukverschil op te heffen. Hoewel hij meestal met één maal 'snuiten' zijn oren klaart, kost het nu drie pogingen. Vijf meter.

Het diorama dat Price altijd in vervoering brengt, doet hem nu huiveren. Het gat schuin voor hem heeft meer weg van een reusachtig graf, dan het doet denken aan een perfecte duikstek. Een koude rilling rolt gemeen over zijn ruggengraat. Negen meter. Hij klaart een keer, maar zijn oren werken niet mee. Bij de geforceerde vierde poging hoort hij tot zijn opluchting vanuit beide gehoorgangen een zacht 'plop', wat betekent dat hij door kan. Op elf meter diepte dient de rand van het plateau zich aan. Hij kijkt naar beneden... en kan zichzelf wel voor zijn kop slaan. Schuldbewust draait hij zich om. Het buddy-paar – een pasgetrouwd stel – dat hij hoort te begeleiden, ligt een kleine twee meter achter hem. Nu er eindelijk oogcontact is, geven zij gezamenlijk het teken dat alles in orde is. Hij bevestigt direct het signaal, waarna zijn ademautomaat als vergaarbak van gevloek dienst doet.

Vlak achter zijn cliënten, zwemt Claudia naast haar buddypaar. Zoals het hoort, denkt hij narrig. Decimeter voor decimeter komt ze dichter bij zijn buddypaar. Achter Claudia begeleidt Carmelo twee dames die ieder in het bezit zijn van twee duikbrevetten. Aan de linkerzijde van zijn vriend zwemmen hun echtgenoten, macho's die per se met elkaar wilden duiken. Hij vindt het best.

Price wijst met zijn duim naar beneden. Zijn twee klanten maken het oké-teken en volgen hem langs de wand die ietwat schuin afloopt.

Het natuurgebied voor de kust van Arinaga aan de oostzijde van het eiland is prachtig. Het door de Canarische regering uitgevaardigde visverbod heeft ertoe geleid dat deze plek zich in de loop der jaren heeft ontpopt tot een waar lusthof voor duikers. Het is een kantduik, wat zo z'n voordelen heeft. 's Morgens het busje van de duikschool in, twintig minuten al rijdend kletsen, omkleden naast de wagen, en vanaf de kant te water. Geen loodrechte afdalingen, maar een langzaam aflopende bodem waardoor er weinig stress ontstaat.

Voorzichtig daalt hij af. De zandbodem ligt op dertig meter, een diepte waar hij vandaag niet aan wil denken. Als een moederkloek waakt hij nu over het buddypaar dat op minder dan anderhalve meter van hem verwijderd is. Eén fout is stom, twee onvergeeflijk. Mocht er in deze branche zoiets als wisselgeld bestaan, dan is hij er ruimschoots doorheen. Op het moment dat de dieptemeter tweeëntwintig meter aangeeft, laat hij overdreven duidelijk zijn rechterhand die horizontaal in het water ligt aan het jonge echtpaar zien en pompt wat lucht in zijn trimvest waardoor de afdaling stopt.

Het tweetal imiteert hem voorbeeldig, zodat zij alledrie de neutrale status bereiken. Hij maakt een draai van honderdtachtig graden waardoor hij met zijn rug naar de bodem toe is gekeerd. Hierdoor krijgt hij in één oogopslag de informatie waarover hij als duikleider moet beschikken.

Achter zijn buddypaar ligt de rest keurig uitgetrimd de omgeving te bekijken. De onderlinge afstand tussen de paren is ongeveer vier meter, schat hij. De dieptes waarop wordt gedoken liggen tussen de twintig en vijfentwintig meter. Prima.

Veel sneller dan normaal het geval is draait hij weer terug in de normale duikhouding. Een gejaagde zucht ontsnapt naar de oppervlakte waar de druk zowel letterlijk als figuurlijk beduidend lager is.

Het gezelschap bevindt zich aan de rechterkant van een tachtig meter breed rif dat in de vorm van een halve kom recht voor hen ligt. Tussen de zandbodem en het rifdak schreeuwt een variëteit aan kleur en zeebewoners om aandacht.

Zoals praktisch iedereen die deze plek voor de eerste maal bezoekt, reageren de duikers vol vervoering. Vingers wijzen enthousiast, ogen glanzen, pretaccolades tekenen zich rond ademautomaten af.

Met de handpalmen omhoog, steekt Price zijn armen naar voren. Zonder enig voorbehoud accepteren de duikers het geschenk waarvoor ze zelf betaald hebben, en zwemmen in de richting van de rif-wand. Zelfs bij het machopaar heeft de geestdrift toegeslagen. Als een stel opgeschoten tieners die een meisjesrok ondeugend zien opwappe-ren, schieten ze naar voren.

Terwijl zijn klanten aan hun ontdekkingsreis beginnen, knikt Price naar Claudia en Carmelo. Op dit punt van de trip heeft een doordach-te positionering de hoogste prioriteit. Ze schakelen over van mandek-king naar een zoneverdediging, zoals de voetbalfanaat Carmelo vaak pleegt te zeggen. Een manier van bewaken die alleen werkt bij uitste-kend zicht, zoals vandaag het geval is.

Met een tussenliggende afstand van vijftien meter vormen ze gedrie-ën een denkbeeldige lijn op twintig meter diepte. Hiermee verdelen ze het rif in drie sectoren van ongeveer vijfentwintig bij twintig meter. Zoals in de briefing is afgesproken ligt het diepste punt rond de vijf-entwintig meter, terwijl het rifdak pas aan het einde van de duik bezocht zal worden. Van diep naar ondiep, het veiligste duikprofiel.

In de verte ziet hij Carmelo een gebaar maken. Claudia beantwoordt dit, draait zijn kant op en geeft het oké-teken. Het team is in positie, het observeren kan beginnen.

Carmelo bevindt zich aan de rechterkant van het rif; de plek waar de duikers hun expeditie beginnen. Vanaf vijfentwintig meter langzaam langs de wand pionieren, om aan de linkerzijde op het rifdak te ein-digen. Vandaar kalmpjes aan over het rif terug naar de kant.

Alles gaat zoals gepland, merkt Price. Vanuit Carmelo's sector stijgt een complete divisie luchtbellen naar de oppervlakte, Claudia heeft de eerste snelheidsmaniakken al in haar vizier, en zelf staart hij naar de rifwand waarlangs een school spitse trompetvissen hautain paradeert.

Als hij zich tijdens voorafgaande duiken in deze positie bevond, draaide hij zich altijd om. Vanuit zijn linkerooghoek hield hij dan de dichtstbijzijnde duikers in de gaten, terwijl hij met zijn rechteroog het almachtige blauw bewonderde.

Meestal verborg de oceaan haar levende schatten, soms had hij geluk. Een oeroude schildpad in een oneindige glijvlucht, een school dolfij-nen waar de innerlijke beschaafdheid van afstraalde, of het scherpe sil-houet van de solitaire blauwe haai.

Vandaag draait hij zich niet om, vandaag is het de omgekeerde wereld. Wordt híj bekeken door de grote plas die meer geheimen kent dan er verhalen op de wereld zijn. Betast de uitstraling van het onwezenlijk grote oog zijn lichaam.

'Beheers je.'

Zelfs op twintig meter diepte laat de sluierende paniek zich niet wegfilteren. Om zijn zinnen te verzetten, checkt hij voor een duikinstructeur triviale dingen als diepte, duiktijd en luchtverbruik. Vooral in het laatste is hij geïnteresseerd. Het is overduidelijk dat hij zich ongemakkelijk voelt, toch is het luchtverbruik normaal te noemen, concludeert Price. Uit pure opluchting ademt hij fors in, waarna een behoorlijke stoot luchtbellen opstijgt.

Het eerste buddypaar zwemt zijn sector binnen; ze bevinden zich op een keurige vijftien meter diepte. De lichaamstaal van de jonge echtlieden spreekt boekdelen. Ze hebben plezier. Zij heeft duidelijk de broek aan. Gedwee gaat de blik van manlief naar de plaatsen die haar wijsvinger als interessant kwalificeert.

Price wendt zijn ogen even van de duikers voor hem af. De overzichtsituatie is even duidelijk als geruststellend. Op het paar vóór hem na, zijn alle duikers reeds in zijn geheel binnen Claudia's zone beland. Carmelo is mee opgeschoven en is nu naast haar.

Een tweede buddypaar zwemt de sector van Price binnen, waarna hij de weidse blik terugbrengt tot een zicht op de denkbeeldige rechthoek tegenover hem.

Met veel uiterlijke ophef glijdt het machokoppel zijn beeld binnen. Vier handen wijzen nadrukkelijk naar beneden. De reden hiervoor is Price snel duidelijk. Zes stevige stingray's zweven vlak over de zandbodem. Misschien mag je het wel dansen noemen, zó gracieus bewegen de roggen zich voort. Er zit één fors exemplaar tussen, ziet Price. De spanwijdte van het dier bedraagt toch gauw twee meter, terwijl de puntige staart de lengte van een mannenarm heeft.

De overige duikers hebben de trektocht van de roggen eveneens opgemerkt. Ze laten de geheimen van het rif even voor wat ze zijn, en volgen de parade met argusogen.

Op het moment dat Price het wel voor gezien houdt, ziet hij in het kielzog van de platvissen iets bewegen. Hoewel het opstuivende zand het uitzicht een handvol seconden maskeert, weet hij het zeker. Een krabbenfamilie trippelt nerveus over de bodem. En dat doen ze niet zonder reden. Er zit voedsel tussen hun scharen. Het is wit.

De schakelaar in zijn hoofd die al geruime tijd op het punt van tuimelen stond, gaat nu definitief om. Een onzichtbare hand grijpt hem bij de keel en knijpt. Zijn adem stokt. Het is alsof de luchttoevoer stagneert, zodat hij diep en nerveus inademt. Hij rilt over zijn hele lichaam.

Price draait zich vliegensvlug om. Zijn pupillen worden groter. Wat eens zijn grote liefde was, is plotsklaps een levensgrote bedreiging.

Het blauwe gordijn is rimpelloos, geen silhouet te bekennen. Nergens stuivend zand als onheilsbode voor een drama dat zijn weerga niet kent.

Hij draait terug. Kijkt nu bedrieglijk standvastig. De oogopslag van iemand die de hel heeft bezocht en daar ten koste van alles nooit meer terug wil komen.

Aan één blik heeft Price genoeg. Er is nog tijd; het is mogelijk om iedereen het water uit te bonjouren voordat het écht gaat spoken.

Hard zet hij aan. Het buddypaar dat het dichtst bij de bodem zwemt, is zijn doel. Vlak voordat hij bij de mannen aangekomen is, wijst hij in zijn vlucht beslist naar boven. Twee paar ogen kijken hem vol onbegrip aan. Vijf seconden later wurmt Price zich tussen hen in en grijpt beide macho's onder de oksels. Drie vinslagen later lost hij de menselijke vracht.

'Naar het rifdak!' schreeuwt hij tegen het beduusde tweetal. Terwijl hij naar het volgende buddypaar zwemt, wijst Price met zijn rechterduim overduidelijk naar de oppervlakte. Hij is ervan overtuigd dat Claudia en Carmelo hem begrijpen. Zij waren er tenslotte bij, dus moet hetzelfde onheilspellende voorgevoel ook door hun lichamen razen.

'Rifdak!' brult hij tegen het jonge koppel. Mede door de plotseling opstijgende mannen komt de boodschap duidelijk bij hen over. Zonder dralen gaan ze omhoog.

Tot zijn opluchting merkt hij dat zijn vrouw en beste vriend direct tot handelen zijn overgegaan. Beheerst maar beslist begeleiden zij de resterende paren naar het rifdak.

De waarschuwingspiep uit zijn computer die hem meldt dat hij te snel stijgt negerend, zwemt Price naar de ontmoetingsplaats. Een tussensprint kan geen kwaad, denkt hij in een fractie van een seconde. Straks kan er voldoende worden uitgegast.

Als eerste bereikt Price het rifdak. Hij draait zich om, waardoor hij zicht op het diepe blauw met al haar luguberheden krijgt. Tussen de ontelbare stijgende luchtbellen door speuren zijn ogen naar onraad of voorbodes daarvan. Afgezien van wat vreemde kleurschakeringen in de verte die evengoed door het zonlicht, of het gebrek eraan, veroorzaakt kunnen worden, is er niets onrustbarends te bespeuren.

Goed zo, denkt Price, ik ben op tijd. Heel even speelt er een heimelijke glimlach rond zijn mondhoeken.

De duikers die op het rifdak aankomen, sommeert hij om op hun knieën plaats te nemen. Een halve minuut later zitten vier paren achter elkaar, terwijl Claudia en Carmelo de rij sluiten. Zij dienen de denkbeeldige trein voort te stuwen, hijzelf zal als de locomotief ervan fungeren.

De forse slagen waarmee hij het sein van de terugtocht aangeeft, zijn even zelfverzekerd als ze eruitzien.

'Volgen!' schreeuwt Price, terwijl zijn rechterarm aangeeft dat de menselijke trein in beweging moet te komen. Gehoorzaam zwemmen de duikers achter hem aan.

Zijn ogen schieten van links naar rechts en van onderen naar boven. Nergens een spoor van stofwolken of grote rovers. Goddank. Het simpele feit dat hij naar zijn voorgevoel heeft geluisterd, bespaart iedereen een hoop ellende!

De race over het rifdak verloopt voorspoedig. Opgestuwd door Claudia en Carmelo, blijft het gezelschap strak in zijn spoor. Negen meter, nog steeds geen activiteiten die duiden op gevaar. Een bedrieglijke rust, weet hij. Straks breekt hier de hel los.

Zeven meter. De kant komt in zicht. Hij kijkt nogmaals naar achteren om zich ervan te vergewissen dat niemand in moeilijkheden is of spoedig gaat komen. In volle vaart geven Claudia en Carmelo gelijktijdig het oké-teken.

Drie meter. Hij geeft het buddypaar dat hem op de vin volgt het teken om op te stijgen. Ze bevinden zich nu vlak bij een rotsplateau waarop het, zelfs behangen met een duikuitrusting, eenvoudig lopen is. De daaropvolgende buddyparen verdwijnen naar de oppervlakte, waardoor hij enkel met zijn geliefde en Carmelo overblijft. In gedachte feliciteert hij het superteam dat het hem weer geflikt heeft. Een overduidelijke grijns illustreert dat.

Wanneer hij zijn duim omhoogsteekt, verschijnt er direct een gestrekte hand in zijn blikveld.

Verbaasd kijkt hij naar het door Claudia gegeven stopteken. Zijn verwondering stijgt, als zijn vrouw in alle rust haar onderwaterlei pakt en begint te schrijven. Tien seconden later leest hij 'Wat is er aan de hand?'

In eerste instantie is Price te verbouwereerd om te reageren. Hij staart naar woorden die zo logisch lijken, maar in deze situatie als zin idioot overkomen. Dit kan niet waar zijn, denkt hij compleet overdonderd. Zij hebben allebei die afschuwelijke nachtduik meegemaakt. Hier waren er dezelfde voortekenen. Je kunt me toch niet vertellen dat...

Hij kijkt in twee paar vragende ogen. Licht uitdagend houdt Claudia beide handpalmen omhoog. In haar ogen is allesbehalve angst te lezen, eerder een twinkeling. Ook in Carmelo's lichaamstaal is geen vrees te bespeuren. De divemaster hangt lichtelijk verveeld in het water. Met een half oog volgt hij de bewegingen van een dozijn zeebrasems die dieper water opzoeken.

Prooi die recht in de muilen van de jagers zwemmen, denkt Price. Ervan overtuigd dat ieder moment een dolgedraaide rover zich op de bescheiden school gaat werpen, blaast hij langzaam uit. Geleidelijk veranderen de vissen echter in stipjes die uiteindelijk zachtzinnig door de oceaan worden verzwolgen.

Het spreekwoordelijke kwartje valt. Price sluit zijn ogen. In het zwart voor zijn ogen verschijnen talrijke sterretjes. De ademautomaat geeft ternauwernood de hoeveelheid waarom zijn longen vragen.

'Shit,' zegt hij. 'Shit, shit, shit.'

Hij heeft zichzelf onsterfelijk belachelijk gemaakt. Alleen al het idee om zijn klanten onder ogen te moeten komen, doet hem duizelen. Toch moet het gebeuren, hij is iedereen een verklaring schuldig. De hoon die ongetwijfeld zal volgen moet hij maar voor lief nemen, een andere mogelijkheid is er eenvoudigweg niet.

Met een blik waaruit iedere zelfverzekerdheid is verdwenen, kijkt hij het tweetal voor hem aan. Het simpele opstijgteken dat hij aansluitend maakt, voelt aan als het optillen van een rots.

Alledrie ontdoen ze zich van hun vinnen en klauteren op de kant. Voordat Price iets kan zeggen, voelt hij Claudia's hand op zijn schouder.

'Niets zeggen, Matt, je bent van streek.'

Hij kijkt in de bruine ogen waarin hij ontelbare keren is verdronken zonder in ademnood te raken.

'Laat Carmelo zijn gang maar gaan, die weet overal een oplossing voor.'

Price knikt timide. Als Claudia had gezegd dat emigreren naar Timboektoe de enige mogelijkheid zou zijn om onder deze afgang uit te komen, had hij hoogstwaarschijnlijk ook toegestemd.

'Naar de bus toelopen, Matt,' hoort hij zijn vriend kalm zeggen. 'Kin een beetje op de borst. Het moet erop lijken dat je ziek bent.'

Dat ben ik ook, voornamelijk in m'n kop, denkt Price, maar houdt wijselijk zijn mond. Als een regisseur die exact weet hoe hij deze specifieke scène hebben wil, geeft Carmelo zijn laatste aanwijzing.

'Blijf naast hem lopen, Claudia. Kijk een beetje bezorgd, niet overdrijven.'

De groep duikers staat naast de bus. Her en der liggen uitrustingsstukken. Price voelt dat aller ogen op hem gericht zijn. Het liefst zou hij heel hard 'sorry' roepen, maar toch blijft hij volharden in de rol die hem is opgedragen. Carmelo is namelijk een meester in het naar zijn hand zetten van situaties, iets waarvan hij in het verleden veel profijt heeft gehad.

Precies op het moment dat één van de macho's het woord wil nemen, slaat de divemaster toe.

'Dat komt er nou van, Matthew,' zegt hij op een toon die zweeft tussen verwijt en medeleven. 'Je mag dan een groot hart hebben, het lichaam zegt een keer "stop", amigo.' Aansluitend geeft hij Price een speelse tik op zijn schouder. 'Ga je nu maar gauw omkleden, ik doe de nabriefing wel, oké?'

Price knikt. Ongevraagd pakt Claudia ter ondersteuning zijn duikfles vast. Met de snelheid van een hoogbejaarde wurmt hij zich uit het trimvest. Een lichte zucht waaruit vermoeidheid spreekt, vervolmaakt het geheel.

Achter Price' rug maakt Carmelo een veelzeggend gebaar met zijn hoofd naar de groep toe. Met een paar grote stappen neemt hij afstand van zijn vriend en zet een samenzweerderig gezicht op. Als door een magneet aangetrokken, klitten de duikers om hem heen. Van hun gezichten druipt de nieuwsgierigheid af.

'Matthew had vanmorgen negenendertig graden koorts,' fluistert Carmelo net hard genoeg voor zijn toehoorders. 'Claudia heeft hemel en aarde bewogen om deze duik af te gelasten, maar helaas…' Hij kijkt vluchtig over zijn schouder om zogenaamd te controleren of Price nog steeds buiten gehoorafstand is.

'Ook mijn pogingen liepen op niets uit. Er moest en zou gedoken worden. "Die mensen hebben zich erop verheugd" herhaalde hij keer op keer.'

Hij leunt iets naar voren. Het clubje is nu als was in zijn handen; ook zij buigen naar voren. Alle hoofden zijn dicht bij elkaar, waardoor het tafereel iets weg krijgt van een stiekeme bijeenkomst van een dubieus genootschap.

'Doordat hij zich niet goed voelde, verbruikte hij meer lucht dan een beginneling. En zoals jullie allemaal weten, gaat een instructeur nooit of te nimmer aan de octopus van een klant liggen lurken. Dat is hun eer te na, ze gaan bij wijze van spreken liever de pijp uit.'

Er wordt begrijpend geknikt. Het idee alleen al dat een instructeur bij een cliënt om lucht gaat vragen, is even onwaarschijnlijk als het beeld van een sjeik die bij de bevolking van Oeganda om ontwikkelingshulp gaat bedelen, weten ze.

'Dus is hij snel opgestegen en heeft jullie meegenomen. Een instructeur laat zijn mensen nooit alleen, zeker Matthew niet.' Opnieuw gaan de hoofden begrijpend op en neer.

'Soms vraag ik me wel eens af wat er in zijn hoofd omgaat. Jullie raden nooit wat hij tegen me zei toen we nog maar nauwelijks het water hadden verlaten.' Niemand doet een mond open.

Hij vertrekt zijn gezicht tot een masker van ongeloof.

' "Ik heb minstens een kwartier duiktijd van mijn klanten gestolen," zei hij. "Morgen duiken ze op mijn kosten".' Carmelo glimlacht innemend. 'Aparte vent, die maat van me,' zegt hij en draait zich daarna om. 'Effe checken hoe het met hem gaat.'

Hij loopt ontspannen naar Matthew en Claudia toe die zich inmiddels hebben omgekleed.

Met 'kat in het bakkie' beantwoordt hij de vragende ogen van het tweetal. 'Die komen zo,' voegt hij er nauwelijks hoorbaar aan toe.

Twee minuten later worden zijn woorden werkelijkheid. Uitgerekend de macho die als eerste iets wilde opmerken, komt hun kant op.

'Hé, eh, Matthew, hoe is het nou met je?'

'Prima joh,' liegt Price, met een lichte aarzeling in zijn stem.

'Weet je, het was een wereldduik,' zegt de man vol overtuiging. 'We hebben genoten, en dat het wat kort was, nou ja, dat kan de beste gebeuren, nietwaar?' Hij glimlacht vol overgave en geeft Carmelo een opzichtige knipoog.

'Bedankt, man', zegt Price.

'Als jij je morgen goed voelt gaan we weer mee, en betalen gewoon. Als er bij mij in de slagerij iemand een worst komt halen, moet hij ook gewoon aftikken. En wanneer de smaak tegenvalt, krijgt ie echt geen nieuwe van me.'

'Bedankt man,' herhaalt Price.

De slager beent weg, waarna Carmelo zijn vriend gespeeld doordringend aankijkt.

'Waar zou jij toch zonder mij zijn, jochie?' zegt hij op vlakke toon, terwijl er pretlichtjes in zijn ogen verschijnen. Daarna breekt er rond zijn mondhoeken een pesterige grijns door. Om het niet uit te proesten, bijt Claudia op de knokkel van haar rechterhand.

'Waarschijnlijk wat minder in de kroeg,' antwoordt Price stoïcijns.

Price kust Claudia's hand die al een kwartier speels door zijn haren wrijft.

'Je bent lief, ik hou van je', fluistert hij hees.

'Dat weet ik toch.'

Weer kust hij haar hand, waarna het volume van het tjirpende krekelkoor weer nadrukkelijk de nacht vult.

Langzaam trekt ze haar arm terug en draait zich om. Een zucht van onbegrip volgt.

Price negeert de hint. Hij legt beide handen onder zijn hoofd en staart naar het plafond. Een houding waar hij het afgelopen uur min of meer een patent op heeft.

'Ik dacht dat we alles samen zouden bespreken, Matthew,' klinkt het verwijtend, nadat er vijf minuten zijn verstreken. 'Of valt dit soms onder een speciaal hoofdstuk waarvan ik het bestaan niet ken?' Ze gaat rechtop in bed zitten.

'Het gaat over vanmorgen, nietwaar?' Price bevestigt noch ontkent, wat voor haar genoeg bewijs is om dieper op dit onderwerp in te gaan. Ze legt haar rechterhand op zijn borst en speelt met de lichtblonde krulharen die samen een wollige driehoek vormen.

'Niemand is perfect, lieverd. Trek het je toch niet zo aan.' Op het moment dat de woorden haar lippen verlaten, beseft ze dat haar man niet op een dooddoener ligt te wachten.

Te gemakkelijk, goedkoop bijna.

'Ik bedoel,' vult ze snel aan 'na die vreselijke nachtduik is het toch logisch dat je ineens spoken ziet.'

'Je slaat de spijker op zijn kop,' antwoordt Price monotoon. 'Ik zag spoken die er niet waren.'

'Nou, en wat dan nog?' zegt ze quasi-opgewekt. 'Ik voelde me ook verre van lekker vanmorgen. Je wilt niet weten hoe vaak ik stiekem in de verte heb gekeken. Iedere keer dat ik alleen maar blauw zag was een verademing.'

Een dunne glimlach verschijnt op Price' lippen. 'Bij mij gebeurde precies hetzelfde,' bekent hij op dezelfde monotone manier. Hij heeft zijn handen nog steeds onder zijn hoofd, terwijl er niets op wijst dat hij de inspanning van Claudia's rechterhand als prettig ervaart.

'Er is echter één groot verschil,' vervolgt hij na enkele seconden.

Zonder daarbij haar strelingen te onderbreken, kijkt ze hem vragend aan.

'Wat bedoel je daar nou weer mee?'

'Heel simpel,' antwoordt Price met een lichte stemverheffing. 'Ik raakte in paniek, jij niet.'

Uiterlijk onbewogen neemt ze zijn woorden op.

'Ik denk dat jij een beetje aan het overdrijven bent, Matthew Price.' Hierna daalt haar hand. 'En ik weet ook waar jij op uit bent.' Haar vingers omsluiten zijn lid. Traag beweegt ze haar hand op en neer.

'Gelukkig laat je op dit gebied je kop niet hangen,' zegt ze plagerig. Price kreunt zacht ter bevestiging.

'En maar zeuren en klagen, meneertje, terwijl het eigenlijk je geluksdag is.' Ze buigt voorover en likt met haar tong over zijn eikel.

'Uugh,' zachtjes drukt Price op haar achterhoofd. Zijn rechterhand woelt in Claudia's bruine haar, zijn linker worstelt met het onderlaken.

In een goddelijk ritme gaat haar hoofd op en neer. De combinatie van zacht en vochtig brengt hem naar de hemelpoort. Automatisch brengt Price zijn heupen omhoog om nog dieper in haar mond te komen. Ze laat het toe, en versnelt haar bewegingen. Wanneer zij er binnensmonds bij begint te kreunen, trekt hij haar voorzichtig maar resoluut naar zich toe.

'Je bent geweldig,' zegt hij met een stem die bol staat van opwinding. Hij legt zijn vrouw op haar rug, waarna zijn handen haar stevige borsten masseren.

'Verwen me,' is een bevel dat hij graag uitvoert. Zijn hoofd daalt, waarna zijn tong moeiteloos haar genotknopje vindt. De kleine cirkels die hij aansluitend draait, brengen Claudia in extase. Vlak voordat zij haar hoogtepunt bereikt, stopt hij. Zijn penis is namelijk zó gezwollen, dat het voor hem in deze houding ondraaglijk wordt. Met een koortsachtige blik van begeerte in zijn ogen dringt hij diep bij haar binnen.

De eerste stoten zijn lang, voor zover mogelijk beheerst en begeleid door een wederzijds gegrom. Gedreven door passie gaat het tempo omhoog. Gegrom gaat over in luid gehijg, waarbij de wellust op hun gezicht te zien is.

Op het moment dat Price klaarkomt, duwt hij zijn lid zover mogelijk bij haar naar binnen en versteend een fractie van een seconde; alsof hij een mes in zijn rug heeft gekregen. Daarna brult hij ongecontroleerd en gaan zijn heupen snel op en neer.

Terwijl zijn zaad vloeit, bereikt Claudia haar hoogtepunt. In tegenstelling tot haar man stokt haar adem en draaien haar ogen weg. Zeker tien seconde lijkt het erop dat ze is flauwgevallen. Daarna volgt de ontlading.

'Pffffffttttttttt!!!' is een erotische zucht die uit het diepste van haar ziel komt.

Na een intense en uitgebreide tongzoen rolt Price traag van haar af. Zijn borstkas gaat wild op en neer. Met zijn rechterhand aait hij over Claudia's schaamhaar. Zij pakt zijn hand en duwt twee vingers ervan in haar vagina.

Mmm, da's lekker,' kirt ze voldaan. Liefdevol streelt haar linkerhand zijn stijve.

'Poeh, dat was de lekkerste wip die ik ooit heb gemaakt' zegt Price tussen twee ademhalingen door. Hij schuifelt een beetje met zijn kont om nog comfortabeler te liggen.

'Dat zeg jij na iedere wip, gek,' giechelt Claudia glimlachend.

'Kun je nagaan hoe geweldig jij in bed bent,' antwoordt Price ad rem.

Na een poosje keert de rust in de slaapkamer terug. Zeker een half uur staren ze naar elkaar, naar het plafond en naar het open raam waarachter de oceaan haar golven aritmisch laat ruisen.

'Gaat het al wat beter, depressief mannetje van me?' vraagt Claudia met een verborgen lach.

Price knikt. 'Ik voel me fantastisch!'

'Goed zo, dan staan we morgen hopelijk gezond op en gaan weer over tot de orde van de dag.' Aansluitend geeft Claudia hem een kus op zijn voorhoofd, waarna ze zich op haar zij in de slaaphouding draait. Price buigt opzij en kust zachtjes haar achterhoofd.

'Dat we weer gezond opstaan is inderdaad te hopen,' fluistert hij.

'Als je met "de orde van de dag" het duiken bedoelt, moet ik je helaas teleurstellen. Ik duik niet meer, ik zeg bewust geen "nooit" maar voorlopig dus niet.' Daarna draait ook hij zich om.

'Welterusten, lieve schat van me.'

5

De secondewijzer van de denkbeeldige klok in zijn hoofd tikt door. Iedere seconde kent hetzelfde ritme. Zestig van deze tijdscomponenten beslaan een minuut, en ieder uur heeft er hier weer exact zestig van. Met een wezenloze blik kijkt Ahmed Lotfi voor zich uit. De ruimte waarin ze hem gevangen houden, ziet er min of meer zo uit zoals zijn instructeurs hebben voorspeld. Kaal, vochtig, slecht verlicht, en wellicht het allerbelangrijkste; afgesloten voor het daglicht zodat hij niet weet waar het oosten is. Een truc die standaard wordt gebruikt bij langdurige verhoren van moslims, in de hoop dat ze vanwege het niet kunnen vervullen van hun religieuze plichten snel zullen breken.

Hij is er echter op voorbereidt om zich gedurende zijn verblijf alhier – voor het eerst in zijn leven – niet vijf keer per etmaal tot Allah te wenden. Een zonde, waarover de instructeurs al vóór aanvang van de training met hem hadden gesproken. Aangezien zijn opdracht van cruciaal belang was, werd de imam ingeschakeld. In een nis van de gebedsruimte verzekerde deze hem dat 'Allah het zou begrijpen'.

Lotfi knippert tweemaal met zijn oogleden. Eén van de zovele zaken waar hij rekening mee moet houden. Omdat hij geconcentreerd telt, krijgen de oogleden de neiging op een vast ritme te gaan knipperen. Zijn ondervragers, volgens de instructeurs in het opleidingskamp de crème de la crème van de Spaanse veiligheidsdienst, zouden hierin wellicht een patroon kunnen ontdekken en daardoor achterdochtig worden.

Hij twijfelt niet aan het feit dat deze mensen hun vak verstaan. Ze werken in drie ploegendiensten. Twee bewakers en één tolk die iedere acht uur worden afgelost door drie verse krachten. Ze verhoren hem op onregelmatige tijden. Het is overigens meer eenzijdig praten en dreigen, want van zijn lippen komen geen woorden. Opvallend is wel, dat geen van de aanwezigen een horloge draagt. Een klein detail waaruit vakmanschap spreekt.

Als een automatisme groeit het getal in zijn hoofd per seconde aan. In eerste instantie leek het onder de knie krijgen van deze onwillekeurige handeling hem een onoverkomelijk obstakel. Een mening die zijn instructeurs niet deelden.Want een mens is tot dingen in staat die ieder voorstellingsvermogen tarten, verzekerden zij hem.

En ze hadden gelijk, weet Lotfi nu. Een getrainde geest en lichaam kunnen inderdaad moeiteloos vier dagen zonder slaap. Eten doet hij letterlijk mondjesmaat, en een paar slokken water per etmaal volstaan. De zeurderige pijn in zijn ribbenkast is een bijkomstigheid die hij met het grootste gemak van zich af kan zetten.

Het belangrijkste is echter dat de klok in zijn hoofd met een bijna metronomische regelmatigheid tikt. Als de kramp hem te veel wordt, gaat hij in de cirkel liggen en sluit zijn ogen. Wat de bewakers ook mogen denken, hij is wakker. Klaarwakker, en de secondewijzer tikt door.

Hij is zelfs in staat zijn gedachten op te splitsen. Zijn instructeurs hebben hem gewaarschuwd dit zoveel mogelijk te vermijden. Maar op sommige momenten is het vlees zwak, hetgeen aangewakkerd wordt door het gegeven dat de klok in zijn hoofd zo precies tikt.

In het beste geval heeft hij een speling van anderhalve seconde per minuut, zo wezen de talloze tests uit. Tijdens periodes waarin hij hardhandig werd ondervraagd of aan extreme kou of hitte werd blootgesteld, kreeg hij een speling van vier seconden per minuut. Aan injecties met waarheidsserums stelden ze hem niet bloot. De kans dat de inlichtingendienst naar deze verboden middelen zou grijpen werd als 'uiterst klein' betiteld. Mocht het echter toch gebeuren, dan moest hij van het noodscenario gebruikmaken.

Het grootste gedeelte zit erop, verteld het getal in zijn hoofd. Tussen nu en enkele uren zal Silva, ook zijn persoonsbeschrijving komt overeen met het hetgeen zij hem hebben verteld, de cel binnenkomen. Het zou voor de vierde maal zijn. En zijn gemoedsrust en gedrag zullen sterk afwijken van de voorafgaande keren.

Dit is het moment waarop hij moet doen wat hem opgedragen is. Met dezelfde overtuiging als waarmee hij in het winkelcentrum te werk is gegaan. Zijn acteerprestatie op dat moment was één van de pijlers waarop deze operatie steunde, prentten zijn instructeurs hem in. Er werd ook veelvuldig op geoefend, met dien verstande dat zijn partner tijdens die sessies zichzelf niet opblies. Constant werd hij erop gewezen dat op het moment suprème zijn partner zichzelf wel degelijk tot martelaar zou maken. Dit gegeven, of liever gezegd dit aanzicht, mocht hem niet van zijn stuk brengen. Zijn rol moest overtuigend gespeeld worden, dus vooral geen aarzelingen die enig argwaan zouden wekken.

Zoals met zelfmoordaanslagen en aanverwante activiteiten gebruikelijk is, werd ook Lotfi's rol schromelijk door zijn instructeurs overdreven. In het geval dat hij zou falen, kon er direct op een ander scenario worden overgegaan. Bij grote operaties als deze lagen er altijd verscheidene schema's klaar, alleen de grote lijnen stonden vast. Maar dit werd logischerwijs nooit aan de uitvoerders verteld. Zij moesten zich belangrijk, onvervangbaar wanen. Hun daad was een opoffering, de grootste die een mens kon verrichten. Dit was veruit de beste instelling om mee ten strijde te trekken. Tijdens de opleidingen stond daarom het martelaarschap altijd centraal, een gegeven waar nooit aan getornd werd.

Lotfi brengt zijn bovenlichaam wat naar rechts, waardoor de druk op zijn knieën vermindert. Doordat de handboeien slechts drie keer per dag vijf minuten afgaan om de bloedsomloop niet in gevaar te brengen, schrijnt het behoorlijk rond zijn polsen. Geen onoverkomelijke pijn, alleen maar een dreinerig gevoel. In feite heeft hij tot nog toe de meeste lichamelijke ongemakken overgehouden aan de botsing met die reus, weet Lotfi. Een serie kneuzingen en blauwe plekken, tenminste, dat is wat hij uit de reactie van de dokter begreep. Misschien één of twee gebroken ribben, aangezien de man wel een verband rond zijn ribbenkast heeft aangebracht.

De tolk was verre van mededeelzaam, om over de bewakers maar te zwijgen. Van hun lippen kwamen uitsluitend korte, agressieve zinnen, terwijl hun ogen continue vuur spuugden. Wat de vertaler namens hen vroeg of meedeelde, had uitsluitend betrekking op de aanslag. Over zijn gezondheid werd met geen woord gerept.

Uiteindelijk is de botsing met de reus die uit het niets opdook, ieder pijntje dubbel en dwars waard geweest, beseft hij. Eigenlijk zorgde de zorgzame mastodont er hoogstpersoonlijk voor dat het meest riskante gedeelte van de operatie veranderde in een futiliteit. Hoe ironisch!

Zijn instructeurs waren er namelijk van overtuigd dat de kans op mislukking nét na de ontploffing het grootst was. De ontreddering was op zijn hevigst, met hemzelf als het enige doelwit voor welke wraakoefening dan ook.

De ontsteking in het vest vol springstoffen was uiteraard kundig en niet traceerbaar onklaar gemaakt. Een gegeven waar echter niemand in het winkelcentrum van op de hoogte was. Vanaf dat moment moest hij zorgen buiten het bereik van een verdwaalde kogel, messteek, of een opgehitste menigte te blijven. Een lastige opdracht, aangezien er geen politieagenten te bekennen waren. Op een realistische manier werd een uitermate lastig probleem door de onstuimige actie van die wilde reus in één keer opgelost.

Door de enorme klap is hij een kwartier van de wereld geweest. Toen hij weer bijkwam, volstond een korte blik op het horloge van een politieagent die hem afvoerde. De verloren negenhonderd seconden zijn inmiddels toegevoegd aan het getal dat met de seconde groeit.

Hij leeft nog, de operatie verloopt als gepland en de klok in zijn hoofd tikt door.

Voor de eerste keer sinds dagen wil Lotfi hardop lachen. Hij onderdrukt het euforische gevoel, en berispt zichzelf in stilte. De buit is nog niet binnen, er kunnen dingen misgaan. Pas op het moment dat zijn werkelijke doelwit binnenkomt en de denkbeeldige cijfers corresponderen met de geplande reactie, loopt zijn missie ten einde. Het volbrengen ervan wordt een verhaal op zich.

Maar dan is hij wel een martelaar. Een levende.

Nadat de operatie succesvol is verlopen, zal hij in Spanje worden berecht. De ongelovige honden zullen hem tot twintig jaar cel veroordelen, vertelden zijn instructeurs hem. In eerste instantie zou hij zijn straf daar uit moeten zitten. Tussen andere broeders, aangezien de Europese wetgevingen doorspekt zijn met humaniteit. In vergelijking met een Noord-Afrikaanse cel bijna een luxe leventje.

Ook is er de mogelijkheid dat Marokko om uitlevering vraagt. Voor hem de beste optie, aangezien hij in het thuisland inmiddels de status van 'levende legende' zal hebben bereikt. Daar komt nog bij dat na verloop van tijd de kans op ontsnapping levensgroot is. De bewakers zijn corrupt, zijn medegevangenen kijken tegen hem op en zullen daar waar mogelijk hulp bieden, terwijl zijn wapenbroeders dichtbij zijn en iedere kans aan zullen grijpen om hem te bevrijden.

Een behaaglijke gloed maakt zich voor even van Ahmed Lotfi meester. Hij is uitverkoren om binnen afzienbare tijd in Allah's naam de ongelovigen op de pijnbank te leggen. Een heilige missie waarmee hij zichzelf tot levende martelaar maakt. Tevens krijgt zijn hele familie enorme aanzien in het dorp waaruit hijzelf tien jaar geleden vertrok.

Ofschoon het niet aan zijn gelaatsuitdrukking valt af te lezen, is hij dankbaar. Het is een eer om deze opdracht uit te mogen voeren. De hoogst mogelijke eer.

In feite is hij de gelukkigste man van de wereld, realiseert Ahmed Lotfi zich.

Langzamerhand valt de schemering in. Er komt weer leven in de straten, de bewoners van Madrid schudden de siëstasluier van zich af en maken zich op voor een uitgebreid avondmaal. Gedurende de zomermaanden vindt Grace Silva-Wagner dit de aangenaamste periode.

Een stad die ontwaakt uit een onnatuurlijke, gedwongen slaap. Overdag is het namelijk niet te harden vanwege de hitte, dus sluiten de luiken tegen drie uur 's middags om rond de klok van zeven weer geopend te worden. Zelf heeft ze nooit aan de verplichte middagslaap kunnen wennen. Ze heeft het wel geprobeerd, maar verder dan wat indutten waardoor ze nog duffer opstond dan ze al was, is ze niet gekomen. Waarschijnlijk stond en staat haar Zuid-Afrikaanse bloed het gewoonweg niet toe.

Daarom leek het haar beter tijdens het hitte offensief te werken, maar dan wel in een ruimte waar een stevige ventilator voor voldoende koeling zorgde.

Haar baan als ichtyologe aan de universiteit van Madrid kende veel voordelen. Eén daarvan was de mogelijkheid om veel thuis, meestal via het internet, te werken.

Eén van de drie slaapkamers werd tot werkkamer omgeturnd.

Aangezien Alfonso de bijkamer naast de keuken al tot zijn kantoor had gepromoveerd, waren alle beschikbare ruimtes nu functioneel.

'Every breath you take, and every move you make,' neuriet ze zachtjes met de radio mee. De kleine meid is net in slaap gevallen, wat betekent dat ze eindelijk een paar uur voor zichzelf heeft. Tijd die ze met alle liefde zou willen inruilen voor een kwartiertje in de armen van haar man.

Op dit soort momenten realiseert ze zich meer dan ooit dat ze ontzettend verandert is. De voorheen strenge, afstandelijke doctor Grace Wagner die altijd de regie zelf in handen had, is in een tijdsbestek van nauwelijks vijf jaar een liefhebbende moeder geworden die stapelgek is op haar man. Een vrouw die compromissen kan maken, wat vroeger niet eens bij haar opkwam. Een vrouw die weliswaar hetzelfde beroep als voor haar huwelijk uitoefent, maar er niet over peinst dit ten koste van haar gezin te laten gaan. Een vrouw ook, die weet dat ze niet langer voor zichzelf, maar voor haar kind leeft.

'Oh, can't you see, you belong to me.' In haar woorden klinkt meer melancholiek door dan in de stem van Sting. Een prestatie van formaat, al is dat wel het laatste waar ze zich nu mee bezighoudt.

' De keerzijde van de medaille, meid,' zegt met een diepe zucht. 'Dit wist je toen je eraan begon.'

Aansluitend schudt ze verwijtend haar hoofd. ' Slaat nergens op.'

Alfonso heeft alles wat een vrouw zich maar kan wensen, realiseert ze zich beschaamd. Hij is romantisch, zorgzaam, en een fantastische vader. Zijn zware baan heeft nauwelijks invloed op het gezinsleven. Iedere vrije minuut besteedt hij liefdevol aan zijn dochter en vrouw.

Nog een zware zucht ontsnapt aan haar lippen.

Ze ziet op tegen de nacht. Nadat Alfonso bij haar in Kaapstad was ingetrokken, is hij geen enkele nacht van haar zijde geweken. Tot een paar dagen geleden, dan.

Ze mist zijn geur, de streling van zijn handen op haar huid, zijn lach, zijn tederheid, zijn...

Ze draait zich van het raam weg. Madrid kan barsten en het uitzicht ook, denkt ze obstinaat. Wijn, het liefst veel. Ze loopt naar de keuken.

De eerste slok van de Rioja prikt licht in haar keel. Na de tweede is dat over, weet ze, terwijl de derde slok ronduit lekker is. Na het derde glas ziet de wereld er een stuk beter uit, het vierde staat garant voor stompzinnig gegiechel.

Zoals de laatste paar avonden al het geval was, dwalen ook nu haar gedachten af naar Gran Canaria. Toeval, gewoon toeval, prent ze zichzelf voor de zoveelste maal in.

Op dat eiland in de Atlantische Oceaan heeft ze Alfonso voor het eerst ontmoet. Liefde op het eerste gezicht, de eerste keer in haar leven. Tevens de laatste maal; ze heeft haar geluk gevonden.

De omstandigheden toen waren verre van ideaal. Alfonso werkte in een andere functie bij 'Nueve' en stond op het punt om de dienst op een onprettige manier te verlaten. Hetgeen, nadat ze verliefd waren geworden, ook prompt gebeurde. Zijzelf werkte in het team van haaienexpert Ethan Cohen aan een oplossing voor een immense school van hoofdzakelijk hamerhaaien die het eiland in een wurggreep hadden.

Uiteindelijk verdwenen de haaien en vluchtte Alfonso naar Kaapstad waar zij jarenlang geluk kenden. Ze genoten met volle teugen van het leven. Geld, het eeuwige struikelblok in talloze zaken, was voor hen geen optie. Alfonso was van gegoede komaf en bezat een aanzienlijk vermogen. Omdat zij altijd gewerkt had, stond er op haar bankrekening een stevig bedrag.

Grace neemt een tweede slok, die zoals verwacht smaakt. Haar rechtervoet tikt clichématig mee met een ouderwets rock-'n-rollnummer op de achtergrond. Hoewel ze beseft dat het zinloos is, kijkt ze voor de derde keer in tien minuten op haar horloge.

Alfonso belt vanuit Gran Canaria, dat staat vast. Heeft hij iedere dag trouw gedaan. Alleen het tijdstip wisselt.

Zelf kan ze hem niet opbellen, daar zijn duidelijke afspraken over gemaakt. Soms bevindt hij zich eenvoudigweg in situaties waarin het onmogelijk is om een telefoongesprek te voeren. Situaties die inherent zijn aan zijn vak en waarover zij zomin mogelijk na wil denken, maar het desondanks vaak doet.

De derde slok is inderdaad lekker. De vingers van haar linkerhand frunniken ongedurig door haar lange, donkere haar.

'Bel nou toch' zegt ze half smekend, terwijl in de andere helft van haar stem opkomende irritatie doorklinkt. Alsof ze met haar groene ogen het gerinkel af wil dwingen, kijkt Grace naar de telefoon. Een zinloze actie, want uitsluitend de muziek voorziet het appartement van geluid.

Met 'gezeik!' schiet ze uit haar slof. Niet dat het haar ook maar iets kan schelen, aangezien de kleine meid in dromenland is. Aansluitend staat ze op. Ofschoon ze er een bloedhekel aan heeft als Alfonso tijdens een zeldzame driftbui gaat lopen ijsberen, geeft ze zich er nu aan over. In zichzelf mopperend loopt ze plichtmatige rondjes door de kamer. Doordat ze geregeld stopt voor een slok, worden haar rondetijden trager en slinkt de inhoud van haar glas drastisch. Als ze richting keuken wandelt voor een pitstop, gaat de bel.

Verwonderd kijkt ze op. Iedere bezoeker meldt zich namelijk eerst bij Igor, de portier, die er op zijn beurt via de intercom melding van maakt.

Nieuwsgierig loopt ze naar de deur. De verrassing is groot als ze door het kijkgaatje een grote bos bloemen ziet. Van vreugde maakt haar hart een paar extra slagen.

'Oh, Alfonso, lieverd toch!

Ze priegelt nerveus aan de sloten om zo snel mogelijk de bos bloemen die haar man heeft gestuurd in ontvangst te nemen. Alle veiligheidsmaatregelen die hij haar meerdere malen op het hart heeft gedrukt, zijn nu verworden tot futiliteiten die ergens ver in haar hersens zijn opgeborgen.

'Wat heb ik een geweldige man,' zegt ze op het moment dat de deur opengaat. Haar gezicht straalt. In een paar seconden is haar neerslachtige stemming verdwenen. Wat rest is een gevoel van opluchting, blijdschap... liefde.

'Hallo,' zegt ze opgetogen tegen het achter de bloemen verstopte gezicht. Haar rechterhand reikt naar de tastbare liefdesbetuiging van Alfonso.

Vanuit het niets wordt een stinkende lap tegen haar gezicht gedrukt. Ze wil zich terugtrekken, maar een sterke hand rond haar pols verhindert dit. Daarna wordt het zwart voor haar ogen.

* * *

Door een optrekkend waas ziet ze zichzelf liggen. Naakt. Evenals haar enkels, zijn haar polsen met touw vastgebonden aan de spijlen van het bed. Haar armen zijn half gestrekt, terwijl ze gedwongen door de touwen wijdbeens ligt.

Haar beeld in de spiegel wordt iets scherper. De mistflarden in haar hoofd trekken beetje bij beetje op. Ik lig op bed, gaat het traag door haar heen. Ik lig in een spiegel te kijken die Alfonso ooit in een dolle bui aan het plafond heeft gehangen.

Een onschuldig attribuut dat de sekspret moest verhogen. Maar wat doe ik hier dan alleen? Waar is het gespierde lijf dat op me hoort te liggen? Een pleister over mijn mond, vreemd, die hoor ik toch te gebruiken? En waarom heeft hij me vastgebonden, daar houdt hij toch helemaal niet van?

Zonder dat ze zich ervan bewust is, draaien haar ogen weer helemaal in de juiste stand. Doordat de chloroformwalm oplost, functioneren ook haar hersenen weer naar behoren.

Als de beelden van kortgeleden zich in een flits voor haar ogen afspelen, haalt ze krachtig en luidruchtig door beide neusgaten adem. Aansluitend spant ze zowel haar armspieren als haar beenspieren en zet zich schrap. Het helpt niets. De touwen zijn te sterk, de ijzeren spijlen van het bijna antieke bed oerdegelijk. Ze buigt haar hoofd iets naar voren. Gelijktijdig schieten alle haartjes op haar lichaam overeind.

Tussen haar benen, recht tegenover haar onderbuik, zit een man op zijn knieën. Hij is lang, draagt een groene legerjas en heeft opvallend grote, magere handen die hij bijna zedig voor zijn borstbeen houdt. Zijn ogen zijn half gesloten, waardoor het lijkt alsof hij in trance is. Hij prevelt een onverstaanbare taal, waarbij zijn lippen snel op en neer gaan. Hierdoor maakt zijn baardige gezicht rare bewegingen, bijna een soort zenuwtrekken.

De logica waar zij als wetenschapper iedere dag mee geconfronteerd wordt, verlaat haar geest. Van pure angst, die nu pas werkelijk bezit van haar neemt, spert ze beide ogen wagenwijd open. De gil die daarop volgt, smoort in de pleister.

97

De man stopt met murmelen en kijkt haar met een intense, maar afwezige blik aan. Hij houdt een benige linkerwijsvinger rechtop voor zijn mond. Daarna haalt hij uit zijn jas een fors mes tevoorschijn. Met de punt ervan wijst hij nonchalant naar rechts.

Ze buigt haar hoofd naar links en wordt geconfronteerd met een afgrijselijk beeld.

Op de stoel die in het dagelijks leven als decoratie dienst doet, zit haar dochtertje Carmen. Rondom haar lijfje zit een touw dat ook aan de stoel is vastgebonden. Ook zij heeft een pleister over haar mond. Alleen haar voetjes hebben enige bewegingsvrijheid en bungelen tussen de twee stoelpoten.

Een folterende pijn maakt zich van Grace meester. Duizenden onzichtbare naalden folteren haar zenuwgestel, waardoor haar onderrug zich kromt. Haar adem stokt, haar hart bloedt. Een onverzettelijke prop in haar keel belet het slikken.

Nadat er vijf verschrikkelijke seconden die aanvoelden als een decennia zijn verstreken, trekt de aanval weg. Ze ademt, slikt en haar onderrug glijdt terug in een natuurlijke positie. Nauwelijks bijgekomen van de mentale klap, begint ze ongecontroleerd te rillen. Een spastische trilling die van haar enkels tot aan haar schouders doortrekt. Vreemd genoeg krijgt het bizarre gebibber geen vat op haar gezicht, zodat ze in de spiegel heel erg scherp haar eigen lijf ziet creperen.

De mespunt in haar rechterkuit geeft weliswaar een stekende pijn, maar zorgt eveneens voor betrekkelijke rust. Het trillen houdt abrupt op. De ogen die haar aankijken zijn donker, tegen zwart aan en gloeien koortsachtig. Een fractie van een seconde sluit ze haar oogleden en richt haar blik op Carmen.

Voor zover ze het in kan schatten, heeft haar lieve schat niet gehuild. Ze heeft er natuurlijk geen idee van hoe lang ze bewusteloos is geweest, maar ze ziet geen traantjes en haar roze nachtjaponnetje lijkt droog. Uit de donkere kijkers die ze van haar vader heeft geërfd, staat hoofdzakelijk verbazing te lezen. Maar het is geen spontane, natuurlijke verwondering, zoals een kind van haar leeftijd zo nadrukkelijk uit kan stralen, maar een flauw aftreksel ervan. Alsof ze gedrogeerd is, en hierdoor de wereld door een rustgevende bril ziet.

Grace maakt oogcontact. De angst die haar zo nadrukkelijk bij de keel had, delft het onderspit tegen haar moederinstinct. Ze dwingt zichzelf een liefdevolle blik naar haar kind te werpen. De kleine meid is nauwelijks twee jaar oud, de kans is bijzonder groot dat ze geen flauw benul heeft van wat zich hier afspeelt. Zeker als die hufter haar iets heeft toegediend.

Denk! Legt ze zichzelf op, denk helder!

De man voor haar is ontegenzeggelijk een Noord-Afrikaan. Een Marokkaan, weet ze voor de volle honderd procent zeker. Hij is hier om haar te verkrachten. Simpelweg omdat ze de vrouw is van Alfonso Silva, de chef van 'Neuve' die tweeduizend kilometer hier vandaan op Marokkaanse terroristen jaagt.

Dit is het feit dat ze onder ogen moet zien, zal moeten accepteren. De man gaat haar toch wel nemen, of ze tegenwerkt of niet. Waar het nu om gaat is dat haar dochtertje zo weinig mogelijk psychische schade oploopt. Wat betekent dat ze niet mag tegenstribbelen, maar het moet ondergaan. En het laatste wat ze moet doen is huilen, een gemoedstoestand die in de denkwereld van haar kind verdriet betekent.

Zo moet het gebeuren, denkt Grace. Gelijktijdig met deze vaststelling, speelt haar maag op. Ze slikt krachtig. Je kunt niet overgeven! spreekt ze zichzelf toe. De pleister duwt alles terug, zodat je stikt! Ze slikt driemaal , waarna haar maag meewerkt en tot rust komt, maar als reactie slaat de ontreddering keihard toe.

Ze ziet zichzelf liggen; open, weerloos, in afwachting van het onheil dat onafwendbaar is.

Ze denkt aan haar man, maar ziet een stotende schoft en voelt warm bloed langs haar dijen druipen. 'Mmmhhh' kreunt ze vol walging. Een zurige smaak vult haar mond, de eerste tranen wellen op.

Het vocht legt een waas over haar ogen, waardoor de scherpte uit haar blik verdwijnt.

Hoewel het gedempte 'mmmiiiii' haar nauwelijks bereikt, heeft het op Grace het effect van een kanonslag. Carmen roept om haar moeder, terwijl op haar gezichtje beginnende angst in plaats van verbazing zichtbaar wordt.

Je kind, denk aan je kind! Zorg dat ze weer in die trance komt!

Ze perst haar oogleden op elkaar in de hoop dat het vocht verdwijnt. Dan trekt ze, zo goed en zo kwaad als het gaat, beide mondhoeken omhoog. Een knipoog die uit het diepste van haar ziel komt, volgt.

Samen met de geveinsde warme blik heeft de gekunstelde glimlach het gewenste resultaat. Haar kleine meid is stil, en er verschijnt weer iets van huiselijk vertrouwen in haar donkere oogjes.

De man voor haar beweegt, waardoor het oogcontact wordt verbroken. Met rustige bewegingen die hevig contrasteren met de woeste blik in zijn ogen, haalt hij een groezelige, ooit witte zakdoek te voorschijn. Hij legt het vod op haar schaamhaar, waarna hij kalm zijn gulp begint los te knopen.

Onaangekondigd, schiet er een zenuwtrek door haar linkerwang. De spieren in haar rechterdij beginnen daaropvolgend aan een verkrampende dans. Ze negeert de toenemende angst en opspelende pijn. De blik die ze naar haar dochter zendt moet doorgaan voor 'guitig'. De wanhoopspoging slaagt wonderwel, aangezien Carmen haar rechterwang iets optrekt; een blijk van herkenning.

Haar belager pakt de zakdoek met zijn rechterhand op, waardoor ze geen zicht heeft op zijn andere hand, die zijn geslachtsdeel uit zijn broek haalt. De man sluit opnieuw zijn ogen. In een traag ritme gaat zijn linkerhand op en neer. De zakdoek blijft het gordijn dat de toeschouwers een kijkje achter de coulissen ontneemt.

Iets wat sterker is dan haar wil, trekt haar blik naar het plafond. De weerspiegeling van de masturberende man is schokkend. Het vervult haar met walging, maar ook met ontzag. Het lid van de man doet niets onder voor het geslachtsorgaan van een volwassen pony, wat direct de slome bewegingen van diens hand verklaard. Als versteend kijkt ze er met wijdopengesperde ogen naar. De wanstaltige penis verpulvert het minieme opgebouwde zelfvertrouwen. De gedachte aan de vreselijke pijnen die het gedrocht bij haar aan gaat richten, maakt haar tot een slappe pop. Onverstoorbaar vervolgt de man zijn zelfbevrediging. Een onmelodieus, onverstaanbaar gemurmel begeleidt zijn seksuele activiteit.

'Djnmmmmaghhh selmnnnnno gedrnonommmm.'

Vreemd genoeg neemt het idiote gezang wat van haar spanningen weg. De vraag 'waarom de zakdoek?' is een voorzichtige opmaat naar een handvol vragen en constateringen die zich razendsnel in haar hersens nestelen.

Gedreven door een onverwachte kracht kijkt ze de man aan. Deze ziet haar niet, want hij houdt beide oogleden krampachtig gesloten.

'Ohnnndjaaa Laahmna ipolhmnoooo.' Achter de zakdoek vervult zijn linkerhand de onzinnige plicht.

De man heeft geen oog voor haar, beseft ze nu. Enkel vanaf de oppervlakte bezien hebben zijn handelingen een seksuele lading. In het tanige gelaat is echter geen spoortje van opwinding te bespeuren. De schoft trekt zich af om lichamelijk klaar te komen, maar geestelijk is hij heel ergens anders. Hij gaat haar niet verkrachten. Ze voelt haar krachten toenemen.

De zakdoek suggereert schaamte, misschien zelfs een afkeer voor vrouwen; niet-Arabische vrouwen wellicht. Ondanks de naakte toestand waarin ze zich bevindt, windt zij hem niet op, weet ze zeker. Verre van dat.

Het is iets religieus, het gedwongen toekijken van Carmen moet daar een rol inspelen.

…Het mes, oh mijn god, dat vreselijke mes! Voordat de gruwelijkheden van een rituele slachting vat op haar krijgen, ontsnapt er een sissend geluid van de lippen van de man. De zakdoek die zijn geslachtsorgaan verbergt, verkleurd op enkele plaatsen. Het orgasme duurt zeker tien seconden, waarna de Marokkaan met één hand zijn penis onhandig in zijn broek terugstopt en de zakdoek welhaast plechtig op haar onderlichaam deponeert. De plakkerige vochtigheid bezorgt Grace terstond kippenvel. Ze wil eigenlijk naar haar dochter kijken, maar haar blik priemt naar de handen van de man waarin zomaar een mes kan verschijnen.

De benige vingers pakken de zakdoek. Geprevel komt van zijn lippen. 'Onmmiidabah smeghdri vulluroditha.' Hij begint bij haar rechtervoet. Eerst de tenen, dan de bal, waarna de onderkant volgt. De hele voet komt aan de beurt. Aansluitend de kuit en het scheenbeen. Nauwgezet gaat de zakdoek over haar lichaam, er wordt geen enkele

101

plek overgeslagen.

Grace ondergaat de waanzin met onregelmatige ademhaling. De gloeiende ogen die haar weigeren aan te kijken en de walgelijke lap die haar lichaam besmeurt, zijn samen even angstaanjagend als het onzichtbare vlijmscherpe mes. Ze wendt haar hoofd af van de vernederende handelingen.

Carmen geeft nog steeds geen kik. Godzijdank kan ze uit de blik in de ogen van haar dochter niets afleiden dat op angst wijst.

De vochtige zakdoek bereikt haar bovenlichaam. Eén voor één wrijft de man over haar grote borsten. In zijn houding is geen spoortje van opwinding te bekennen. Zijn optreden en motoriek lijken meer op die van een ambtenaar die op een zaterdagmorgen zijn auto in de was zet. Via haar hals bereikt de smerige lap haar mond. Op het moment dat de penetrante geur haar neusgaten binnenstroomt, kokhalst ze. Met moeite blijft haar maaginhoud op de juiste plaats.

Nadat haar voorhoofd en haren de behandeling hebben ondergaan, steekt de Marokkaan de zakdoek weer in zijn binnenzak. Twee tellen later ligt het grote mes in zijn hand.

Van ontsteltenis haalt Grace zo diep adem dat haar neusvleugels ervan trillen. Ieder sprankje hoop is door de werkelijkheid verslonden. Ze gaat sterven, weet ze. En Carmen ook.

De man buigt zich voorover. Het mes flitst. Haar linkerarm zakt, het touw is doorgesneden.

De man blijft in dezelfde positie, zijn linkerhand reikt naar haar mond. In één vloeiende beweging verwijdert hij de pleister. De enorme hoeveelheid lucht die haar keel binnenstroomt, zet haar longen voor even in brand.

Met precies dezelfde uitdrukking op zijn gezicht, gaat de man weer rechtop voor haar zitten. Het mes verdwijnt in zijn linkerbinnenzak, terwijl hij zijn linkerhand in de rechterkant van de jas steekt. Een zwart pistool verschijnt. Plechtig neemt hij het wapen over van zijn linkerhand in zijn rechterhand. Daarna strekt hij deze zijwaarts. Het pistool is nu op het lichaampje van Carmen gericht.

'Neeeeeeeeee!!!' gilt Grace. Ze wil overeind komen, maar haar linkerarm weigert dienst.

'Hamnaaaa obgnoo indaaari'.

De man kijkt haar aan. Zijn ogen zijn inmiddels twee donkere gaten die op geen enkele manier een spiegel van een ziel zijn.

Hij buigt zijn arm, zet het pistool op zijn eigen slaap en haalt zonder te aarzelen de trekker over.

Bloedspetters spatten op haar kleverige huid.

Dit keer kan Grace zich niet meer inhouden. Ze draait haar hoofd naar rechts en geeft onbedaarlijk over.

Las Palmas is Las Palmas niet meer, concludeert Alfonso Silva tot zijn spijt.

Tekenen van recessie en opkomende verloedering hebben ook hier sporen achtergelaten. Weliswaar in mindere mate dan in de grote steden op het vaste land, maar de aftakeling is duidelijk zichtbaar.

Het bruisende centrum schuimt hooguit nog wat na. Felle, sprankelende knipperlichten zijn vervangen door minder energievretende, sobere verlichting. Een akelig hoog percentage gevels doet het zelfs zonder neonreclame. Reden daarvoor is de leegstand in de panden eronder.

Een situatie die vijf jaar geleden ondenkbaar zou zijn. Het kloppende stadshart was de bron van welvaart, plezier, geluk en liefde. Van dat laatste is hij het levende bewijs. Hier vond hij de liefde van zijn leven, bracht de eerste nacht met haar door.

De situatie verwondert hem toch enigszins. Zelfs hier op de Avenida Mesa y López is er nauwelijks sprake van enige drukte. In plaats van sterk te stromen, druppelt de slagader van Las Palmas geleidelijk. Misschien heeft hij het zich te rooskleurig voorgesteld. De enige stad ter wereld die, ongeacht de economische misère of andere ellende, altijd geeft. Behoorlijk onrealistisch realiseert hij zich nu. Ook Las Palmas heeft geïncasseerd, behoorlijk zelfs.

Op het trottoir heeft hij zo goed als het rijk alleen. Tien uur 's avonds, echt te gek voor woorden. Aan de overkant van de straat bij Mc Donalds, waar het in zijn herinnering toch altijd afgeladen was, is meer personeel dan er klanten zijn. Hij heeft er goed zicht op, aangezien het verkeer nu uit maar een paar taxi's en een handvol personenauto's bestaat.

Het terras voor hem, waar hij ooit de mazzel had dat er iemand opstond zodat hij een paar whisky's kon nuttigen, is uitgestorven. Er staat alleen een ober die mistroostig voor zich uit tuurt. De hakken van een hem tegemoetkomende vrouw tikken koket; een rare gewaarwording in een straat waar vroeger het geluid van een misthoorn nog moeiteloos door de stadsgeluiden zou zijn opgeslokt.

'Buenas noches,' zegt hij zoals een canario betaamt. Beleefd, maar altijd een beetje flirtend.

De vrouw kijkt niet op of om, versnelt zelfs haar pas.

'Geweldig,' mompelt Silva teleurgesteld. Het angstige gedrag zegt hem genoeg, Las Palmas is met een sneltreinvaart aan het veranderen.

Er is een aarzeling in zijn tred, terwijl de hakken gehaast verder trippelen.

Het terras. Goeie, ouwe tijden.

'Ach, waarom ook niet?' fluistert hij met een sentimentele grijns.

'Buenas noches, signor!' De glimlach van de ober mag als oprecht blij worden betiteld. Met een weids armgebaar maakt hij Silva op een grappige manier duidelijk dat er geen reserveringen op de rol staan.

'Whisky con hielo, por favor,' zegt Silva, terwijl hij zich in een stoel laat zakken.

'Claro, signor,' antwoordt de man vriendelijk.

Silva leunt achterover en laat het stadsbeeld aan zich voorbij trekken. Het is vergelijkbaar met de drukte van een middelgrote stad op de Peninsula tijdens een doordeweekse avond. Een fout verhaal als je jezelf qua inwonersaantal de zevende stad van Spanje mag noemen.

'Las Palmas, wat maak je me nou?' vraagt hij zich binnensmonds af.

Historische woorden, vijf jaar geleden op dit terras door hemzelf uitgesproken. In een andere context. Een zin, waarin toen voornamelijk bewondering de boventoon voerde.

De whisky verschijnt, waarna hij nipt. Zijn handen blijven daar waar ze zijn. Hij is ondertussen lang genoeg met roken gestopt om niet meer naar sigaretten te zoeken. Whisky en sigaretten, een heerlijke, dodelijke combinatie. Zelfs na al die rookvrije jaren kan hij de grandioze smaak op zijn gehemelte voelen. Hoewel hij zich op zijn opdracht wil concentreren, blijft de vergelijking nadrukkelijk door zijn hoofd spelen.

Met 'hoogstens vijf minuten', laat hij voor even de teugels vieren die al dagenlang uiterst strak aangespannen zijn.

Hij geeft de opgeslagen beelden de vrije teugel. Heden en verleden wisselen elkaar af.

Hij ziet zichzelf op dit terras zitten. Vol goede moed, bezig met een lastige opdracht.

Gran Canaria, mensen die de letter s niet uitspreken, de linkerrichtingaanwijzer gebruiken op het moment dat ze stoppen en te pas en te onpas het woord 'cosa' gebruiken. Grappig.

Spanjes grootste toeristenoord dat bedreigd wordt door een extreem grote school haaien.

Minder leuk. In vergelijking met de problemen waarmee hij nu geconfronteerd wordt, lijkt de opdracht van toen een uitstapje van de plaatselijke padvinderij. En dat is natuurlijk de grootst mogelijke onzin, maar toch voelt het zo.

Vijf jaar geleden was hij allesbehalve een groentje. Zijn sporen bij 'Nueve' had hij echt wel verdiend. De opdracht bleek vanwege het bijna bovennatuurlijke gedrag van de haaien verrekte lastig. En dan had hij ook nog eens te maken met een zooitje corrupte medewerkers, die er op gezag van zijn toenmalige chef een dagtaak van maakten zijn zaakjes zoveel mogelijk door de war te schoppen. Nou ja, denkt hij nonchalant, uiteindelijk heb ik gewonnen.

Hij kijkt om zich heen en constateert dat het op straat iets drukker wordt.

Het verkeer trekt aan, groepjes jongeren slenteren hoogst ongeïnteresseerd rond, het oude vertrouwde geroezemoes van een tot leven komende stad begint weer een beetje op gang te komen.

In zijn linkerooghoek ziet hij iets bewegen. Samen met hun zoontje neemt een echtpaar plaats. Het ventje is een jaar of vijf oud en behoorlijk opgewonden.

'Hola, muchacho,' dolt de ober met het mannetje.

'Hola caballero,' zegt deze vrij snedig voor een hummel.

Op Silva's gezicht verschijnt opnieuw een glimlach, en zijn gezicht krijgt een uitdrukking van weemoed en verlangen. Het thuisfront meldt zich.

Eén van de eerste dingen die de rekruten bij 'Nueve' worden geleerd, is dat je tijdens het werk nooit en te nimmer aan geliefden mag denken. Je wordt er minder scherp door, waardoor je onbewust je eigen leven en het leven van je teamleden in gevaar kunt brengen. Bij voorkeur neemt de dienst daarom ongebonden mannen aan. Alleen wanneer een persoon over heel bijzondere talenten beschikt, wordt er een uitzondering gemaakt.

Aangezien Silva niets menselijks vreemd is, dwalen zijn gedachten af naar zijn gezin in Madrid en mijmert hij eventjes weg. Daarna schudt hij resoluut met zijn hoofd én kijkt strak voor zich uit.

Na dagen binnengezeten te hebben moest hij er even uit. Weg uit het zenuwcentrum dat hem behoorlijk op zijn zenuwen begint te werken.

Er is voldoende informatie. Vooral op het vasteland is veel succes geboekt. De sleutelvragen wie? en waarom? zijn zo goed als beantwoord.

Ze kennen de identiteit van de meeste stumpers die voor de zuidkust van het eiland zo erbarmelijk aan hun einde zijn gekomen. Straatarme, onschuldige berbers die met loze beloften van goed betaald werk zijn gelokt. Ze weten ook door wie.

DNA-onderzoek heeft verder aangetoond dat de omgekomen terrorist eveneens een Marokkaan was, een zekere Mustafa Saleh. Diepgaand onderzoek bracht aan het licht dat de man zijn opleiding in een kamp in de woestijn van Algerije had genoten. Wie er achter de schermen aan de touwtjes trekt, weten ze.

Zijn naam is Saddiki Khlifa, een Algerijn. Kopstuk in de wereld van het internationale terrorisme. Hofleverancier van Salafia Jihadia, hechte banden met Al-Qaeda. Een religieuze fanatiekeling die in principe nergens voor terugdeinst.

Toch hebben ze er zo hun twijfels over dat Khlifa achter de aanslagen zit. Het religieuze en politieke wordt namelijk té nadrukkelijk door een commercieel waas omfloerst. Een stijl die niet past bij de Algerijn.

Doordat het opleidingskamp in de Algerijnse woestijn qua omvang tot de grootste ter wereld behoort en voorzien is van de benodigde faciliteiten, trainen er ook andere groeperingen. Zelfstandige cellen die de ruimte van Khlifa 'huren'.

De meest gevreesde onder hen wordt geleid door Khalid Mossaoui, die naar alle waarschijnlijkheid eindverantwoordelijk is voor beide aanslagen. Zijn naam stond al hoog op de zwarte lijst van door Europol verdachte personen van het plegen en voorbereiden van terroristische aanslagen.

De Marokkaanse veiligheidsdienst werkte voorbeeldig samen en voorzag hen van extra informatie. Als eis werd echter wel gesteld, dat mocht het tot een arrestatie op Spaans grondgebied komen, Mossaoui direct aan Marokko zou worden uitgeleverd. Een eis die door het ministerie van Justitie werd ingewilligd.

Mossaoui was een gegadigde voor de doodstraf. Mocht het niet zover komen, dan zou hij na zijn arrestatie in ieder geval nooit meer van de vrijheid kunnen proeven.

Een schurk van het zuiverste water, weet Silva inmiddels. De dossiers die hij heeft bekeken liegen er niet om. De man heeft een strakgeleide organisatie die daarentegen complex in elkaar steekt. Een naamloze club, wat in die kringen opvallend is.

Mossaoui is de onbetwiste leider. Onder zijn directe commando staan een tiental getrouwen die uit verscheidene opleidingskampen strijders rekruteren. Het onderkomen van Khlifa dient daarbij als uitvalsbasis.

In naam van de 'Jihad' worden deze soldaten ingezet. Volledig geïndoctrineerde mensen, die in de heilige overtuiging verkeren in de naam van het geloof tot martelaar te worden verklaard. Objectief bekeken is dit in de meeste gevallen ook wel zo.

Naast zijn reguliere bezigheden, heeft Mossaoui's organisatie eveneens een commerciële tak. Voor veel geld worden er klussen aangenomen die blind door zijn strijders worden uitgevoerd. Op het oog religieuze of politieke aanslagen die feitelijk een zakelijke of persoonlijke achtergrond kennen. Huurmoordenaars, dus.

'Jij bent echt aan de beurt, hufter,' gromt Silva tussen zijn tanden door.

Zoals bij andere kopstukken het geval is, draait het ook hier om het lokaliseren van het doel. De man heeft geen vaste verblijfplaats, reist van plek naar plek. Per auto, helikopter of vliegtuig. Zolang het maar onvoorspelbaar blijft, is niets te dol.

Toch krijgen we hem te pakken, denkt Silva grimmig. Dit soort uitvaagsel loopt altijd tegen de lamp. Het kan lang of kort duren, maar we nemen hem te grazen. De verrader slaapt nooit, en tegen de lange arm van 'Nueve' is in principe iedereen op den duur kansloos. Als zij hun zinnen op iemand hebben gezet, dan gaat ie voor de bijl, daarvan is hij overtuigd. Khalid Mossaoui is zo iemand.

Hoewel de terroristenleider wel degelijk door zijn hoofd blijft spoken, laat hij het 'waarom' naar de oppervlakte van zijn geest drijven. Ook op deze vraag is het antwoord voorhanden. Opnieuw speelde bij het beantwoorden van de vele vragen die rezen, de Marokkaanse inlichtingendienst een voorname rol. Het gezamenlijke doel was de opdrachtgever.

Er is inmiddels een lijst met daarop vijf kandidaten. Uiteindelijk blijft er één over. Hoewel alle mannen op die lijst zwaar gefortuneerd zijn, zal al het geld op de wereld ontoereikend blijken om de repercussies die er volgen het hoofd te bieden.

Zowel in Spanje als Marokko zijn de consequenties van de aanslagen hard aangekomen. In een lang telefoongesprek heeft de staatssecretaris van Binnenlandse Zaken hem in niet mis te verstane bewoordingen de politieke gevolgen van de aanslagen duidelijk gemaakt.

Het verdrag van Cordoba lijkt een vroege dood te sterven.

Na de verschrikkingen op Gran Canaria is de politieke vijfde colonne naar de pers gaan lekken. Tegenstanders die in alle geledingen van de maatschappij vertegenwoordigd zijn, zagen hun kans schoon. Nadat de pers de basisovereenkomsten uit het verdrag op straat gooide, laaide de discussie op.

Inderhaast ingelaste items in actualiteitenrubrieken zorgden, vaak live, voor hevige discussies. Op straat, had iedereen het er een dag later over.

In sommige gevallen liep de kwestie uit de hand, waarna de politie op moest treden. Aloude haatgevoelens speelden op, en vaak klonken er kreten als 'kankerbuitenlanders' en 'tering-Marokkanen' via de tv in Europese huiskamers door.

Niet alleen in Spanje was het goed raak. De Franse president gaf zuiderburen een verbale oorveeg, en ging nog een stap verder door een protest in te dienen bij de periodieke voorzitter van de EU – Duitsland, dat als boezemvriend van de Fransen beschouwd kan worden – vanwege incorrecte, politieke handelswijze van een EU-lid.

De Franse pers was sinds tijden eensgezind, en liet geen spaan heel van het Spaanse optreden inzake de toetreding van Marokko tot de EU. Velen vonden dit en het werd door talloze columnisten tot in den treuren toe herhaald, een socialistische actie die alleen maar afkeuring verdiende.

De sfeer die in Marokko heerste kon lastig onder woorden worden gebracht. Een mengeling van woede, ongeloof, berusting en onmacht. Een gevoel dat echter niet concreet in beeld werd gebracht. In tegenstelling tot Europa, heerst er in Marokko nog steeds een 'screen'beleid. Beelden en onderwerpen die op de staatstelevisie uitgezonden worden, moeten eerst langs het ministerie van Informatie. Hierdoor was de regering in staat de berichtgeving naar believen aan te passen.

Toch praatte men in de grote steden over niets anders; de door overheidswege gecensureerde versie was daar echter niet van toepassing. Ook andere lezingen op de gebeurtenissen en de consequenties ervan vonden hun weg naar Marokko. Verantwoordelijk daarvoor waren de talloze schotelantennes die tegenwoordig een stevig deel van het stadsbeeld opeisen.

'Is het lekker?' hoort hij de ober aan de jongen vragen.

'Sí signor!' antwoordt het knulletje opgetogen. De donkere pupillen in zijn ogen stralen van plezier. Heel even laat Silva zijn blik over het jonge gezin dwalen. Het eerste dat hem opvalt zijn de ouders. Niet de mensen op zich, maar hun bestelling. Eén flesje mineraalwater met daarbij twee glazen.

Recessie, denkt hij, zelfs op dit uitje wordt bespaard. Wat voor de mensen pleit, is dat ze wél gaan. Puur om het kereltje te plezieren, terwijl ze het zich waarschijnlijk maar nauwelijks kunnen permitteren. Vol zelfverwijt wendt hij zijn blik af.

Waar ben jij in 's hemelsnaam mee bezig, Silva, berispt hij zichzelf. Wat is dit voor onzin? Je zit hier om een beslissing te nemen over het leven van een terrorist. Letterlijk.

Het leven of de dood. Geen tussenweg mogelijk. Zo gauw ze met waarheidsserums beginnen is het doodvonnis een feit. De man heeft dagenlang niet gesproken, en zal zich tot het uiterste tegen de drugs verzetten. Dus moeten ze blijven doorgaan. Uiteindelijk zal Lotfi iets loslaten en daarna bezwijken. Alle spannende spionagefilms en boeken ten spijt, waarin de met drugs ingespoten held stevig zijn kiezen op elkaar houdt en het ook nog eens overleefd. Pure nonsens.

De kans dat de man überhaupt over informatie beschikt is gering. Het is een vaste regel dat cellen die uit enkele personen bestaan alleen met hun eigen opdracht bezig zijn, en niets weten over de activiteiten van andere cellen. Niettemin moeten ze het proberen. De man heeft uiteindelijk een verleden en is klaargestoomd door de instructeurs van een terroristische organisatie. Alles wat ze te horen krijgen is tenslotte meegenomen.

De opening, die éne kleine aanwijzing waarmee de bal aan het rollen gaat, heeft zich nog niet aangediend. De teams van 'Nueve' werken zich een slag in de rondte. Zowel hier als op het vasteland. Op het vliegveld en in de haven van Las Palmas draait de guardia civil overuren. Er zijn zelfs plaatselijke CESID informanten ingezet.

Dit alles om dat te voorkomen waarvan zij overtuigd zijn dat het op stapel staat: een nieuwe, bloederige aanslag.

Silva steekt zijn hand op en besteld nog een whisky met ijs. De kelner knikt, waarna hij in het voorbijgaan het echtpaar dat vertrekt goedenavond wenst. Het joch ontvangt als toegift een aai over zijn bol.

'Gracias,' zegt Silva wanneer het glas voor zijn neus verschijnt.

'De nada,' antwoordt de man.

Hij neemt een slok en voelt de beslissing steeds zwaarder wegen, wat betekent dat hij genomen moet worden.

'Er is een minieme kans dat we het verdrag nog kunnen redden, Alfonso,' hoort hij de staatssecretaris zeggen. Het bandje is de laatste uren door zijn hersens grijs gedraaid.

'Maar dan moet er verdraaid snel een resultaat geboekt worden. En

110

hoe je het voor elkaar krijgt, kan me eigenlijk weinig schelen.'

Silva knikt traag, maar bevestigend. Het laatste restje humane weerstand staat op het punt van breken. Het zachte gerinkel in de borstzak van zijn lichtgele overhemd stelt de executie uit.

Aangezien niemand van 'Nueve' uit veiligheidsoverwegingen nummerherkenning op zijn mobiele telefoon heeft, drukt hij op het groene telefoonsymbool.

'Sí?'

De stem die hij hoort is van Antonio Odelga, zijn tijdelijke plaatsvervanger in Madrid.

Op rustige, gemoedelijke toon begint deze tegen hem te praten. Terwijl de seconden wegtikken, trekt het bloed systematisch uit Silva's gezicht. Hij probeert te slikken, wat niet lukt. Het wordt licht in zijn hoofd.

Als Odelga is uitgesproken, verbreekt hij de verbinding en legt een biljet van twintig euro neer. Zonder dralen staat hij op en loopt via het trottoir pardoes de weg op. Een taxi gaat vol in de remmen, waarna hij het portier opent, instapt en een bevel snauwt.

De ober kijkt de wegstormende auto met open mond na.

Tegen alle regels in laat Silva zich recht voor de villa afzetten. Hij betaalt, laat het wisselgeld zitten, loopt naar de poortdeur en toetst zijn code in. Gadegeslagen door het dienstdoende 'Nueve'-lid dat inmiddels heeft gecheckt of code en persoon overeen komen, gaat de poort open.

Hij loopt direct door naar zijn kantoor, opent de la van zijn bureau en haalt een matzwart dienstpistool tevoorschijn. Vervolgens loopt hij met vaste tred naar de kelder.

Ahmed Lotfi is in trance, tenminste dit probeert hij de aanwezigen voor te spiegelen. In feite werkt zijn brein op volle toeren. Twee uur geleden is het eerste hoofdgetal waar hij dagenlang naartoe heeft geteld, bereikt. De marge tot het tweede hoofdgetal, dat tevens de deadline is, bedraagt zes uur, oftewel eenentwintigduizendzeshonderd seconden. Nog veertienduizendvierhonderd seconden te gaan.

Het getik op de deur wekt zijn nieuwsgierigheid, maar heeft geen invloed op de accuratesse van de klok in zijn hoofd. Hij ziet door de spleetjes van zijn toegeknepen oogleden de enorme bewaker door de ruit kijken, en daarna de deur die opengaat.

Hij herkent de man die op hem afkomt als de chef, degene om wie het allemaal draait. De man heeft een metamorfose ondergaan, ziet hij in een flits. Een tweede, meer gedetailleerde blik, wordt hem niet gegund.

De man staat al voor hem en strekt zijn rechterarm. Hij voelt de afdruk die de mond van de loop in zijn voorhoofd achterlaat. De koude kus die de eeuwige omhelzing vooraf gaat.

Het staal mag dan onverzoenlijk en kil zijn, voor Lotfi is het de poort die leidt naar hemel op aarde. Hij hoeft hem alleen maar te openen.

Hij trekt zijn oogleden zo hoog mogelijk op, waarna een uitdrukking van pure angst in beide ogen verschijnt. Het ziet eruit als echt, weet hij. Daar heeft hij voor de spiegel genoeg op geoefend. Dit is zijn moment, hier en nu moet het gebeuren.

De tot in den treuren toe ingestudeerde rilling glijdt over zijn lijf. Ook zijn neusvleugels trillen uiterst nerveus, een lastig iets, dat hij met de nodige moeite onder de knie heeft gekregen.

Tijdens zijn act neemt hij het gezicht voor hem op. Dit om het laatste procentje twijfel te elimineren.

De ogen die hem strak aankijken, huizen in een gelaat dat vertrokken is van haat. De kleur van het gezicht is asgrauw, de huid zó gespannen dat er ieder moment scheurtjes in kunnen verschijnen. Woedezweet parelt op de gitzwarte wenkbrauwen.

Lotfi begint te snikken, terwijl hij inwendig juicht. Het is definitief zo ver, weet hij nu zeker.

Silva snauwt tegen de tolk, waarna deze vlak naast hem komt staan. De loop van het pistool blijft onveranderd tegen zijn voorhoofd aangedrukt.

'Hij wil weten wanneer de volgende aanslag is,' zegt de man in accentloos Marokkaans. Een vraag die ook andere tolken hem al talloze malen hebben gesteld.

Niet happen, legt hij zichzelf op. Nog niet.

Hij fabriceert nog een paar rillingen, en gelijktijdig verlaten tranen zijn ooghoeken.

'Ik...ik kan niets zeggen,' zijn de eerste woorden die hij sinds zijn detentie spreekt.

De tolk vertaalt, waarop Silva iets onverstaanbaars tussen zijn tanden sist. Aansluitend spant hij de haan van het pistool.

'Als je nu geen antwoord geeft, schiet hij' zegt de tolk zo neutraal mogelijk. 'En ik weet zeker dat hij het meent,' voegt hij er op dezelfde toon aan toe.

Lotfi's lichaam stopt met rillen. Met een blik waaruit totale ontreddering spreekt, kijkt hij zijn belager aan. Daarna sluit hij beide oogleden en laat een stevige hoeveelheid lucht uit zijn longen ontsnappen. De zucht zegt meer dan duizend woorden. Het is zover, zijn weerstand is zogenaamd gebroken.

'Shopping Center Yumbo,' fluistert hij praktisch onhoorbaar.

Silva's gelaatsuitdrukking blijft zoals hij was. Alleen zijn ijzeren zelfbeheersing weerhoudt zijn vinger ervan de trekker over te halen. Het afgemeten Spaans dat volgt is voor Lotfi onverstaanbaar geratel, toch kent hij de strekking van de volgende vraag.

'Wanneer, op wat voor manier en door wie?' zegt de tolk koel.

Hij slikt een paar keer en met zijn afhangende schouders ziet hij eruit als een gebroken man. Zijn aarzeling verhoogt de dramatiek.

'Nu!' bijt Silva hem toe.

'Vrijdagavond om tien uur, automatische wapens. Weet niet wie.'

De druk op zijn voorhoofd neemt toe. Doordat Silva een beetje met de loop draait, scheurt zijn huid. Hij voelt bloed over zijn neusbeen stromen.

'Dit is alles wat ik weet' jammert hij luid. 'Alstublieft, heb medelijden, dit is alles wat ik weet!'

Silva kijkt hem nog vijf seconden doordringend aan. Daarna ontspant hij de haan en draait zich om.

Volgens plan zakt Lotfi in elkaar. Zogenaamd een flauwte van de angst.

6

Thuisblijven, de ultieme manier van uitgaan, denkt Abdelkaber Ben Brahim. Vergenoegd wrijft hij in z'n handen.

Het dwaze verdrag van Cordoba is officieus van de baan. De strop is reeds om de nekken van de verantwoordelijke politici geknoopt. Ieder moment kan er aan de hendel getrokken worden, waardoor het luik van het schavot zich opent.

De Spaanse oppositie schreeuwt het hardst. Ongetwijfeld vallen daar de eerste politieke slachtoffers. Een stevig handje geholpen door de Fransen. Hij lacht vals.

Het is een fantastisch gevoel als een vooropgezet plan ook werkelijk slaagt. En de manier waarop. Zo gemakkelijk... zo voorspelbaar.

Als de rook eenmaal is opgetrokken, zullen alleen de coupplegers de kinderen van de rekening blijken te zijn. De posities van de echte machthebbers blijven onaangetast. Sterker nog, na verloop van tijd zullen ze er alleen maar sterker op worden. Een natuurlijk proces dat op onnatuurlijke wijze in stand wordt gehouden. Pure geschiedenisles, weet Ben Brahim.

Terwijl in de verte de zon in de Sahara zakt, snuift hij etensgeuren op die vanuit de keuken zijn ontsnapt. Vanavond staat er schapenkop op het menu; mits goed bereid een delicatesse.

Het water loopt hem bijna letterlijk in de mond. Couscous erbij, wat meegebakken tomaatjes en ui, als nagerecht pannenkoeken met honing. Zalig! Een brede grijns verschijnt op zijn gezicht. De glimlach van een overwinnaar.

Tijdens zijn aardse bestaan zal hij met luxe en weelde omringd blijven worden. Hier op zijn landgoed of gedurende lange reizen die hij ooit nog gaat maken.

'En als ik het dicht bij huis wil houden, maar er toch even uit ben, dan huur ik gewoon de Orient Expresskamer in het La Mamouniahotel,' zegt hij op een quasi verveelde toon.

Hij lacht spottend om de grap die in de betere kringen van Marrakech circuleert.

'Als ik niet had ingegrepen, was er weinig te lachen voor jullie overgebleven, stelletje snobs.'

Het overgrote deel van de rijken kent hij persoonlijk, de rest van horen zeggen. Een stelletje lamzakken die hun handen nog nooit vuil hebben gemaakt aan zoiets banaals als werken. Voor de buitenwereld notabelen met belangen in gerespecteerde ondernemingen.

Hij weet wel beter.

Een uitzondering daargelaten, heeft het gros aanzienlijke bedragen geïnvesteerd in zaken die door het verdrag van Cordoba hevig geïnfecteerd hadden kunnen worden. Variërend van kleine hasjplantages in het noorden, middelgrote levensmiddelenfabrieken die de westelijke Sahara bevoorraden, tot minderheidsbelangen in wat voor soort mijnen dan ook in het zuiden.

Investeringen die ook in de toekomst lonend zullen blijken.

Dankzij hem.

Niemand zal het ooit weten. Dus zal er ook nooit iemand bewonderend naar hem opkijken en zeggen 'bedankt dat je onze belangen hebt verdedigd'. In ieder geval niet waar het deze zaak betreft. Het leven gaat verder alsof er nooit een verdrag van Cordoba heeft bestaan. Wat van overheidswegen hevig gestimuleerd zal worden. Arabieren worden namelijk ongaarne aan een mislukking herinnert. Grote verliezers zijn ongetwijfeld de Saharawi's. Een prachtontwikkeling. Marokko zal in de nabije toekomst nooit meer de fout maken haar soevereiniteit aangaande de Westelijke Sahara in de weegschaal te leggen. Zelfs als er zich ooit nog zo'n enorme kans à la Cordoba aandient, zal zowel de koning als de regering zich terughoudend opstellen.

Ondanks de censuur van bovenaf, heeft de stem van het volk zich duidelijk laten horen. Alle, vooral financiële, voordelen ten spijt, wenst het overgrote deel geen directe associaties met Europa.

Hij grijnst schurkachtig. Zoals in het verleden al zo vaak gebeurd is, zal de Veiligheidsraad ongetwijfeld de zoveelste resolutie aannemen die de impasse van de afgelopen decennia moet doorbreken. En het Front POLISARIO zal dit opnieuw toejuichen. Het overgrote deel van hun mensen bevindt zich in de vluchtelingenkampen van het Algerijnse Tindouf en smacht naar betere tijden.

* * *

Het referendumplan wordt maar weer eens uit de kast getrokken. Na veel vijven en zessen spreekt Marokko hier een veto over uit. Heet hangijzer zijn de stemgerechtigden. Volgens Marokko dienen niet alleen de negentigduizend autochtone Saharawi's stemrecht te krijgen, maar ook haar honderdveertigduizend naar het gebied geëmigreerde landgenoten.

POLISARIO claimt op haar beurt dat de Saharawi-bevolking inmiddels is toegenomen tot meer dan tweehonderd duizend, waarop de Marokkaanse onderhandelaars zich verbolgen van de onderhandelingstafel zullen terugtrekken.

Het aloude liedje. Beter. Geeft hem de kans zijn werk naar behoren af te maken. Maakt het ook voor iedereen een stuk gemakkelijker, aangezien er dan geen POLISARIO meer is om mee te onderhandelen.

Ben Brahim staat op van zijn geliefde bank. In zijn hoofd staat de nummerrekening gegrift waar het resterende bedrag naar overgemaakt moet worden. Veel geld, maar een te verwaarlozen bedrag als je bekijkt welke consequenties alleen toekijken zou hebben gehad.

Twee, hooguit drie jaar, dan heeft hij dit bedrag weer terugverdiend. Wat hem betreft een faire prijs voor zijn eigen toekomst en die van zijn geliefden.

Khalid Mossaoui is een ontegenzeggelijke schoft, maar wel eentje die zijn vak verstaat. In feite haat hij de man. Toch weerhoudt dat hem niet om, als het in de toekomst écht nodig zou zijn, opnieuw een beroep op hem te doen.

De heerlijke geuren van de dampende gerechten leiden hem een betere wereld binnen.

Een wereld zonder lui als Khalid Mossaoui. Tenminste, dat maakt hij zichzelf maar al te graag wijs.

Meestal werkt het eentonige geronk van vliegtuigmotoren rustgevend, slaapverwekkend. Vandaag zijn er zaken die in een hoog ritme zijn gedachten opjagen.

Ook een weidse blik op het oersaaie landschap onder hem kan daar geen verandering in brengen.

Saddiki Khlifa wil hem spreken. Waarover kan Mossaoui wel raden. Geld.

De uitnodiging was van dien aard, dat hierover nauwelijks een misverstand kon bestaan. Nadat zijn gasten uit Maleisië waren vertrokken, kondigde een nieuwe bezoeker zich aan.

De man droeg om zijn rechterpink een op het oog simpele, gouden ring. Plechtig draaide hij met de duim en wijsvinger van zijn rechterhand de ring honderdtachtig graden. Bijeengehouden door een uiterst fijne platinasetting, verscheen een bloedrode robijn.

Het fonkelende herkenningsteken deed hem schrikken, erkent Mossaoui schaamtevol.

In de loop der jaren heeft hij namelijk tientallen malen zo'n ring gezien. Saddiki Khlifa laat zijn koeriers tijdelijk zo'n kostbare kleinood als herkenningsteken dragen. De koerier was eveneens in het bezit van een verzegelde enveloppe. De opdracht of uitnodiging zat hierin. Hoewel er van een uitnodiging natuurlijk geen spraken was; je werd namelijk ontboden.

'Lajraa,' vloekt hij hardop.

Met een vertrokken gezicht en half toegeknepen oogleden waarachter zijn ogen gifgroen vuur spuwen, kijkt hij naar zijn hondstrouwe lijfwacht. De enige persoon aan wie hij met een gerust hart zijn leven kan toevertrouwen.

Lamtaka kijkt niet op of om. Zijn machtige lijf zit half beklemd in één van de acht ruime stoelen die de privé-jet telt. Iedere ademhaling lijkt een verzoeking voor de reus.

Een houding, weet Mossaoui. Een professionele houding, die zijn lijfwacht zelfs in een compleet van gevaar ontblote situatie als waarin ze zich nu bevinden, niet laat varen.

Naast hen beiden is er alleen maar de piloot. En mocht deze iets geks in gedachten hebben, dan houdt dit op bij de deur van de cockpit, daarvan is hij overtuigd. Het vliegtuig opzettelijk laten crashen is de enige optie. En waarschijnlijk heeft Lamtaka ook daar een oplossing voor.

Dat Khlifa hem naar het grootste opleidingskamp in deze regio ontbiedt, zegt genoeg. De Algerijn gaat voor uiterlijk machtsvertoon. Even laten merken wie waar op de hiërarchische ladder staat.

Wat dat betreft delft hij het onderspit, realiseert Mossaoui zich. Khlifa's organisatie is tweemaal, zoniet driemaal groter dan de zijne. Khlifa's projecten hebben altijd te maken met religie of politiek. Waar hij de prins is, kan de geboren Algerijn doorgaan voor de koning die alleen verantwoording verschuldigd is aan de allerhoogste macht; de raad van het Al-Qaedanetwerk.

Tot dusverre heeft hij Khlifa nooit op schnabbels, zoals die verderfelijke joden het noemen, kunnen betrappen. Een situatie waarin nu verandering gaat komen. De koning is tenslotte ook maar een mens. Iemand van vlees en bloed die geld ruikt.

Hij kijkt door het ronde venster naar buiten, terwijl zijn hersens vaststellen tot welk percentage hij kan en wil gaan. Zonder dat er één woord gesproken is, weet Mossaoui dat hij een gedeelte van de buit af moet staan. Verrekte jammer, maar helaas niets aan te doen.

Een goede relatie met Khlifa is essentieel voor het voortbestaan van zijn organisatie. Zowel op dit moment als in de toekomst.

Hij vloekt dit keer ingetogen. De redenatie klinkt weliswaar logisch, toch doet het pijn om geld af te staan aan iemand die daar niets voor heeft hoeven doen. Het is trouwens altijd onaangenaam om geld te verliezen, denkt hij wrang.

'Maar misschien peur ik uit dit nadeel toch nog een voordeel' fluistert hij. 'Tenslotte heeft ieder nadeel zijn voordeel!'

Khlifa's handen zullen op het moment van incasseren namelijk verre van schoon zijn, voorzover ze dat ooit geweest zijn. Bewijzen daarvoor ontbreken echter.

Het vliegtuig zet de landing in. Door de lucht is het van Algiers naar dit van god en de wereld verlaten oord een stuk van niks. Precies de reden waarom hij voor deze manier van transport gekozen heeft. Ruim zes uur met de auto door de woestijn crossen is allesbehalve plezierig, en al helemaal wanneer hij in een humeur als vandaag is. Armer vertrekken dan aankomen is een bittere pil die lastig door te slikken valt.

Gran Canaria, een leuk project, correcte betaling... Silva. Hij glimlacht koeltjes. De finale kan nog aardig wat spektakel brengen. En de afloop, tja, hij moet zich toch wel heel erg vergissen wanneer het anders loopt dan door hem gepland.

Silva geniet een goede reputatie. Een vechter én een denker. Een zeldzame combinatie.

Zijn eigen superioriteit staat buiten kijf.

Het is de eerste krachtmeting tussen twee persoonlijkheden. Hoogstwaarschijnlijk een opmaat naar volgende confrontaties die er pas écht toe doen. Als Silva zo goed is als er beweerd wordt, dan is zijn huidige functie niet meer dan een tussenstation. Bij 'Nueve' zit hij aan de top, dus nationaal is hij uitgekakt. Een hoge, saaie ministeriële bureaufunctie is het laatste wat deze man ambieert.

Het bedrijfsleven is een optie, maar geen waarschijnlijke. Daar is Silva, de ex-lobo, te plichtsgetrouw voor, te vaderlandslievend.

'Aaaaahoeeeeeeee'

De imitatie klinkt afschuwelijk, zijn daaropvolgende grijns is daarentegen behoorlijk waarheidsgetrouw. Hij kijkt snel naar links waar Lamtaka nog even onverstoorbaar zit. De opmerkelijke capriolen van zijn broodheer schijnen volledig aan hem voorbij te gaan .

'Oké, jefe,' zegt Chillaba op bijtende toon terwijl hij grijnst. 'Jouw toekomst ligt op het internationale vlak. Andere diensten zullen jouw verrichtingen ongetwijfeld volgen. Het blijft tenslotte een kleine wereld waarin weinig zaken onopgemerkt blijven.' De spottende glimlach correspondeert nauwelijks met de knikkende beweging van zijn hoofd. 'Externe adviseurschappen bij internationale veiligheidsorganisaties zullen leiden tot een hoge functie bij Europol.'

Hij trommelt wat met de vingers van zijn rechterhand tegen het ronde venster waarachter de golvende woestijn steeds dichterbij komt. De ontmoeting met Khlifa laat niet lang meer op zich wachten. Praten, afdingen, betalen, klaar. Een directe confrontatie met Silva kan echter nog jaren duren. Een periode waarin dit akkefietje op Gran Canaria als referentiekader geldt. Dit is de enige reden waarom hij het eindspel zo laat verlopen. De opdracht is al uitgevoerd; het beoogde doel bereikt. Dit is een extraatje waarmee hij zowel zijn geldschieter als zichzelf een goede dienst bewijst.

De truc is er nog nét geen uit het boekje, al scheelt het weinig. De uitvoering is weliswaar origineel, maar de hoeveelheid hiaten zullen het zogenaamde plan uiteindelijk in duigen doen vallen.

Nadat Silva, zoals een goede professional betaamt, over zijn eerste woede heen is gestapt, zal hij de zaak rationeel bekijken en daaruit zijn conclusies trekken. Door helder denken én adequaat optreden zal 'Nueve' een nieuw bloedbad weten te voorkomen.

Zo zal het gaan, weet Chillaba nu al. Silva wordt in inlichtingenkringen de nieuwe held.

The coming man, denkt hij ironisch.

Na verloop van tijd zal Silva er ongetwijfeld achter komen wie er verantwoordelijk was voor de aanslagen op Gran Canaria. Mijn naam plus personalia staan dan in zijn hoofd gegrift. Gegevens van de man die hij heeft gedwarsboomd, die hij eens te slim af was. En dat de volgende keer dus ook weer is.

'Goed zo,' zegt Mossaoui. Het sarcasme druipt van zijn gezicht.

7

'Hallo lieverd,' zegt Silva zó zacht dat hij zichzelf nauwelijks verstaat. Het klinkt vreselijk stom gezien de omstandigheden. Hij schaamt zich, maar weet gewoon niets beters te bedenken. De emotie vreet aan hem, scheurt hem van binnen in stukken.

'Alfonso,' fluistert Grace. Zijn stem heeft een zalvende uitwerking. De kilte die in haar botten verankerd zit, raak een beetje zijn koude greep kwijt.

'Schatje, ik...ik weet niet waar ik moet beginnen. Ik voel me zo ontzettend schuldig.'

Door stevig door zijn neus adem te halen, weet hij te voorkomen dat zijn stem breekt.

'Alles is hier onder controle, schat. Naar omstandigheden maken we het goed.'

Het liefst zou ze na deze zin het puntje van haar tong eraf bijten. Ze heeft zichzelf op het hart gedrukt de zaak zomin mogelijk te dramatiseren. Zich groot te houden. Alfonso zit duizenden kilometers van haar vandaan. Compleet opgefokt, dat is logisch. Als ze nu met een zielig verhaal of onsmakelijke details komt, gaat hij helemaal door het lint. De gevolgen daarvan kunnen rampzalig zijn.

Het laatste uur heeft ze hierover na kunnen denken en haar besluit genomen. Ze moet hem tot rust manen, hoe moeilijk dit ook voor haar is.

'Mijn god nog aan toe,' reageert Silva. Emotie vervlakt zijn stem. De vingers van zijn rechterhand omklemmen de zijkant van de telefoon in een ijzeren greep.

'Rustig nou, Alfonso, ik wil alleen maar zeggen dat alles hier rustig is.' Haar stem klinkt kalm, wat Grace verwondert. Het liefst zou ze op dit moment ongenadig op zijn schouders uitjanken.

'Hoe is het met Carmen?' wil hij weten. Zijn stem begint wat aan kracht te winnen. De emotie is er nog volop, maar de wil om die te beheersen wordt ongemerkt sterker.

'Prima, ze ligt naast me te doezelen. Voor het naar bed gaan heeft ze me vier kusjes gegeven. Ik moest er twee aan jou geven.' Een traan biggelt over haar linkerwang. Onhoorbaar hapt ze naar adem.

'Lief hè, schat?' weet ze toch nog op een warme toon uit te brengen.

'Ze... ze... ze is geweldig, popje. Maar dat kan ook niet anders met zo'n moeder.'

De prop in zijn keel zwelt op. De vragen die als duivels in zijn hoofd huishouden, moeten naar buiten, hij moet ze stellen. Er is geen ontkomen aan.

'Wat heeft Carmen gezien, Grace?' De manier waarop hij het zegt klinkt in zijn oren als de zoveelste vraag tijdens een routineverhoor. Direct klemt hij zijn tanden op elkaar om niet nog meer schade aan te richten.

'Alles,' antwoordt ze rustig. 'Voor zover ik weet heeft ze alles gezien.'

'Jezus Christus'.

'Die waakte over ons, lieverd. Afgezien van het feit dat die klootzak zich voor zijn kop heeft geschoten, is er betrekkelijk weinig gebeurd,' stelt ze vast. Liegt ze bewust.

'Grace, hoe kun je dat nou toch zeggen,' reageert hij, maar veel te fel. 'Die kerel...'

'Die kerel was compleet gestoord' valt ze hem in de rede. 'Een idioot die zijn kunstje op kwam voeren. Helemaal van de wereld, waarschijnlijk onder de invloed van drugs.'

Ze spreekt als de Grace Wagner van ruim vijf jaar geleden. De vrouw die altijd alles klinisch analyseerde. Zowel tijdens haar werk als in haar privé-leven, dat ze door haar drukke werkzaamheden bijna niet had.

Ze is nu een andere Grace, die omwille van haar gezin acteert. Ze negeert het trillen van haar onderlip, haalt diep adem en vervolgt haar zojuist ingestudeerde toneelstukje.

'Wat er gebeurd is, is verschrikkelijk, Alfonso, dat lijkt me wel duidelijk. Maar iedereen leeft nog, ook Igor. Hij heeft een klap op zijn hoofd gekregen en houdt er een lichte hersenschudding aan over.' Met zelfverzekerde stem gaat ze door.

'Aan Carmen is alles in een trance voorbijgegaan. Die hufter heeft haar een kalmeringsmiddel gegeven. De dokter denkt aan iets als valium. In snoepvorm, of zo. Bloed afnemen was tot nu toe de meest traumatische ervaring voor haar.' Een gespeeld lachje ontsnapt aan haar lippen.

Aan de andere kant van de lijn blijft het stil. Onheilspellend stil.

Silva's ogen volgen een echtpaar dat arm in arm op de stoep loopt. Zo op het oog zijn ze beiden de zeventig reeds al geruime tijd gepasseerd. Hoewel de afstand tussen hen en Silva een meter of veertig bedraagt, ziet hij overduidelijk het aureool van tevredenheid en geluk dat rond hen hangt. Op dat moment neemt hij een verstrekkende beslissing. Hij slaat deze ergens op in een achterkamer van zijn hersens. Als de tijd er rijp voor is, kan zijn geest er direct bij, daar is hij van overtuigd.

'Alfonso?' De paniek slaat even bij haar toe. De kans dat haar man in blinde woede de verbinding verbreekt blijft altijd aanwezig. Hij mag dan de koele 'jefe' zijn, in dit geval gaat het om een aanval op zijn gezin. Alles is nu mogelijk. Zelfs het onwaarschijnlijke feit dat hij zijn zelfbeheersing volledig verliest.

'Ik ben er nog, liefje' hoort ze tot haar opluchting. Zijn stem klinkt rustig. Gekunsteld rustig, wat op zich geen wonder is.

'Wat is er...'

'Het antwoord is nee, Alfonso. Ik ben niet verkracht, of op een andere manier seksueel misbruikt,' zegt ze met een heldere stem waarin vooral zelfrespect door moet klinken.

'Het had niets met seks te maken, het was meer iets religieus, een ritueel, of zo.'

Verder dan dit gaat ze niet. Het aanroeren van de masturbatiescène en het walgelijke vervolg ervan kan alleen maar averechts op het gemoed van haar man werken.

'Morgenochtend ben ik bij je, Grace,' zegt Silva kalm. 'Over twee uur vertrekt mijn vliegtuig.'

Na deze woorden, waarvan ze het hele gesprek heeft geweten dat ze zouden vallen, verzamelt ze alle kracht en moed die er voor nodig is om de komende zinnen overtuigend uit te spreken.

'Nee, Alfonso. Hoe graag wij ook willen dat je weer thuiskomt, toch vraag ik je om daar te blijven en je werk te doen.'

'Ben je niet goed snik, of zo,' valt Silva meer verbaasd dan kwaad uit. 'Mijn gezin wordt overvallen door een krankzinnige terrorist die voor hun ogen zelfmoord pleegt, en jij vertelt me doodleuk dat ik niet naar huis moet komen?!' De telefoon in zijn hand breekt bijna door-midden, terwijl zijn ogen vlammen. Voordat hij verder kan gaan, gaat Grace verder.

'Of ik niet goed snik ben doet nu niet ter zake, maar dat jij daar moet blijven staat wat mij betreft niet ter discussie.'

'Grace, luister nou eens..'

'Nee, Alfonso. Ik wil dat Jij naar Mij luistert.' Hoewel de woorden moeiteloos lijken te komen, is iedere zin een marteling voor haar.

'Toen ze je vroegen om bij "Nueve" terug te keren, was het evalue-ren van jouw eigen functie één van de eerste dingen die je deed. In feite hief je per direct de bureaufunctie die el jefe bekleedde, voor het overgrote deel op. "In plaats van op zijn luie reet te zitten, hoort de baas van het spul tussen zijn mensen in het veld te zijn", hoor ik je nog zeggen.'

Ze wacht eventjes op een reactie, die niet komt.

'Wat hier is gebeurd, daar kun jij niets meer aan veranderen. Antonio heeft wat jongens gestuurd die het complex in de gaten hou-den. Voorlopig is dit dus de veiligste plek op aarde.' Haar linkerhand reikt naar het glas op het nachtkastje. Snel neemt ze twee slokken appelsap.

'Jij zit daar midden in de actie, of je vermoedt dat je er middenin komt, anders was je allang thuis geweest. Of heb ik het soms mis?' Ze weet dat ze zich hiermee op glad ijs bevindt, maar wat moet, dat moet.

'Schat, je weet…'

'Ja, dat weet ik. En ik heb je ook nooit eerder iets over bepaalde werk-zaamheden gevraagd. Daar hebben we duidelijke afspraken over gemaakt. Maar nu maak ik een uitzondering.

Vertel het me alsjeblieft, Alfonso, hoe dicht zitten jullie ze op de hie-len?'

'Morgenavond slaan ze weer toe,' antwoordt hij zonder enige terug-houdendheid. 'We weten voldoende.'

Om de emotie die haar lichaam in zijn greep heeft de baas te blijven, bijt Grace op haar linkerwijsvinger. Een traan drupt uit haar rechterooghoek. Niet van de pijn, maar van ontroering, liefde. Verder dan dit kan Alfonso niet gaan. De man die zich altijd aan de regels houdt, heeft zojuist de gouden regel geschonden. Omwille van zijn gezin, het dierbaarste dat hij bezit.

'Dankjewel lieve schat,' zegt ze hees. 'Dit betekent heel veel voor me.'

'Jij en Carmen zijn mijn wereld, Grace. De rest is pure bijzaak.'

'Pak ze dan, Alfonso. Grijp dat tuig dat ons gezin is binnengedrongen.'

Silva slaakt een lichte zucht. Hij twijfelt, een gemoedstoestand waarmee hij weinig ervaring heeft. De vingers van zijn linkerhand masseren de stoppels op zijn linkerwang. Een scheerbeurt zou geen overbodige luxe zijn, schiet het door hem heen. Hij wijt deze gedachtegang maar aan verwarring. Hij is nu even zichzelf niet.

'Ben je daar echt zeker van?' Een overbodige vraag, maar hij probeert het gewoon.

'Zo zeker als het feit dat jij overmorgen weer bij ons bent,' antwoordt ze. Waar ze de kracht vandaan haalt is haar een raadsel. Het moeten de bekende reserves zijn waarover ieder mens beschikt. Wanneer deze zullen zijn uitgeput is onbekend, maar ze vreest dat het niet lang meer kan duren.

'Morgen pakken we dat schorem op. Ik handel daarna de hoofdzaken af en stap dan meteen daarna op het vliegtuig.' Hij sluit zijn ogen en denkt aan zijn gezin en de gevolgen van zijn woorden. Minimaal één dag extra zonder hen.

'Overmorgen ben ik thuis, liever. Dan neem ik meteen een paar dagen vrij.'

Zonder dat ze er iets aan kan doen, stromen de tranen over haar wangen. Doordat de reserves zijn opgebruikt, vloeit de bron hevig.

'Wij zijn hier en alles is in orde, maak je daar geen zorgen om,' weet ze nog uit te brengen.

'Doe het voor ons gezin en voor al die onschuldige mensen die anders het slachtoffer worden.'

125

Ze snottert, maar heeft de tegenwoordigheid van geest om haar linkerhand op de telefoon te leggen, zodat Silva niets in de gaten heeft.

'Je klinkt doodop, ga alsjeblieft slapen,' hoort ze hem bezorgd zeggen.

'Ik ben kapot,' antwoordt ze tussen het neusophalen door.

'Welterusten, snoesje. Ik bel morgen weer. Geef mijn kleine meid een kus van me.'

'Dat zal ik doen, tot morgen, schat. Ik hou van je.'

'En ik van jou.'

De zoemtoon is zowel een verademing als een straf voor haar. Ze heeft haar man gevraagd langer weg te blijven, terwijl ze niets anders wilde en wil dan hem zo snel mogelijk te omarmen. Ze laat haar tranen de vrije loop. Met haar rechterhand streelt ze voorzichtig door de haren van Carmen, die vast slaapt.

'Mijn god, liefje. Wat heb je ervan begrepen en wat spookt er vanaf morgen door dat kleine koppie van je?' Ze buigt naar rechts een geeft haar dochter zachtjes een kus op haar wang. 'Van papa.'

De eerste minuten na het telefoongesprek kijkt Silva roerloos voor zich uit. Beelden die een echtgenoot en vader nooit, maar dan ook nooit wil zien, worden in detail voor hem afgedraaid. Bewust of onbewust heeft zijn geest de gesprekken gevisualiseerd.

Zijn rechtermondhoek trekt continue, terwijl de nagels van acht vingers de huid van zijn duimen openkrabben. Bij sommige scènes sluit hij beide ogen, zoals een kind dat tijdens enge stukjes van een film doet. Maar in zijn geval is er geen onderbreking; hij kan niet bepalen wat hij wel en vooral niet wil zien. Het is een film vol zelfverwijt, met maar één hoofdpersoon; hijzelf. Alfonso Silva, de man die zijn gezin niet kon beschermen.

Vijftien kwellende minuten later schudt hij voor de zoveelste maal verwijtend zijn hoofd. In tegenstelling tot vorige pogingen, beginnen de glasheldere beelden nu geleidelijk te vervagen en zuigt een grijze mist de afschuwelijke taferelen op.

Hij zal dit altijd met zich mee blijven dragen. De eerste tijd als een loden last, daarna als een terugkerende nachtmerrie. Weer een nachtmerrie, binnenkort grossier je erin, denkt hij zonder enige ironie of scepsis.

Het gevoel waarmee hij nu worstelt is tweeledig. Aan de ene kant had Grace het grootste gelijk van de wereld toen ze beweerde dat hij hier veel nuttiger werk kon doen dan thuis. Pure logica... pure waanzin. Het sloeg helemaal nergens op, terwijl ze volkomen gelijk had.

Toch had hij niet naar haar moeten luisteren. Hij had het vliegtuig moeten pakken, hij had... Ik had zoveel moeten doen, denkt hij mismoedig. Het enige dat Silva zichzelf op dit moment niet verwijt is de hongersnood in donker Afrika en het extreem hoge sterftecijfer onder de wolvenpopulatie in Siberië. Alle overige ellende is onomstotelijk zijn schuld.

Onaangekondigd verschijnen de drie hoofdrolspelers weer op zijn netvlies. Van twee ervan kent hij iedere centimeter van hun lichaam tot in detail. Iedere glimlach of gelaatsuitdrukking komt hem even vertrouwd voor als het kloppen van zijn eigen hart. Vertrouwder, wellicht.

Het gaat om de derde persoon; de schoft, het varken, het monster... het dode monster.

Als eerste heeft Antonio hem verteld wat er gebeurd is. Daarna Grace. Naar alle waarschijnlijkheid een Marokkaan, meldde zijn plaatsvervanger. Rond de veertig, vermoedelijk onder de drugs. Alle computers draaien al overuren. Binnen vier uur werd een profiel verwacht.

Ik moet een gezicht hebben, denkt Silva. Maar het computerscherm naast hem blijft echter leeg. Een tactische zet van Antonio. Tactisch, hoe kun je in vredesnaam in deze situatie zo'n woord bedenken, zak, verwijt hij zichzelf hartgrondig. En hij bijt zó hard op zijn kiezen dat het glazuur er bijna vanaf springt.

De techniek is er. De digitale foto's van de man kunnen in een handomdraai naar hem verzonden worden. Onsmakelijke plaatjes die Antonio hem nu nog wil besparen. Eerst een profiel, daarna volgt de rest. Silva vervloekt zijn plaatsvervanger, maar weet dat hij in zo'n specifieke situatie precies hetzelfde zou hebben gedaan.
'Bedankt, maat' zegt hij na een paar keer diep ademhalen.

'Ik sta bij je in het krijt.'

Zoals een professional betaamt draaide Antonio er niet omheen.

'Alfonso, ongeveer een uur geleden is er een man jullie appartement in Madrid binnengedrongen' hoort Silva zijn plaatsvervanger zeggen alsof deze naast hem in de kamer staat. 'Laat ik duidelijk stellen dat Grace en Carmen ongedeerd zijn.'

Een zin die de in een recordtempo opgebouwde spanning verminderde, de stijgende bloeddruk temperde, en de gierende adrenaline naar een aanvaardbaar niveau bracht.

De essentie kwam eerst, daarna de details. Helemaal volgens het boekje, dat hiervoor niet bestond en ook nooit zal bestaan.

'De man heeft zichzelf buiten het gezichtsveld van zowel Grace als Carmen bevredigd, waarna hij onder het prevelen van mogelijk godsdienstige teksten een doek met daarin zijn ejaculaat over Grace' lichaam uitsmeerde.'

Hij kent de zin inmiddels uit zijn hoofd. Opzettelijk verpakt in droog, ambtelijk taalgebruik. 'Nadat de man Grace had losgesneden, benam hij zichzelf het leven door middel van een schot door de slaap,' was er ook zo een. En hij is er Antonio dankbaar voor.

Hoe verschrikkelijk hij er nu ook aan toe is, ander woordgebruik had wellicht tot escalatie kunnen leiden. Waarschijnlijk niet, daar is hij eerlijk in, maar een mens kan in bepaalde situaties tot absurde dingen in staat zijn. Hijzelf was daar uiterst dichtbij. Gelukkig niet dicht genoeg.

Ieder woord dat Grace met hem wisselde moet een verzoeking voor haar geweest zijn, realiseert hij zich terdege. Aan je man vertellen dat je onder de ogen van je dochter seksueel misbruikt bent. Melden dat er van verkrachting geen sprake was. Lichamelijk dan.

Vreselijk.

Het is bewonderenswaardig hoe ze die hel heeft doorstaan. Om daarna nog zo dapper en weerbaar stelling te nemen. Zich weg te cijferen na wat ze heeft meegemaakt!

Nog een reden om af te reken met dat geteisem.

Hij moet hoesten. Ergens in de grijze mist worden de beelden continue afgespeeld. Een video zonder stopknop waarin telkens dezelfde band draait.

'Niet kijken' fluistert Silva. 'Hiermee doe je dat schorem een plezier, concentreer je.'

Beetje bij beetje schuiven zijn gedachten in de door hem gewenste richting.

Met deze actie hebben ze alle regels geschonden. De grenzen verlegd, eigenlijk opgeheven. Bewust, want het zijn beroeps, zonder enige vorm van ethiek. Het is een waarschuwing of een test, wellicht beide. Uitsluitend aan hem gericht. Afzender Khalid Mossaoui, dat is tenminste de meest voor de hand liggende naam.

Uiterlijk weer kalm, innerlijk aan de beterende hand, neemt hij de gebeurtenissen van de laatste dagen in chronologische volgorde door.

Hij bekijkt vanuit zoveel mogelijk gezichtspunten alles wat zich heeft afgespeeld. Af en toe bijt hij op zijn nagels of sist tussen zijn tanden. Verschillende dossiers dienen als naslagwerk, waar hij overigens nauwelijks gebruik van maakt.

'De gevangene is de lokvogel,' zegt hij anderhalf uur later op besliste toon. 'Opgeleid voor slechts één klus, geen crimineel verleden, daarom ontbreken er ook gegevens over hem.'

In het jargon heet dit een 'tikker'. Een menselijke bom wordt ergens geplaatst en op een vooraf gepland moment gaat deze 'af'. De explosie is informatie die op dat moment van vitaal belang lijkt, maar in feite de oppositie in een betere positie brengt. De grote misleiding. Hoewel hij erover gelezen heeft, is dit de eerste keer dat hij er daadwerkelijk mee geconfronteerd wordt.

De 'bom' heeft een loodzware training achter de rug. Het kost weken, soms maanden, om de 'bom' te prepareren. Het is een combinatie van hypnosetechnieken en keiharde fysieke en mentale training. Gegeven door ervaren instructeurs die het 'object' volledig indoctrineren. Langzaam maar zeker wordt er een denkbeeldige klok in het hoofd van de man of vrouw geplaatst. Vanaf het moment dat de klok geïnstalleerd is, wordt er aan de synchronisatie gewerkt. De fictieve klok mag slechts een fractie afwijken van de werkelijke tijdsaanduiding.

Wanneer aanvaardbare marges zijn bereikt, kan de 'tikker' ingezet worden.

Silva knikt bedachtzaam. Hij is chef van 'Nueve', het elite-onderdeel van de Spaanse geheime dienst. Hij hoort dit te weten en Mossaoui weet dat hij dit weet.

Het is goed opgezet, heel professioneel. Daarom klopt het niet. Die éne grote fout zou iemand van het kaliber Mossaoui nooit maken. Het is een instinker, een test. Geen enkele cel kent de opdracht van de andere. Onmogelijk. Daar komt bij dat de eerste twee aanslagen, de lijken voor de kust en de bom in het winkelcentrum, in feite voldoende waren om het verdrag van Cordoba tot een doodgeboren kindje te degraderen.

Het is een test, zelfs geen waarschuwing, weet hij nu bijna zeker. Een 'tikker' plaatsen vereist een gedegen voorbereiding, die schud je niet zomaar uit een mouw. Dus een onderdeel van het plan, met daarin verweven een amateuristische fout die hij wel moet opmerken.

Andersom denken nu. Het tevoorschijn getoverde konijn, het Yumbo center, is dus de lokvogel. De werkelijke aanslag – als die al komt, waarvan hijzelf overtuigd is – vindt ergens anders plaats. Een voor de hand liggende locatie waarmee veel negatieve publiciteit gegenereerd wordt.

De derde aanslag is onderdeel van het plan, anders zou de 'tikker' overbodig zijn. Het is een ingebouwde zekerheid, voor het geval één van de aanslagen faliekant mis zou lopen, of het verdrag minder snel op losse schroeven kwam te staan dan vooraf was aangenomen. Maar het is ook een absurde uitdaging waardoor Mossaoui twee vliegen in één klap slaat.

'Wat bereikt hij hier nou helemaal mee?' vraagt Silva zich af. De logica is hier zo ver te zoeken. 'Als ik erin trap en me op de Yumbo stort, zaaien zijn mensen op een andere plek dood en verderf. En dan ben ik overal het lachertje en is het afgelopen met mijn carrière. Maar vind ik de andere locatie en slaag ik erin de schade te beperken, dan win ik in dezelfde kringen veel respect.' Hij weet zeker dat de terroristen bij een directe confrontatie kansloos zijn. Dus offert die smeerlap deze mensen gewoon op, aangezien hij ervan uit gaat dat ik hen onderschep.

'Waarom is het zo belangrijk voor je dat ik win, stuk ellende?'zegt

130

hij op een uiterst rustige toon. Zijn speciale denktoon.

'Jij hebt jouw vooraf gestelde doel bereikt. De geldschieter is tevreden, de buit is binnen. Zowel voor hem als voor jou. Toch is het wat jou betreft niet genoeg, je denkt er nog meer uit te kunnen slepen. Maar wat, verdomme?!' Heel even klinkt er onmacht in zijn stem door.

Hij slaat beide handen voor zijn gezicht en begint uitgebreid in zijn ogen te wrijven. Ook zijn wangen en neusbeen krijgen een behandeling. Na korte tijd opent hij zijn ogen. Het licht van de straatlantaren prikt als eerste door zijn nevelige blikveld heen. Aansluitend draaien zijn ogen van het felle licht weg... en weer terug. De gladde kop van de politicus is in al die dagen nog geen centimeter van zijn plaats geweken. Verkiezingstijd. Voor de eerste maal sinds zijn terrasbezoek verschijnt er een dunne glimlach op Silva's gezicht.

Vannacht zal er met behulp van computers flink door zijn mensen gebrainstormd worden. Iedere plek die in aanmerking komt zullen ze onder de spreekwoordelijke loep nemen. Ook zonder zijn inmenging vinden ze de locatie, daarvan is hij zo goed als overtuigd.

'Prettig dat je een beetje na kunt denken en daarbij over scherpe ogen beschikt, Silva,' zegt hij half spottend, half opgelucht.

Hij strekt zijn benen en rekt zich uit. Ook een getraind lichaam heeft rust nodig, zeker na een dag die gekenmerkt werd door emotie en stress. Voordat hij opstaat om zijn mensen te instrueren en een paar uurtjes slaap te pakken, opent hij een la van het bureau.

De foto is twee jaar geleden gemaakt bij de ingang van een hotel in Casablanca. Tussen drie lijfwachten in staat Mossaoui. Zowel zijn maatpak, zijn schoenen als zijn zonnebril zijn zwart. De man is tenger gebouwd, op het fragiele af. Dit kan een enigszins vertekend beeld zijn, aangezien de man naast hem het postuur heeft van een fors uit de kluiten gewassen worstelaar die kampt met een ernstig overgewicht.

'Je weet wat ze van kleine mannetjes zeggen, Khalid Mossaoui,' fluistert hij dreigend. 'Maar dat geldt niet voor jou, klerelijer, want jíj bent geen mens.'

Hij legt de foto terug en loopt naar de deur.

'Je had nooit persoonlijk moeten worden, klootzak. Niemand komt aan mijn gezin.'

Tijdens deze woorden knikt hij bevestigend. Zijn tred is opvallend soepel en ontspannen voor iemand die onder hoge druk staat. Vlak voordat Silva bij de deur is, houdt hij even in.

'Daarom maak ik je dus af.'

8

Na zijn hardhandige aanvaring met de terrorist is de prettige routine uit zijn dagelijkse rondgang verdwenen. Hij heeft angst, een bepaald soort angst. Daarvoor hoeft hij niet met zichzelf in gesprek, met zijn vrouw in discussie of zich te wenden tot psychiatrische hulp; hij weet precies wat het is. Een vreemd fenomeen, aangezien het hem nooit eerder overkomen is.

Bang voor herhaling, daar komt het wel zo'n beetje op neer.

'Kutzooi,' zegt Ulm hardop, waarna hij de bierpul naar zijn mond brengt. Aan het tafeltje naast hem kijkt een echtpaar ontstemd op, maar is zo verstandig het hierbij te laten.

Ulm slikt een paar keer hevig, laat een bescheiden boer, kijkt naar de serveerster en wijst met zijn rechterwijsvinger naar de lege pul.

Op iets te luide toon zegt hij: 'Doe mij nog zo'n frisje, Helga,' en kijkt weer ontstemd voor zich uit. Twee etages onder hem vermaakt het vakantievolk zich opperbest. Een uitzicht waar hij altijd van genoot. Veel volk betekende veel geld. Zo simpel, maar oh zo waar.

De tijd van heerlijk rechtlijnig denken is echter voorbij. Tijdelijk, hoopt hij.

Na de explosie in de Kasbah is er iets veranderd in zijn denkwijze, zijn er kronkels opgetreden. Rare zijwegen die zijn geest voorheen weigerde te bewandelen.

'Alsjeblieft, Ernst,' hoort hij terwijl het bier voor zijn neus verschijnt.

'Dank je wel,' antwoordt Ulm. Uit de macht der gewoonte draait hij zich half om en geeft een knipoog. Een glimlach is zijn beloning.

'Je bent een geweldig wijf,' zegt hij welgemeend. Met haar enigszins plompe lijf, vervaarlijk deinende borsten, geblondeerde haar en eeuwige glimlach, kan Helga zo weggelopen zijn uit das Oktoberfest in München. Een gouden kracht.

Op het moment dat hij haar aannam, wist hij al dat de omzet van Bierstube Hannover zou gaan stijgen. Geheel volgens zijn verwachting liepen de mensen weg met de vriendelijke serveerster die symbool stond voor Süddeutsche Gemütlichkeit.

Elf uur, verteld zijn gouden Rolex hem. Het is druk op de begane grond van het winkelcentrum dat in een vierkant gebouwd is. Het grootste van het zuiden. Drie etages hoog, met op de begane grond een gigantische binnenplaats waar allerlei activiteiten plaatsvinden. Portretschilders, kermisattracties, ijskraampjes en een verzameling moderne marktkooplui die zich niet onder één noemer laten vangen.

Rond een uur of tien begint het druk te worden, weet hij uit ervaring. De mensen hebben gegeten en lummelen tot middernacht een beetje rond. Het merendeel daarvan pikt daarna nog een terrasje.

Om een uur of half twee scheidt het kaf zich van het koren. Toeristen met kinderen keren huiswaarts, terwijl de jongeren en stelletjes zich in het nachtleven storten.

Dit nachtgebeuren spookte hem gedurende de achttien maanden die hij min of meer gedwongen in Paraguay verbleef, regelmatig door zijn hoofd. Althans, een specifiek gedeelte ervan.

De gayscene op Gran Canaria was qua omvang gigantisch te noemen. Een groot gedeelte concentreerde zich 's nachts in de clubs die op de begane grond van de Yumbo waren gelokaliseerd. Tenten die tot het ochtendgloren afgeladen zaten met klanten die het geld zwaar lieten rollen. Niet dat hij binnen was wezen kijken, maar vanaf het terras waar hij toen zat, en dat een geweldig uitzicht op vele ingangen van clubs had, en door gesprekken met deze en gene kwam hij daar spoedig achter.

Nadat het bedaarde leven in Paraguay hem de strot uit kwam, besloot hij niet terug te keren naar Frankfurt, maar zich te vestigen op Gran Canaria.

Zijn criminele levenswijze had hem geen windeieren gelegd. De prijs die een homopaar dat in een soort echtscheiding lag voor hun tent vroeg, kon hij dan ook vlot ophoesten.

Op bedrijfsleider Manolo na, ontsloeg hij de rest van het personeel. Ook de naam van de club onderging een drastische wijziging. Het Berenhol werd veranderd in Sissi.

Manolo kreeg van hem de ruimte een nieuw team rond zich te bouwen. Zakelijk gezien leek dit hem het beste, aangezien de ervaren bedrijfsleider altijd in de schaduw van de meewerkende eigenaars had geopereerd. Nu was Manolo de oppernicht om wie alles draaide, omdat hijzelf alleen maar af en toe zijn gezicht liet zien.

De midden-veertiger, die wat uiterlijk betrof door kon gaan voor een begin-dertiger, stortte zich met verve op de nieuwe uitdaging. Zijn geestdrift sloeg over op het onervaren personeel, waarna de toch al goedlopende zaak uitgroeide tot een regelrechte kaskraker. Het geld dat werkelijk binnenstroomde, investeerde hij na verloop van tijd in Bierstube Hannover, een grappig café met terras waaruit hij wekelijks een aardig bedrag trok.

Hij kijkt nog eens rond. Hoewel er behoorlijk wat volk loopt, is het beduidend rustiger dan normaal. Als je bedenkt wat er zich op spuug-afstand van hier een paar dagen geleden heeft afgespeeld, is het eigen-lijk krankzinnig dat er überhaupt volk loopt, denkt hij vol ongeloof.

De bomaanslag heeft veel bij hem losgemaakt. Dingen waar hij vroe-ger nooit over dacht, of gewoonweg niet over wilde nadenken. Het gevaar, dat hij vroeger als vanzelfsprekend beschouwde, heeft nu vat op hem gekregen.

Net na het bloedige voorval was hij nog te veel bezig met het mis-lukken van zijn missie. Maar eenmaal thuis zag hij zowel de waanzin van zijn optreden als van zijn denkwijze in. Dit kwam mede door de ontredderde toestand waarin Ingrid zich bevond.

Allereerst had ze behoefte aan rust, meldde de dokter die hij direct bij thuiskomst had laten opdraven. Eerst bijkomen van de verschrik-kingen waaraan ze was blootgesteld, daarna professionele hulp wan-neer er zich psychische klachten zouden openbaren. Maar de manier waarop hij dit zei gaf eigenlijk al aan dat hij ervan uitging dat dit het geval zou zijn.

Soms vergezelde ze hem, maar voorlopig kan daar geen sprake van zijn, want daarvoor is ze nog te onstabiel.

Voor de grote explosie leek alles nog zo duidelijk, zo gestructureerd, zo... simpel. Vanwege de eeuwige zon bleven de mensen toch wel komen. Recessie of geen recessie, de vliegtuigen zaten vol. Ze gaven wat minder uit, oké, maar dat zou in de toekomst wel weer aantrek-ken.

Kwam bij dat hij in de potenhandel zat, een bedrijfstak die zich door geen oorlog, recessie of crisis, liet tegenhouden. Homofielen hebben geld en zullen altijd geld blijven houden. Een ongeschreven wet waar hij prima mee kan leven.

Zo op het eerste gezicht lijken zowel zijn sociale leven als het financiële gedeelte erachter op solide pijlers te staan. Een enorme denkfout, weet hij nu.

De liefde voor Ingrid zit dieper dan hij zich ooit voor heeft kunnen stellen. Zij is zijn derde vrouw, een meid met pit die uitstekend voor zichzelf kan zorgen. Of moet ik zeggen 'kon' zorgen, vraagt hij zichzelf voor de zoveelste maal af. Waarschijnlijk is hij te negatief, misschien wel overgevoelig, maar dat komt door de gemoedsrust die hem al dagenlang in een wurggreep heeft.

Hij is zichzelf niet, verre van dat. Hij worstelt met gevoelens waarmee hij nooit eerder is geconfronteerd. Een soort ongrijpbare tegenstander. En dat is een zware kluif voor iemand die zo fysiek is ingesteld.

Hij heeft spijt dat hij niet heeft ingegrepen toen jaren geleden zijn kroegvrienden zijn nieuwe bruid omdoopten tot 'de nieuwe mevrouw Ernst'. Hij verwijt het zichzelf dat hij in de afgelopen tijd te weinig naar haar heeft geluisterd. Dat wat hem betrof een goed gesprek alleen maar een opstapje voor prima seks betekende. Hij dacht altijd vanuit zichzelf en nam beslissingen zonder Ingrid daar in te betrekken. Achteraf, ja, met mooie smoesjes en vaak een arsenaal aan leugens. Zogenaamd 'voor haar eigen bestwil'.

Vanuit de mensenmassa onder hem stijgt een schel gelach op. Een groep dronken lellebellen heeft lol om iets waar alleen zij de humor van inzien. Rondom hen kiezen een stel aangeschoten blagen positie, voor hen een uitgelezen mogelijkheid een prooi voor de komende nacht te bemachtigen.

In het kielzog van de gezinnen met kinderen slenteren echtparen op leeftijd langs de uitgestalde waren, en af en toe een homopaar, meestal hand in hand. Handel, denkt hij. Mensenhandel. Geld, het hoogste goed.

Het is een puinhoop in zijn kop, een wirwar van tegenstrijdige gedachten. De oude Ernst Ulm tegen een piepjonge versie die de wereld om hem heen met compleet andere ogen bekijkt.

Geld is jammer genoeg noodzaak, gelukkig geen hoofdzaak.

'Ik word stapelgek van mezelf,' fluistert hij. Zo'n radicale omslag als die nu in zijn hoofd plaatsvindt is natuurlijk gekkenwerk. Een metamorfose die nergens op slaat. Ineens deugt hij voor geen meter meer, is alles waar hij voor staat helemaal fout en heeft hij de sociale vaardigheden van een gedetineerde die zijn vrije tijd bij voorkeur in de isolatiecel doorbrengt.

'Het moet niet veel maffer worden, goddomme,' bromt hij zwaar ontstemd. Hij schudt heftig met zijn bokserskop.

Hij schrikt van de lichte aanraking van een hand op zijn schouder, waardoor er een merkwaardige rilling door zijn immense bovenlichaam trekt.

'Hé, Ernst, gaat het een beetje, jongen,' vraagt Helga op een toon waarin beginnende onrust doorklinkt. Ze kijkt hem met haar grote blauwe ogen bezorgd aan.

'Jawel... beetje gezeur... je kent het wel,' is zijn nietszeggende antwoord.

'Nou, niet echt, nee.'

'Ach... toch een beetje geschrokken van dat gedoe op de Kasbah.'

Helga knikt.

'Jij staat hier de godganse dag,' gaat Ulm verder. 'Let jij nou nog extra op verdachte types? Marokkanen en zo?'

Ze buigt wat naar voren, waardoor haar volle borsten zijn linkerschouder raken.

'Elke minuut van de dag, Ernst. En met mij de rest van het eiland. Iedereen is doods- en doodsbang dat het opnieuw gebeurt.'

Ze legt haar hand op zijn zo goed als kale hoofd en wrijft er een paar maal over. Zoals een moeder dat bij haar tienerzoon zou doen.

'Dank je, Helga, ik dacht echt even dat ik gek werd. Je bent een wereldwijf.'

'Ga naar huis, jochie. Het geld ligt morgen ook nog in de kluis. Je vrouw heeft je nu harder nodig.'

Achter haar rug roept iemand 'bitte?' Ze knijpt hem zachtjes in zijn nek, draait zich om en loopt met een stralend gezicht naar de nieuwe klanten toe.

Kanjer, denkt Ulm zonder bijbedoeling. Op zich al een verademing, en het tovert een voorzichtige glimlach op zijn gezicht. Maar twee seconden later is deze alweer verdwenen. Verantwoordelijk daarvoor is zijn hernieuwde aanblik op het toeristenvolk. De drukte is over. Nog vóór elf uur is het plein hooguit voor de helft bezet. In plaats van één lange rij, slenteren er nu groepjes langs de stalletjes. Op de terrasjes zijn de onbezette stoelen veruit in de meerderheid.

Het gros van wat er rondloopt, was hier al voor de aanslag. Wat daarna is geland, had al geboekt en kon op zo'n korte termijn nergens anders worden ondergebracht. Half Europa heeft het over de aanslagen en Gran Canaria is al min of meer uit de gratie. Als gevolg daarvan komen de last-minutereizen te vervallen, want er is geen hond die daar nog belangstelling voor heeft.

Het onmogelijke staat op het punt te gebeuren, weet hij zo goed als zeker. Hét toeristische bolwerk van Europa staat op het punt van instorten. Een scenario waar door niets of niemand ooit rekening mee is gehouden. Het klimaat is namelijk een bepalende factor waarmee het slecht manipuleren is. Gran Canaria heeft het beste klimaat ter wereld, zowel zomers als 's winters, zodat haar status onaantastbaar is. Daar klopt dus niets van!

Van andere ondernemers heeft hij wel eens gehoord dat ze hem na de septemberklap in New York behoorlijk hebben geknepen. Maar even snel als de paniek opkwam, verdween die ook weer en ging het leven op de oude vertouwde manier verder. Gezapig, overzichtelijk, financieel succesvol. Ooit hadden ze hier die klotehaaien, maar ook die beesten vertrokken uiteindelijk. Het toerisme was daarna gewoon weer als vanouds. Eind goed, al goed, en daar kwam bij dat de bliksem nooit twee keer op dezelfde plek insloeg.

Hij hoort het de mannen nog zeggen: 'Het enige dat ons echt kan nekken, is een exploderende bom in een vliegtuig boven Europa dat als bestemming een vakantie-eiland heeft.'

Het werd gezegd op een toon waaruit je kon opmaken dat dit toch nooit zou gebeuren.

Stomkoppen, net als hij, want hij was ervan overtuigd dat ze het bij het rechte eind hadden. Ach, wat betreft het vliegtuig klopte het ook wel...

Keurend gaan zijn ogen langs de voorbijgangers. Aan iedereen met een blanke huidskleur schiet zijn blik voorbij. Valt zijn oog echter op een getinte huidskleur, dan knijpt hij direct zijn ogen tot spleetjes om maar beter te kunnen observeren. Dit spelletje houdt hij een kwartier vol, waarna de vermoeidheid toeslaat.

Hij wrijft eens flink in zijn ogen. Vervolgens knippert hij een paar keer en giet zijn bier in één megaslok naar binnen.

Een halve minuut later staat Ulm op. Terwijl hij wegloopt, gaat er een lompe kushand in de richting van Helga. Een stralende glimlach is de beloning voor zijn zeldzaam hoffelijke gedrag.

In plaats van zijn gebruikelijke route die leidt naar de kluis van Sissi waar de omzet van afgelopen nacht op hem ligt te wachten, verlaat hij in een stevig tempo het winkelcentrum.

Maar zijn ogen blijven zoeken naar een afwijkende huidskleur, en de angst voor herhaling is daar de oorzaak van.

Doordat ook hij een tik heeft gehad, lijkt alles zo zwart-wit. Onzin, want de waarheid ligt zoals gewoonlijk in het midden. Hij heeft zich de laatste tijd als een klootzak gedragen. Nou, ja, de laatste tijd, zeg maar gerust de afgelopen jaren. Toch is het niet zo gortig geweest als zijn opspelende geweten het nu voorspiegelt, maar het is wel de hoogste tijd om aan zichzelf te gaan werken. En zeker waar het Ingrid betreft. Er is werk aan de winkel, daar is hij van doordrongen. Hij houdt van zijn vrouw en moet haar veel beter behandelen.

'Is die pleurisbom toch nog ergens goed voor geweest,' bromt hij sarcastisch voor zich uit.

Door de hoofdingang verlaat hij de Yumbo. Hij kijkt naar links, en precies op dat moment zwaait de deur van de moskee open, waarna een in een wit gewaad geklede jongeman naar buiten stapt.

Ulm wil wel verder lopen, maar kan niet. Zijn benen weigeren eenvoudigweg dienst. Hij staat doodstil, terwijl de spieren in zijn lichaam zich opladen voor een explosie van krachtsvertoon.

Lopen, doorlopen, verdomme! schreeuwt hij inwendig tegen zichzelf. Die vent doet helemaal niets!

De man wandelt op zijn dooie gemak naar een groepje Marokkanen dat op een muurtje met elkaar zit te praten.

Zie je nou wel, idioot, het zijn gewoon kerels die een beetje zitten te ouwehoeren nadat ze een dienst hebben bijgewoond!

Zonder dat ook maar iemand het kan horen, foetert hij zichzelf de hele weg naar zijn appartement uit.

Zo eens in de anderhalf uur trekt ze zich een paar minuten terug, weg van de alles. Heerlijke momenten van rust, helemaal voor haar alleen.

Het hok is in tweeën gedeeld. In de toiletruimte met daarin een spiegel en wasbak, kun je letterlijk net je kont keren. Het toilet zelf bevindt zich achter een gammele deur en voldoet aan de minimumeisen.

Nadat ze is binnengestapt, draait ze direct de deur achter zich op slot. Voor even is het haar domein. De sleutel verdwijnt weer in haar schort, om er pas uit te komen op het moment dat zijzelf bepaalt in plaats van een klant die driftig met de klink rammelt of oerwoudgeluiden produceert.

Ze heeft een vast ritueel waarvan ze nooit en te nimmer afwijkt. Het haar is als eerste aan de beurt. Soms voorzichtig, soms ruig – dat ligt aan haar stemming of hoe het die dag valt – gaan tien vingers door de lange blonde lokken. Vanavond is ze in een melancholieke, wat trieste stemming, dus doet ze het rustig en kalmpjes aan. Aansluitend schudt ze net zo lang met haar hoofd tot het gewenste resultaat is bereikt.

Uit haar schort haalt ze een lippenstift. Uiterst zorgvuldig werkt ze haar lippen bij. Tussendoor maakt ze een paar keer een zuinig mondje, een souvenir uit de tijd dat het stiften meer betekende dan alleen maar bijwerken.

Daarna begint het staren. Haar handelsmerk, de goedaardige glimlach, heeft het veld geruimd, en haar gezicht heeft nu een harde uitdrukking.

Ze kijkt zichzelf in haar blauwe ogen en laat haar fantasie de vrije loop. Meestal raakt ze daarbij in een soort trance. Hoewel zich volledig bewust van de omgeving waarin ze zich bevindt, zijn haar gedachten dan een paar jaar verder in de tijd. Het uitzicht is beter en haar eigen positie stukken comfortabeler. Ze heeft haar zinnen op het Caribische gebied gezet.

Na een foute start is Gran Canaria een tussenstation dat naar het einddoel moet leiden. Vijf jaar heeft ze ervoor uitgetrokken, daarna moet de grote oversteek gemaakt worden. Ze verdient hier goed, en met het geld dat ze in een vorig leven bij elkaar heeft weten te sprokkelen, moet het net aan kunnen. Zon, zee, en zélf bediend worden. Alleen rekening houden met zichzelf.

Terwijl haar blik over de goed gecamoufleerde gezichtsrimpels glijdt, begint ze aan Ernst te denken. Ruwe bolster, donkere pit. Een keiharde jongen die zijn hele volwassen leven in 'het milieu' heeft doorgebracht. Zonder dat zij beiden ooit met een woord over dit onderwerp gerept hebben, weet zij dit zeker. In zijn doen en laten wijkt Ernst weinig af van de mannen die zo'n belangrijke rol in haar leven hebben gespeeld. Het grote verschil is dat de brute Frankfurter nog leeft. Een opmerkelijke prestatie, wat die anderen schoften geen van allen is gelukt.

Onbewust verhardt de uitdrukking op haar gezicht.

Stuk voor stuk lopen ze er tegenaan, weet ze uit ervaring. Een kogel, ripdeal, messteek, coke, het maakt in feite weinig uit. Ze komen altijd wel iets dodelijks tegen waarop hun naam staat.

Ook Ernst komt aan de beurt, wat hem overkomt is op het eerste gezicht geen 'bedrijfsongeval'. Maar dat ziet ze fout. De manier waarop de kolos de terrorist aanpakte, zou bij niemand anders ook maar zijn opgekomen.

Op haar lippen verschijnt een spottende grijns.

Bernd. De eerste naam die bij haar opkomt. Een onvervalste schurk aan wiens geluk maar geen einde scheen te kunnen komen. Hij bezat drie nachtclubs en handelde volop in iedere drug die maar voorhanden was. Geld als water. Over geluk had hij ook niet te klagen. Wilde een concurrent hem koudmaken, dan droeg Bernd juist op díe dag een kogelvrij vest. Bij een steekpartij struikelde een onschuldige voorbijganger en ving het dodelijke staal voor hem op. Onder zijn auto vond men een bom, waarvan later bleek dat de ontsteking defect was. Kilometers lang had hij ermee rondgereden. 'Gouden Bernd' was zijn bijnaam, en niet in de laatste plaats vanwege zijn eeuwigdurende mazzel.

Maar op een grijze, doordeweekse ochtend werd Bernds enige zoon door een bus doodgereden. Het kind reed op zijn fiets naar school en lette niet goed op. De buschauffeur trof geen blaam, zoals dat zo mooi heet.

'Gouden Bernd', de niets en niemand ontziende hufter, veranderde binnen twee weken van de prins van de onderwereld in een mentaal wrak.

De buschauffeur werd ruim een maand na het ongeval met de jongen voor zijn huis overreden en overleed ter plekke. De dader werd nooit gevonden. Twee dagen later sprong 'Gouden Bernd' van het terras van zijn penthouse op de tiende etage. Hij was op slag dood.

Bizarre dingen, haar verleden is er mee omringd en verweven. Het geval van Bernd is maar een voorbeeld dat haar het eerste te binnen schiet. Eén specifiek stukje ellende uit een treurig leven.

Maar wel een vórig leven, denkt ze strijdlustig. Wat nu nog voor me ligt wordt grandioos. Haal ik alle geleden schade dubbel en dwars in.

Deze laatste gedachte is de geestelijke oppepper die ze nodig heeft om haar rol tot in de perfectie te spelen. De harde trek op haar gezicht maakt plaats voor de warme glimlach waar de klanten zo mee dwepen. Het is een verbeterde versie van de glimlach die talloze mannen een kleine twintig jaar lang het hoofd op hol heeft gebracht.

Voordat ze de sleutel in het slot steekt, werpt ze nog een laatste blik in de spiegel. Wat ze ziet bevalt haar. De vriendelijke en zedige Helga, in plaats van de geslepen Ursula die op de Reperbahn in Hamburg het grootste gedeelte van haar volwassen leven de hoer heeft gespeeld. De enige overeenkomst is de maskerade naar de buitenwereld toe. Een eigenschap die haar goed van pas komt.

'Kom op meid, aan de slag,' zegt ze met het elan van een overijverige baliemedewerkster. Als ze daarna de deur opent, nestelt een warme glimlach zich rond haar mondhoeken.

9

Om de paar minuten kijkt hij even door de geblindeerde ramen naar buiten. Dit is bedoeld als ontspanning, want gedetailleerde informatie over de locatie recht voor hen heeft hij binnen handbereik. Na een weidse blik op het Palacio de Congreso, het congrescentrum, tuurt hij weer naar de twee schermen voor hem. Het scherm ter hoogte van zijn linkerhand is onderverdeeld in zes vlakken. Vanaf evenzoveel draagbare camera's komen daarop de beelden vanuit de Yumbo binnen. Rechts van hem een identiek scherm waarop de informatie vanaf het congrescentrum wordt geprojecteerd.

De minibus waarin hij zich bevindt is gelijktijdig met het team ingevlogen, en volgepropt met de allermodernste communicatiemiddelen. Vanuit zijn draaistoel is het mogelijk de locatie vanuit meerdere invalshoeken te bekijken. Ook staat hij in direct contact met de mensen in het veld.

Half tien. Iedereen is al drie kwartier in positie. Vijf kwartier voordat de actie verwacht wordt paraat zijn, is een vaste regel bij Nueve. Dit om verrassingen als bijvoorbeeld exact één uur eerder dan aangekondigd toeslaan, te vermijden.

Een optie die Silva zich vandaag nauwelijks voor kan stellen, daarvoor is alles te duidelijk. Aan de andere kant blijft het hem een raadsel waarom deze aanslag uitgevoerd moet worden. Hij heeft wel zo zijn ideeën, maar daar blijft het dan ook bij. Niet alle puzzelstukjes komen vanavond op tafel, dat is een ding dat zeker is. De grote afrekening vindt heel ergens anders plaats. Om er achter te komen waar, moet eerst deze klus tot een goed einde gebracht worden.

'Nummer drie, tweehonderdzeventig,' zegt hij monotoon. In vakje nummer drie op het linkerbeeldscherm zwenkt het beeld naar links. Tijdens operaties van Nueve gelden er op het gebied van communicatie duidelijke regels. In het geval van een actief operationeel commandocentrum, antwoordt of spreekt een medewerker alleen wanneer zich een noodgeval aandient. De hele operatie wordt aangestuurd door één persoon die overzicht heeft over de gehele situatie. Wanneer de toestand daarom vraagt, kan er een tweede man ingezet worden, wat vanavond zal gebeuren, de teamleden zijn daar al van op de hoogte.

Enkele medewerkers zijn uitgerust met camera's die qua vormgeving ware kunststukjes zijn. Er zijn onschuldig ogende haarspelden, kettingen en riemen, die in werkelijkheid dezelfde capaciteit hebben als de modernste visuele opnameapparatuur.

Voor de operatie in de Yumbo is qua positionering gekozen voor het cirkelmodel. Tot honderdtachtig graden gaat de beweging van de aangesprokene met de klok mee naar rechts. Daarboven tegen de klok in naar links.

Er wordt hoofdzakelijk met cijfers in plaats van codenamen gewerkt. Dit om het simpel en strak te houden. Het centrale commando begint met het woord 'nummer' om de agenten een fractie van een seconde speling te geven. Daarna volgt het getal. Om veiligheidsredenen is er gekozen voor een open kanaal, dit wil zeggen dat de bevelen door iedere eenheid beluisterd kunnen worden. Het kanaal is vanzelfsprekend beveiligd, gescrambeld in crypto. Mocht een teamlid als eerste gevaar opmerken, dan kan hij het meteen aan de leiding, of wanneer sprake is van acute dreiging, aan zijn collega melden. Om verwarring te voorkomen, staan de agenten die werken in de Yumbo uitsluitend in contact met hun collega's aldaar. Van de operatie die parallel aan die van hen loopt, weten ze alleen dat die bestaat. Direct contact met collega's in en rond het congrescentrum is onmogelijk.

'Nummer vier, vijfenveertig,' commandeert Silva. Een handomdraai later volgt het uitzicht dat hij wilde. Torres en Romero staan op de bovenste verdieping van winkelcentrum Yumbo. Ze zijn gekleed als leernichten, een outfit waarover ze nou niet bepaald stonden te juichen, maar die ze als professionals accepteerden. In de baret van Torres zit een camera gemonteerd. Evenals alle andere teamleden zijn beide mannen uitgerust met vleeskleurige, draadloze oordopjes die voor een passant nauwelijks zichtbaar zijn. Ze dragen microfoons, 'spreeksleutels' in vaktermen, ter grootte van een speldenknop onder hun shirts.

'Nummer één, driehonderddertig, overzichtshot.' Agent Garcia voert zijn taak uit, waarna een weids beeld van de binnenkant van het immense winkelcentrum verschijnt.

'Nummer twee, zwenk rustig naar tweehonderdtien, daarna terug naar huidige positie.' Silva houdt nu twee schermen in de gaten; dat waarop Garcia voor een stabiel overzichtshot heeft gezorgd, en het vak waarin het beeld diezelfde omgeving afstroopt.

'Nummer twee, stop.' Zijn linkerwijsvinger drukt op een knop, waarmee het paneel voor hem bezaaid is. Aansluitend wordt het beeld stapsgewijs vergroot. Een volwassen man houdt lachend een water-pistool omhoog.

'Nummer twee, opdracht voltooien.'

Silva draait zijn hoofd een kwartslag en kijkt een fractie van een seconde Felippe Castro aan.

'Da's nog eens een proppenschieter, baas,' zegt deze met een afge-meten grijns. Als een soort alternatieve massage ploegen zijn enorme vingers door de kabels van zijn stierennek.

'Geen enkele actie tot dusver, die gasten konden wel eens stipt op tijd zijn,' meent hij.

Silva gromt bevestigend. Zijn ogen schieten van scherm naar scherm. Buiten zijn gezichtsveld doet Castro exact hetzelfde, weet hij. De bijna twee meter lange spierbundel is zijn stand-in. Gedurende deze opera-tie is het commandocentrum tevens het zenuwcentrum. Mocht hij getroffen worden door een hartaanval of een beroerte, dan neemt Castro direct zijn taak over. Tot tien minuten voor tien dient de kolos uitsluitend te observeren, daarna schuift hij aan als tweede teamleider, zeg maar een paar extra ogen.

'Nummer vijf, vijfenveertig.'

De loop die hij dacht te zien blijkt het uiteinde van een wandelstok te zijn.

'Nummer vijf, terug naar nul.'

De camera van team nummer zes, Herrero en Gomez, zendt gerust-stellende beelden van gezinnetjes met kinderen uit. Er is geen enkele reden om Herrero op te roepen.

In totaal twaalf man, onderverdeeld in zes teams. Twee op de bega-ne grond, en twee op zowel de eerste als op de tweede etage. De vier uitgangen worden bewaakt door in totaal acht man van het arrestatieteam van de guardia civil. Ruim voldoende, weet hij. Zeker voor een loos alarm. Toch mag hij die gok nooit nemen, een gegeven waar hij goed mee kan leven.

Naast Castro staat een portofoon, waarmee in geval van nood een bevel aan de kerels van de guardia kan worden gegeven. Zeer onwaarschijnlijk, hij durft er een flink bedrag onder te verwedden dat alle eenheden die in de Yumbo patrouilleren zelfs niet aan hun dienstwapen hoeven dénken.

Deze onuitgesproken woorden zouden maanden later nog door zijn hoofd spoken.

Zijn rechteroog focust zich op de beelden die er vanuit en rondom het congrescentrum binnenkomen. Vaste camera's, vanmorgen in alle vroegte door Cabrera en Dominguez bevestigd. Twee bij de achterkant, voor zover je daarvan kunt spreken aangezien het gebouw zo goed als rond is, één boven de ontvangstruimte, bar en hoofdingang. De laatste hangt recht boven het podium aan het plafond van de grote zaal. Het basisteam bestaat uit zestien man, waarbij hij zichzelf meerekent. Verder zijn er nog acht mannen in burger van de guardia civil en twintig leden van de policia local in uniform. Vijfhonderd meter vanaf de kust patrouilleert een kruiser van de guardia civil. De afstand van het strand van Meloneras tot aan het congrescentrum bedraagt driehonderd meter. Als ontsnappingsroute een mogelijkheid waar rekening mee moet worden gehouden.

In tegenstelling tot de mensen van de guardia civil, weten de agenten van niets. Dit laatste is misschien wat overdreven, omdat er tijdens dit soort evenementen altijd een verhoogde staat van paraatheid wordt afgekondigd.

De beelden die binnenkomen kunnen zijn goedkeuring wegdragen. Het merendeel van de gasten is al binnen. Geheel volgens de instructies wordt hun vriendelijk, maar met klem verzocht alvast plaats te nemen in de grote zaal waar het debat om stipt tien uur zal beginnen.

De vier politieke kopstukken zitten in een achterafzaaltje. Team nummer zeven, Quintana en Betancor, bewaken hen.

In de aankomsthal blijft het druk. Dit heeft hoofdzakelijk te maken met de bar die daar gesitueerd is. Nummer acht, Javier Ruiz, speelt er met verve de rol van barman, ziet Silva.

Het opgeblazen hoofd van de directeur van het congrescentrum wordt door een spiedend, mechanisch oog gevangen. De man is als enige van het leidinggevend personeel op de hoogte. Hij probeert zo nonchalant mogelijk over te komen, een pose waarmee hij tijdens een auditie voor een filmrol hoogstens tot conciërge zou schoppen. Eén brok zenuwen, vertelt de camera hem.

Niet meer dan logisch, denkt Silva, hij staat onder een gigantische druk.

Hij heeft de man vannacht van zijn bed laten lichten. Het daaropvolgende gesprek duurde een klein kwartier. Er werd hem verteld dat de Spaanse veiligheidsdienst de essentiële zaken rond het verkiezingsdebat over zou nemen. Wel of niet lijfelijk aanwezig zijn, was de enige keuze die hij de directeur liet. De rest stond al min of meer vast. Dat de man ervoor koos te blijven, pleit voor hem.

Lopez en Navarro namen de zenuwpees onder hun hoede om zowel de hoofdzaken als de details met hem door te nemen.

Silva kijkt naar buiten en ziet het in smoking geklede tweetal bij de hoofdingang een kwartet gasten verwelkomen. De glazen deuren gaan automatisch open en dicht. Onderwijl glimlachen de mannen uiterst vriendelijk tegen de bezoekers.

Portier, barman, ober, klusjesman, kok. Nueve schudt vanavond weer een scala aan beroepen uit de mouw. Eén van de redenen waarom hij de acteerlessen inroosterde. Het eerder vertoonde sceptische gedrag hierover verdween als sneeuw voor de zon toen bleek dat het in de praktijk vruchten afwierp.

Een medewerker van TV Canarias is flink in de weer met kabels die door een zijdeur het gebouw worden binnengebracht. Gestoken in een groen uniform van de technische dienst van het congrescentrum, helpt Eduardo Suárez hem een handje.

Voor de verandering is de aanwezigheid van de media eens een zegen, denkt Silva. De onontbeerlijke inklapbare schotelantenne die op het dak van de bus staat, valt in het niet bij de gevaarten die het merendeel van de stations gebruiken. Op de zijkant van de witte bus heeft hij in beschaafde, blauwe letters TLP laten zetten. Télevision Las Palmas, is het meest voor de hand liggend. De zoveelste uit een reeks lokale zenders die present zijn. Dat deze organisatie niet bestaat, is bijzaak. Iedereen is te veel met zichzelf bezig om aan dit soort details aandacht te schenken. Zeker in die hectische wereld.

Mede daarom is hij ervan overtuigd dat er aan de bestelwagen die naast de bus geparkeerd staat, geen aandacht wordt geschonken.

Eveneens wit, identieke belettering en geblindeerde ramen. Het laadgedeelte is echter geheel geprepareerd voor een scherpschutter. Onbeweeglijk ligt Antonio Goncha door het vizier van zijn geweer te kijken. Zoals veel sluipschutters van Bijzondere Bijstand Eenheden, heeft hij gekozen voor een Heckler & Koch PSG 1. Een betrouwbaar wapen waarmee tot op vierhonderd meter een tegenstander kan worden uitgeschakeld. In een dolle bui heeft Goncha zich wel eens laten ontvallen dat hij er 'vanaf honderd meter een mug mee kan ontmannen'.

Hij heeft de strikte opdracht alleen te vuren bij een 'clear shot'. Kiezen de terroristen voor een frontale aanval, waarvan ze in principe uitgaan, dan bevinden ze zich te allen tijden in kruisvuur.

'A1 in positie,' klinkt het duidelijk door de portofoon.

'Ontvangen,' bevestigd Castro.

De kruiser van de guardia civil (Aqua una) bevindt zich nu op twee mijl van de kust, en recht tegenover de kleine baai die in afstand het dichtst bij het congrescentrum ligt. Indien de aanval vanuit zee wordt ingezet, komt de agressor van een koude kermis thuis.

Kwart voor tien.

Alle beeldschermen voor hem zijn gevuld met mensen. Een drukte van belang, wat op hem overkomt als serene rust. Winkelend publiek, nerveuze mediamensen, opgetogen kinderen.

Laat de chaos uitblijven.

'Ha die Helga!' zegt Ulm opgetogen. Voordat hijzelf plaatsneemt, trekt hij een stoel naar achteren en maakt een gebiedende hoofdknik naar zijn vrouw. Terwijl ze langzaam door beide knieën gaat, schuift hij galant de stoel onder haar zitvlak.

'Dank je Ernst.'

'Graag gedaan, poppetje van me.'

Met een lach die iedere seconde aan kwaliteit wint, stapt Helga op hen af.

'Nee, maar, kijk eens wie we hier hebben?!' Ze pakt Ingrid voorzichtig bij haar schouder, waarna een spontane kus volgt. Aansluitend kijkt ze Ulm aan. Pretlichtjes dansen in haar ogen en op haar gezicht verschijnt een verbaasde uitdrukking.

'Hoe heb je dit nou weer voor elkaar gekregen, Ernst?'

Haast verlegen haalt de logge Duitser zijn schouders op. Rond zijn boxerslippen hangt een aartstevreden glimlach, waardoor zijn hoofd iets aandoenlijks krijgt.

'Hij is helemaal geweldig,' antwoordt Ingrid in zijn plaats. Ze houdt hierbij haar hoofd een beetje schuin, alsof ze nadenkt over een huwelijksaanzoek waarop ze het antwoord al weet.

Tot haar weerzin ziet Helga dat Ulm op zijn manier ook een lieftallige pose aanneemt.

Walgelijk, denkt ze, 'jullie zien er smoorverliefd uit,' zegt ze.

Ingrid knikt opgetogen, en haar oogverblindende gouden oorbellen bewegen mee.

'We hebben gisterenavond gepraat,' zegt ze op een toon die suggereert dat hiermee vergeleken een landing op Mars een kleinigheid is. 'Tot diep in de nacht.'

'Wat goed zeg,' is het eerste dat in Helga opkomt. In stilte smeekt ze om het gelal van een aangeschoten klant, waardoor zogenaamd de plicht roept.

Ulm neemt over. 'Toen ik hier gisteren vandaan ging, had ik het slecht. Liep met mijn ziel onder mijn arm. Klote... eh sorry, allemaal.'

Zijn linkerkolenschop reikt over de tafel en pakt Ingrids rechterhand die opeens erg fragiel oogt.

'Om een lang verhaal kort te maken; we hebben tot vijf uur in de ochtend met elkaar gepraat en zijn er perfect uit gekomen.' Zijn varkensogen glanzen van verliefdheid.

'Ik weet niet wat me overkomt,' zucht hij. 'Ik voel me zo goed, zo puur, zo schoon. Het lijkt wel alsof er een gezwel is opengesprongen waardoor alle troep uit mijn lijf is verdwenen.'

Met de grootst mogelijke moeite weet Helga haar gezicht in de plooi te houden, terwijl Ingrid ronduit in vervoering is geraakt van Ulm's romantische oprisping.

'Hij kan gevoelens soms zo mooi onder woorden brengen.'

Een luchtkus is de beloning voor de romanticus die huist in het lijf van een uitgerangeerde zwaargewicht.

'We beginnen met een schone lei,' gaat hij verder. 'Van elkaar genieten en respect tonen voor de mening van de ander.'

Helga kijkt nog eens goed of ze niet in de maling genomen wordt. De bloedserieuze trek op het gezicht van Ulm verteld haar echter dat dit geenszins het geval is.

'Vanavond beginnen we heel rustig met een lekker drankje en genieten we van het uitzicht, hè muisje?' Het aangesproken knaagdiertje geeft hem een knipoog, waarna er weer een kus door de lucht vliegt.

'Daarna gaan we nog een afzakkertje halen bij de jongens, dat vindt Ingrid zo leuk.'

Voor alles is een grens. Helga weet dat ze dit punt binnen enkele tellen gaat bereiken. Ze draait een kwartslag naar links om te reageren op een denkbeeldige hand die haar aandacht vraagt.

'Wat kan ik jullie brengen, tortelduifjes?' vraagt ze.

'Doe mij maar een rumcola, en voor mijn meisje…?'

Theatraal zweeft Ulms rechterhand over de tafel. Wat Helga betreft is deze gekunstelde beleefdheid het trieste dieptepunt van de hele vertoning.

'Een witte wijn, alsjeblieft. In goed overleg hebben we mijn medicijnen door de wc gespoeld, dus een paar glaasjes kunnen vanavond geen kwaad.'

'Komt eraan.' Helga draait zich om en loopt naar de klanten die zogenaamd wilden bestellen. 'De jongens', denkt ze spottend. Die maffe vleesklont zei echt 'de jongens'. Een paar dagen geleden waren het nog 'anaaltoeristen' of 'vuile flikkers'. Alleen in een zeldzaam goede bui wilde hij het wel eens afzwakken tot 'die homo's'. Tja, Ulm is compleet van de wereld, dat is toch wel de meest voor de hand liggende conclusie.

Bewust met haar rug naar het verliefde stel gedraaid, vraagt ze 'alles naar wens?' aan het bejaarde echtpaar dat zichtbaar van hun bier geniet. Het bevestigende antwoord neemt ze voor kennisgeving aan. Na een vriendelijke knik loopt ze naar de bar om direct aan de bestelling te beginnen. Snel en vakkundig verschijnen de gevulde glazen op het dienblad.

Voorzien van een nieuwe dosis incasseringsvermogen loopt ze op het innig verliefde koppel af. Daar aangekomen schieten alle haartjes op haar armen zo plotsklaps overeind, dat ze het dienblad bijna laat vallen.

Ulm staart naar de mensenmassa onder hem. Zijn gezicht is asgrauw, een grote ader bij zijn rechterslaap klopt als een bezetene. Hij knarst hoorbaar met zijn tanden en beide handen zijn gebald tot aanzienlijke vuisten die op het punt staan sloopwerkzaamheden te verrichten.

Het bezorgd uitgesproken 'Ernst.... Ernst, lieverd, wat is er aan de hand?!' leidt tot geen enkele reactie. Waar Ulm zo zwaar gebiologeerd naar kijkt, is beide vrouwen een raadsel.

'Hé Ernst,' probeert Helga voorzichtig. Ze is niet makkelijk van haar stuk te brengen, maar de wijze waarop Ulm zich nu gedraagt boezemt haar wel degelijk vrees in.

'He...'

De rechtervuist van Ernst Ulm komt traag omhoog. In dit gebaar huist zoveel dreiging dat Helga serieus overweegt een paar stappen afstand te nemen.

'Heel goed luisteren, niet tegenspreken,' zegt Ulm akelig kalm. Zijn stemgebruik is volkomen vlak. Terwijl hij spreekt, blijft zijn blik op de mensenmassa gericht.

'Als ik het teken geef, loopt Helga naar de schuifpui, sluit de boel en komt terug. Geen extra handelingen, kan binnen een halve minuut voor elkaar zijn. Daarna verlaten jullie samen het winkelcentrum. Jullie kijken niet op of om, praten met niemand en gaan rechtstreeks naar ons appartement. Daar wachten totdat ik thuis ben.'

Eerder verbaasd dan geschrokken opent Ingrid haar mond. Nog voordat ze iets kan zeggen, gaat Ulm verder.

'Doe precies wat ik zeg, straks leg ik alles uit.'

Zijn hand maakt een gebaar dat Helga terecht als een teken opvat. Ze draait zich direct om en loopt naar de schuifpui.

'Dames en heren,' zegt Ulm met luide stem,'wegens omstandigheden gaan wij nu sluiten. De genoten consumpties zijn van het huis. U mag gerust blijven zitten.'

Gedurende deze ultrakorte speech heeft hij zijn toehoorders niet aangekeken. Wat er zich beneden afspeelt heeft zijn absolute aandacht. Uitgezonderd Ingrid en Helga, zijn de mensen op het terras voor hem gelijk aan de lucht waartegen hij zojuist sprak.

'Klaar Ernst,' zegt Helga en op haar wangen zijn blosjes zichtbaar, zowel van spanning als van inspanning aan. Ulm trekt Ingrid naar zich toe en geeft haar een vluchtige kus op haar rechterwang.

'Ik hou van je, ga nu.' Aansluitend duwt hij haar van zich af.

'Ernst, oh…'

'Nu!!!'

Helga pakt haar arm. 'Kom op meid, laten we nou maar gaan.'

Hoewel ze wat tegenstribbelt, volgt Ingrid toch. Er dreigt groot gevaar. De lichaamstaal van haar man laat wat dat betreft niets aan duidelijkheid te wensen over. Na een tiental snelle stappen kijkt ze vluchtig om. Naast het tafeltje waaraan ze zojuist nog zo gezellig zaten te praten, staan nu twee onbezette stoelen. Ze haalt diep adem om de opkomende paniekaanval te pareren.

Ongebruikelijk, spannend, maar lovenswaardig. Dit is de eerste keer dat hij op zee, bij wijze van spreken, de verf van een kruiser van de guardia civil eraf kon krabben. Hoewel een groot deel van Spaanse bevolking weinig sympathie voor deze dienst opbrengt, kunnen ze bij Price niet meer stuk. In zijn ogen heeft men van die afschuwelijke gebeurtenissen geleerd. Proberen het ook daadwerkelijk te bestrijden, voorkomen wellicht.

Nadat Dirck den Vlieger over de marifoon gevraagd was zich bekend te maken, lagen ze hooguit twee minuten later strak naast de rubberboot. Het gedempte licht dat er werd gevoerd, was een verademing vergeleken bij de felle schijnwerpers die hen bij het aanvaren vol in the picture zetten.

De agenten behandelden hen gereserveerd vriendelijk, wat te maken kon hebben met het feit dat ze de duikers van gezicht kenden. Ook leden van de guardia civil brengen in hun vrije tijd een bezoek aan de kroeg, of de onderwaterwereld. Toch namen ze na het eerste contact de informatie niet ter kennisgeving aan, maar kwamen het daadwerkelijk checken. Heel verstandig, denkt Price.

Hij zet zijn masker op, stopt de ademautomaat in zijn mond en rolt achterover het water in. Vlak voordat de fles op zijn rug de golven raakt, weet Price dat hij zichzelf flink in de maling heeft genomen en flitst de waarheid door hem heen.

Je bent je kapot geschrokken van die patrouilleboot; het roemen van de guardia doe je alleen maar om een goed gevoel te kweken. Je bent bang, je bent een instructeur die bang is om zijn vak uit te oefenen. Je bent...

Een zwarte deken omsluit hem. Een koele omhelzing die gepaard gaat met twee diepe ademteugen die naar aankomende hyperventilatie neigen. Rustig! dwingt hij zichzelf. Kalm aan, het gaat zo heus beter.

Helemaal tegen zijn gewoonte in pakt Price de ankerlijn. De complete duisternis rondom hem is een reusachtige tegenstander waartegen het miezerige licht in zijn linkerhand volslagen kansloos is. Hou op, verdorie. Je stelt je aan als een kleuter!

Zo beheerst mogelijk snijdt het lamplicht door het pikzwarte water. Tot zijn opluchting is er nergens een oneffenheid te bekennen. Price laat de lijn tussen zijn vingers iets vieren, waardoor hij gestaag zakt.

Twee meter. De plons boven hem komt precies volgens planning, maar gevoelsmatig veel te vroeg. Ironisch genoeg, is de tweede lichtbundel als een tegenstander die hem dwingt af te dalen.

Zonder hem hierin te betrekken, heeft de groep besloten vanavond een nachtduik te maken. Een uitdaging die hij wel moet aannemen. Laat hij het nu afweten, dan verspeelt hij veel krediet. Dit heeft niets te maken met de liefde van zijn vrouw of de vriendschap van Carmelo. Dat staat hier volledig buiten.

Toch heeft vriendschap er wel degelijk mee te maken, denkt hij terwijl zijn vingers de lijn stevig omklemmen. Ook de liefde van zijn vrouw, alleen op een andere manier.

'Jezus Christus, man, kappen nou!' schreeuwt hij door de ademautomaat.

'Dalen!'

Iedere wilskracht om in de duisternis af te dalen ontbreekt, toch laten zijn vingers los.

Zes meter.

Tijdens de afdaling staat hij rechtop in het water en draait constant om zijn lengteas. Niets. Zelfs geen verdwaalde brasem of trompetvis laat zich voor even door zijn lichtbundel vangen.

Tien meter.

Vier lichten boven hem, waarvan de verst verwijderde van Hamann is, die zich nog op twee meter diepte bevind. Soortgelijke duik, dezelfde deelnemers, eensluidende tactiek. Alleen de klanten ontbreken. Na deze laatste zin kan hij zichzelf wel voor zijn kop slaan. Het woord 'alleen' zou impliceren dat hem nog een enorme hoeveelheid ellende te wachten staat.

De vier boven hem reageren direct op zijn 'alles oké'-teken. De cirkels zijn akelig rond, wat erop duidt dat ze worden getrokken door duikers die zich helemaal op hun gemak voelen, maakt hij zichzelf wijs.

Met bevende handen daalt hij verder.

'Ik moet naar het toilet, Helga,' zegt Ingrid op verontschuldigende toon.

'Oh nee, hè!' klinkt het geïrriteerd. 'Kun je het niet even ophouden?!'

Een hulpeloze blik versterkt het ontkennende antwoord.

'Kan ik het helpen dat mijn blaas zo heftig op stress reageert? Ik sta echt op knappen!'

'Oké, oké, de openbare toiletten zijn hier om de hoek,' meldt Helga enigszins verzoenend.

'Maar wel opschieten hoor, Ernst was duidelijk genoeg.'

Ingrid knikt.

'Ik ben zo klaar, daarna gaan we.'

* * *

Tien voor tien. Zijn hersens spelen het volledige draaiboek van 'Operatie Tomaat' versneld af.

Vanwege deze naam speelt er een minuscule lach om zijn lippen. Aangezien tomaten nog steeds het grootste exportproduct van Gran Canaria zijn, is hiervoor gekozen. Puur een administratieve aangelegenheid, omdat het ministerie van Binnenlandse Zaken wil weten waar de tientallen miljoenen die Nueve op jaarbasis kost aan gespendeerd worden. Tenminste, het grootste gedeelte ervan. Sommige bedragen vallen onder de 'tien-procentregel' en kunnen niet direct getraceerd worden. Professionele tipgevers slokken daarvan het hoofdbestand op.

Met zijn middelvinger drukt hij het middelste knopje van de drie verbindingslijnen in. De linker is gereserveerd voor de eenheden in de Yumbo, de rechter brengt hem in contact met de mannen in en rond het congrescentrum. De middelste knop opent beide lijnen zodat ieder lid van Nueve hem kan horen.

'Aan alle eenheden; code groen, tweede man sluit aan. Ik herhaal; code groen, tweede man sluit aan.'

Castro schuift links van hem aan en zet een koptelefoon op. Officieel mag hij vanaf dit moment zelfstandig bevelen geven of ingrijpen als de situatie erom vraagt. In de praktijk loopt hij aan de leiband van Silva mee en spreekt alleen als daar nadrukkelijk door zijn baas om gevraagd wordt.

Bij Nueve kent men drie kleurencodes. Code groen is de standbymodule, code oranje de gevechtsmodule. De laatste in deze rij, code rood, is onder leiding van Alfonso Silva nog nooit van kracht geweest. Een prachtige staat van dienst waarin vooral geen verandering moet komen, denkt Castro. Hij kijkt even opzij naar zijn chef, die zo op het oog stoïcijns de beelden tot zich laat komen.

Drieëntwintig meter.

Zijn ademhalingsritme is het beste te definiëren als 'vlot', zo realistisch kan hij nog wel denken. Niet goed, maar gezien de omstandigheden verre van slecht.

Ga zo door, probeer het iets naar beneden te krijgen, moedigt Price zichzelf aan. In zijn lichtbundel is het een drukte van belang. Het onderwaterleven trekt zich niets aan van zijn beslommeringen, en is over gegaan tot de orde van de avond en nacht. Het wrak blijft daarvoor een ideale verzamelplaats.

Veel klein spul, denkt Price. Een zucht van verlichting blijft uit. Daarvoor zitten de krabben nog te vers in zijn geheugen. En de murene en de...

'Nee, niet doen!'

Hij zwenkt met zijn linkerarm in de richting van de plek waar de nachtduiken hun apotheose moeten beleven.

Oh, mijn god nog aan toe.

Claudia is hem al tot een armlengte genaderd. De rest volgt gestaag, in zijn visie echter veel te snel. De afdaling naar het wrak is een tussenstation, een plekje op de bodem het einddoel. Hier wat rondlummelen staat gelijk aan ernstig kleur bekennen. Een afgang die hem nooit aangerekend zal worden, dat is zeker. Althans, niet openlijk, maar in hun blik zal altijd iets ondefinieerbaars te zien zijn, maakt hij zichzelf wijs.

Door, Matthew, door jongen. Nu of nooit. Ontmoet je duivels.

Hij zet aan en glijdt soepel naar de plek waarvan hij heeft gezworen er nooit meer terug te keren. Vlak onder hem beweegt het zand, waardoor zijn adem stokt. Geschrokken door onbekende trillingen, schiet een kleine rog onder hem vandaan. Kleine opwaaiende pluimen veranderen de bodem in een minislagveld waar onzichtbare granaten inslaan. Wapperend met zijn vleugels ontwikkeld het dier een forse snelheid en is binnen een mum van tijd buiten zijn gezichtsveld.

Door zichzelf te dwingen langzaam uit te blazen, kan Price zijn ademhaling regulariseren.

Hij draait zich een kwartslag om. De pittoreske zandstorm is alweer uitgeraasd en zo te zien heeft niemand er last van ondervonden.

De cirkel die zijn hand draait is opvallend rond, hetgeen in mindere mate geldt voor minstens twee van zijn metgezellen. Carmelo en Den Vlieger zijn zich dus ook het leplazarus geschrokken, concludeert hij niet geheel zonder leedvermaak. Dat Claudia opnieuw laat zien voor geen enkele vent onder te doen, vervult hem met een vreemdsoortige trots.

Hij draait zich in de traditionele positie; zo recht mogelijk horizontaal, snelheid maken vanuit de enkels in plaats van de knieën. Hij houdt beide armen half gestrekt voor zich om zo dicht mogelijk tot de ideale aërodynamische houding te raken. Een teller in zijn hoofd loopt mee. Bij het getal nul stopt hij, ontlucht zijn vest en neemt op de bodem plaats.

Terwijl zijn lamp recht vooruit wijst, kijkt Price naar rechts. Claudia en Carmelo hebben al plaatsgenomen, Den Vlieger en Hamann staan op het punt dit te doen.

Price schudt licht met zijn hoofd. Dit is krankzinnig, pure waanzin. Vier beroepsmensen trekken het bangste jochie van de klas naar beneden om hem over zijn angst heen te helpen. Daar zitten ze dan, mijn vrouw en mijn vrienden. In het donker te koekeloeren naar niets. Tenminste, diep in hun hart hopen ze daarop. Hoe ironisch het ook mag klinken, iedereen is op zoek naar iets wat ze liever nooit willen vinden.

Alsof het afgesproken werk betreft, worden hem vier strakke cirkels toegezonden. Hij antwoordt direct positief. De cirkel is opnieuw overtuigend en de lamp voelt stukken minder zwaar aan dan gedurende de afdaling.

De eerste twijfel besluipt hem. Was het dan toch geen slecht idee om de confrontatie aan te gaan? Was die paniekaanval in Arinaga wellicht éénmalig, een verlate reactie op die helse duik? Kan de plotselinge burnout bestreden worden met een cleane duik die 'out of the blue' komt?

Vragen die hij zichzelf de laatste vierentwintig uur herhaaldelijk heeft gesteld. Aan de oppervlakte waren het hooguit onzinnigheden waarop een enkel 'nee' volstond. Hier en nu vindt er een omwenteling in zijn gedachtegang plaats.

Vijf lichtbundels stropen de diepte af. De vier naast hem volgen de stralen ook daadwerkelijk. Ze bootsen tot in detail een nachtduik na.

Allemaal voor jou, Matthew. Claudia en drie vrienden hebben een missie op touw gezet om jou uit het geestelijke moeras te trekken. Op Carmelo na hebben ze er vandaag minimaal twee duiken opzitten. Toch gingen ze zonder morren weer naar beneden. Zonder morren? Wat lul je nou, man. Met lachende gezichten, verdraaid nog aan toe! Allemaal voor jou, Matthew.

Een gevoel van dankbaarheid stroomt door zijn lichaam en laat een prettige rilling achter die in zijn onderrug begint om ergens in zijn hersens te eindigen.

Dit is zijn tweede huis. Hier oefent hij met liefde zijn vak uit. Ieder mens heeft wel eens problemen op de werkvloer. Reddingswerkers die als eerste bij een gruwelijk ongeluk met een touringcar arriveren, slapen de nachten daarop slecht. Zien de verschrikkelijke beelden vaker dan hen lief is aan hun geest voorbijtrekken. Stoppen ze daarna definitief met hun werk. Nee, enkel de zwakkeren, een te verwaarlozen percentage. Het merendeel zet zich eroverheen. Door te praten of zich blind op het werk te storten. Datgene wat ze het liefst doen. Of het nu een politieagent, verpleger of duikinstructeur betreft, voor allen geldt hetzelfde scenario; uitjanken en opnieuw beginnen.

Een stel gestoorden is zijn wereld binnengedrongen. Zij hebben een ijzingwekkende daad begaan, en daarmee is de kous af. Het is hoogstwaarschijnlijk én hopelijk dat hij nooit meer met zoiets vreselijks wordt geconfronteerd. Hij moet dus door. Dit werk is zijn lust en zijn leven.

Het lijkt allemaal zo simpel, als de winnende opstelling van een coach. Zonder de wil van het team wordt het echter een compleet fiasco.

'Bedankt,' fluistert Price in zijn ademautomaat. In een opwelling duwt hij de lamp onder zijn kin en trekt een gek gezicht. Daaropvolgend haalt hij de automaat uit zijn mond, steekt zijn tong uit en lacht op een overdreven manier.

Onmiddellijk volgt een reactie. Hetzelfde kunstje wordt door de rest nagebootst, waarbij Carmelo zelfs triomfantelijk een gebalde vuist maakt.

Price knikt emotioneel. Een diepontroerend moment op ruim twintig meter diepte overkomt hem niet dagelijks. Sterker nog, dit is de eerste keer. Hij steekt zijn duim omhoog. Het gebaar wordt goed geïnterpreteerd. Niemand maakt aanstalten om op te stijgen. Daarentegen draaien vier lichtbundels cirkels die verre van strak zijn. Met een beetje fantasie lijkt het alsof ze dansen.

'Yes!' roept Price. Als een jochie dat op oudejaarsnacht voor de eerste maal een vuursterretje vast mag houden, draait hij met zijn lamp in de rondte. Ook de smile op zijn gezicht zou bij dat ventje niet misstaan.

Na een volle minuut wijst Price recht vooruit. Hij wil deze fantastische gebeurtenis waardig afsluiten. Als de leidinggevende instructeur die hij, godzijdank, weer is.

Hij geeft aan dat de onderlinge afstand tot hooguit één meter verkleind moet worden. De stralen zijn nu bijna gebundeld, zodat een flets beeldscherm ontstaat. Natuurlijk gebeurt er niets, dit is enkel voor de show. De duik netjes afmaken.

Ik ben weer terug! juicht hij inwendig.

Straks iedereen op bier trakteren, nog een uurtje of wat dollen, lekker naar bed, morgen...

'Oeffffffffff!!!'

Het grijze lichaam staat een fractie van een seconde in de schijnwerpers. Een kromming van het achterlijf en een zwiep van de staart verder is het verdwenen. Het opgetrokken beeldscherm verkleurt, omdat enkele lampen vanwege de consternatie aan hoogte verliezen.

'Dolfijn!' schreeuwt Price opgetogen.'Dolfijn!'

Het ultrakorte moment was voor hem voldoende om het zoogdier te herkennen. De onmiskenbare beweging van de relatief korte staartvin was daar hoofdzakelijk debet aan. In tegenstelling tot de zijwaartse klappen van de haai, slaat een dolfijnenstaart op en neer. Zo kan hij enorme snelheden halen, is extreem wendbaar en kan aan de oppervlakte zelfs sprongen maken.

In vervoering kijkt Price naar Claudia. Aan de brede grijns op haar gezicht valt af te lezen dat ook zij het dier heeft herkend. Achter haar doet Carmelo een serieuze aanval op het wereldrecord 'onderwater tegen jezelf praten' en gebaren Den Vlieger en Hamann druk naar elkaar.

Om de aandacht te trekken, flitst Price tweemaal met zijn licht. Daarbij wijst hij gebiedend naar het gebied waaruit de dolfijn zo plotseling opdook. Direct gaan de armen omhoog en schijnt er weer licht in de duisternis recht voor hen.

'Kom op nou, joh,' fluistert Price hoopvol. 'Ik weet dat je er bent.'

Anderhalve minuut later wordt zijn verzoek ingewilligd. Ditmaal zwemt het dier gracieus langs de groep, draait zich ter hoogte van Hamann om, waarna opnieuw een parade volgt. Op slag verschijnt er een tweede exemplaar. In het gelige schijnsel veranderen de bewegiongen van de sympathieke dieren tot een dans vol overgave waarvan het plezier afstraalt.

En dan zijn ze opeens verdwenen. De toeschouwers blijven zowel geestdriftig als teleurgesteld achter. De voorstelling was prachtig, maar duurde veel te kort.

Uit de macht der gewoonte checkt Price zijn luchtvoorraad. Ruim tachtig bar over, netjes hoor, complimenteert hij zichzelf. Daarna pakt hij Claudia's hand en drukt er een stevige kus op.

De opstijging heeft meer weg van een zegetocht. Gezamenlijk overbruggen ze de meters naar de oppervlakte. Onderweg wordt er flink gedold: bij elkaar de ademautomaat uit de mond tikken, aan vinnen hangen, maskers aftrekken. Het hele scala aan instructeursgrappen komt voorbij. Op vijf meter diepte is het uit met de pret. Professionals als ze zijn, pakken ze daar hun verplichte stop zonder elkaar het leven zoetzuur te maken.

'Yes, yes, yes, wat een wereldduik!' galmt Claudia meteen als ze aan de oppervlakte zijn. 'Dit was he-le-maal geweldig. Wat een fantastische dieren!'

Price grijnst om haar enthousiasme. Dit is toch zeker al haar vijftiende ontmoeting met dolfijnen in open water. Toch reageert ze nog net zo als de eerste keer het geval was.

'Geweldig zeg je?' reageert Carmelo vol gespeeld ongeloof.

'Ik deed het in mijn broek van angst!' Een gezamenlijke lachsalvo waaruit vooral opluchting spreekt, klinkt luid over het water.

'En Dirckie ook, neem dat maar van mij aan.' Hij trekt een vies gezicht.

Vriendschappelijk slaat Den Vlieger hem op zijn rechterschouder.

Price klimt als eerste aan boord en steekt een helpende hand uit. Soepel glijden de getrainde duikers over de rand de boot binnen. Binnen vijf minuten staan de flessen in de houders en liggen de overige uitrustingsstukken in daarvoor bestemde plastic kratten. Het neopreen houden ze aan. Omkleden in de duikbasis is een stuk comfortabeler.

Terwijl Den Vlieger de contactsleutel al in zijn hand heeft, roept Carmelo: 'Wacht even!'

Zijn vinger wijst in de richting van open zee. Ze draaien zich allemaal een kwartslag om waarbij Den Vlieger: 'Wat is er nu weer,' bromt.

In de verte zijn twee lichtpunten waarneembaar. Eén bijzonder felle, en één schamel lichtpuntje ter grote van een speldenknop. Beide schepen voeren verschillende lichtsterkten. Ze blijven dicht bij elkaar in de buurt, zodat ze er vanuit kunnen gaan dat het geen vissers zijn. Omdat er op dit tijdstip weinig andere schepen op zee zijn, is dat tamelijk bijzonder.

'Ze varen keihard,' zegt Den Vlieger.

De lichten buigen licht af, maar zetten ontegenzeglijk koers naar de kust.

'Het lijkt wel op een achtervolging,' zegt Hamann.

'Misschien is het wel The making of ' Living on the edge' de nieuwste James Bond?' zegt Carmelo met een spottende ondertoon waar niemand om lacht of op reageert. De overwinningsroes is vers, maar de geestelijke wonden van de terroristische aanslag zitten nog diep. Bij dingen die afwijken van de normale gang van zaken, beginnen bij iedereen de alarmbellen te rinkelen.

Ook bij Carmelo, alleen verwerkt hij het op zijn eigen manier.

Bezorgt kijkt Price naar de hen tegemoetkomende lichten

'Wat krijgen we nou weer?' vraagt hij zich hardop af.

10

Vijf voor tien, Silva drukt de linkerknop in. 'Aan alle eenheden, de ratten zijn binnen. Ik herhaal, de ratten zijn binnen.' In zijn stem klinkt geen spoor van opwinding door. 'Nummer twee, positie aanhouden.'

Hij wisselt een snelle blik met Castro. De blik van zijn rechterhand weerspiegelt zijn eigen gedachtegang; dit is ongelooflijk.

Zojuist zijn vier mannen door de hoofdingang de Yumbo binnengekomen. Allen hebben een Noord-Afrikaans uiterlijk en zijn precies zo gekleed als de daders van de aanslag in de Kashba. Nummer twee, Hernandez en Pedrollo, bevinden zich drie meter achter het viertal. De camera van Hernandez legt vast dat de mannen twee aan twee lopen, als militairen.

Resoluut stappen ze op de brede trap af. Zonder daarbij op of om te kijken, bereiken ze de eerste verdieping. Tot Silva's verbazing, dalen ze niet af naar de begane grond, maar slaan rechts af.

Hij wacht een tijdje, telt in stilte de meters af.

'Nummer drie, vijfenveertig, daarna tweehonderdzeventig.'

Vasquez en Martín bevinden zich op dezelfde verdieping. De vier mannen zijn een kleine twintig meter van hen vandaan. Silva heeft echter meer oog voor de omstanders, daarom laat hij de camera zwenken. Wat hij namelijk op zijn beeldscherm voor ogen krijgt, zien de toeristen in levenden lijve. Een demonstratie van waanzin, pure provocatie.

Er komt geen aanslag, althans niet in de Yumbo, daarvan is hij overtuigd. Dit is een onderdeel van het plan dat is opgezet door een krankzinnige. Een zo goed als vaststaand gegeven waarvan hij op de hoogte is. De mensen in het winkelcentrum weten echter van niets. Voor hen moet dit een hoogst bedreigende situatie zijn. Paniek is een ongrijpbaar fenomeen dat zomaar van het ene op het andere moment de kop op kan steken. Collectieve gekte of de dwaze actie van een enkeling zoals in de Kashba het geval was.

Een huivering snelt langs zijn ruggengraat. Met het solistische optreden van een heethoofd maken ze korte metten, maar een door hysterie gedreven massale uittocht…

Op de gezichten die voor hem op het beeldscherm verschijnen, ziet hij geen onrust of paniek. De toeristen zijn bezig met dat wat mensen 's avonds op vakantie doen; slenteren, winkelen, plezier maken. De opzichtige dreiging gaat blijkbaar aan hen voorbij.

De vier nemen de trap aan de oostkant van het winkelcentrum. In hetzelfde tempo lopen ze naar de begane grond. Daar aangekomen, zetten ze direct koers naar het midden. Het hart van de Yumbo, waar het een drukte van belang is.

'Nummer drie, nummer vijf, nummer zes, begane grond,' meldt Silva. De val sluit zich. Nummer één is al beneden, twee volgt het viertal en van vier krijgt hij een overzichtsshot. De situatie is bijna perfect. Er volgen straks nog twee orders, waarna de operatie in de Yumbo tot de verleden tijd behoort.

Hoewel hij de beelden van het congrescentrum geen moment uit het oog heeft verloren, concentreert Silva zich nu voor minstens vijfenzeventig procent op wat zich daar afspeelt.

Hij knikt kort naar links en zegt tegen Castro: 'Afmaken.'

De reus gromt zacht ter bevestiging. Zijn blik is vanaf nu alleen nog maar gericht op de monitoren die beelden vanuit het winkelcentrum doorgeven.

Tien uur.

De politici doen datgene waarvoor ze door de partij ingehuurd zijn; verkiezingspraatjes houden met als doel stemmenwinst. En tegengas geven als de tegenpartij het woord neemt.

Gelukkig blijft dat alles hem bespaard. Er is alleen een camera gemonteerd, geen microfoons. 'Nummer vier blijft in huidige positie,' hoort hij Castro zeggen. Voor de overigen geldt vanaf nu de vijfpuntformatie. Ik herhaal de vijfpuntformatie.'

Castro wacht vijf tellen.

'Code groen blijft gehandhaafd. Ik herhaal, code groen blijft gehandhaafd.'

Silva knikt nauwelijks waarneembaar. Dit is inderdaad het juiste moment om de kring te vormen. Bij het volgende commando zullen vijf leden het viertal in een vloek en een zucht overmeesteren. De overige vijf zorgen voor back-up.

'Verdacht busje nadert.'

Javier Trujillo zit in de zogenaamde 'ramkar'. Deze gepantserde Seat kan een aardig stootje hebben en komt uitsluitend in actie als de terroristen zich bedenken of na de aanslag weg proberen te komen. Hij staat vijftig meter van het congrescentrum tussen andere personenwagens langs de weg geparkeerd. Doordat ze twee wegen af hebben laten sluiten, is dit de enige route die naar het palacio de congreso leidt.

Silva drukt de rechterknop op het paneel in.

'Aan alle eenheden, code oranje is nu van kracht. Ik herhaal, code oranje is nu van kracht.'

Nog dertig meter, denkt Ernst Ulm. Nog dertig meter voordat ik dat tuig te pakken heb.

Geef me deze meters, die tijd, dat schorem, smeekt hij het bovennatuurlijke.

Alleen tijdens het afdalen van de trap is hij hen even uit het oog verloren. De voorzienigheid wilde echter dat ze weer in zijn blikveld kwamen.

Hij heeft het nooit zo met God kunnen vinden. Naar de kerk gaan kwam even vreemd bij hem over als het bijwonen van een balletvoorstelling. Mensen die bidden waren wat hem betreft wereldvreemd, en constant vloeken was voor Ulm even noodzakelijk als eten en drinken. Godsdienst was iets voor stumpers, het enige waarin hij gelooft is te vinden in zijn portemonnee.

Voor het eerst in zijn leven denkt hij dat God bestaat. Hier en nu, op de begane grond van winkelcentrum Yumbo, gelooft hij in een opperwezen. Hoe God er feitelijk uitziet, gaat zijn voorstellingsvermogen te boven. Doet niet ter zake, Hij of Het, is er gewoon. Dat voelt Ulm. Waaraan weet hij niet, maar dat is ook onbelangrijk.

Het teken was overduidelijk, het voorafgaande een opmaat naar deze apotheose. Het heeft allemaal zo moeten zijn. Van bovenaf geregeld. Voorbestemd. Zijn wonderbaarlijke ontsnapping, oog in oog met de dood. Als gevolg daarvan de mentaliteitsverandering die hem zoveel dichter bij Ingrid bracht.

'Sorry', zegt hij vlug maar beleefd. De vrouw die hij in zijn haast aanstootte, reageert niet. De conversatie met haar man neemt haar volledige aandacht in beslag.

Ulm is het viertal tot op twintig meter genaderd. Het kaki-groen bezorgt hem gemengde gevoelens. Enerzijds werkt het als de rode lap op de menselijke stier die hij is, anderzijds boezemt het hem angst in, aangezien het de laatste kleur is die hij tijdens dit leven te zien zal krijgen.

Hij gaat ervan uit dat de ontsteking ditmaal niet zal weigeren. Mocht dit bij één of twee toch het geval zijn, dan nog wordt het een bloedbad. Er lopen duizenden mensen op de begane grond, waarvan een paar honderd in de directe omgeving van de terroristen.

Hij loopt harder, nog ruim tien meter en dan bereikt hij de hellepoort die uiteindelijk de deur naar de hemel voor hem zal openen.

Zijn tactiek is eenvoudig, maar doeltreffend. Het wordt een aanval van achteren. Vol erin. De twee die hij als eerste ramt, gaan neer. Daar is geen twijfel over mogelijk. Het draait om het voorste duo. Met een beetje geluk zijn ze een paar seconden beduusd, zodat hij ook hen te grazen kan nemen.

Wat er gebeurt als ze adequaat reageren, is akelig voorspelbaar. Maar twee explosies is altijd beter dan vier. Daar komt bij dat ze nu nog bij elkaar zijn, hij moet daarom snel handelen. Gaan ze zich verspreiden, dan is het leed niet te overzien.

Komt mijn logge lijf toch nog van pas, denkt Ulm emotieloos. Wie weet kan ik er een groot deel van de klap mee opvangen.

Hij kijkt snel om zich heen, nergens politie te bekennen. Hij had ook niet anders verwacht. Dit is zijn taak, opgelegd door Hem.

Hij krijgt een tweede kans, dat wordt hem gegund. Hij, de niets en niemand ontziende crimineel uit Frankfurt, wiens leven uitsluitend in het teken van geld heeft gestaan, krijgt de mogelijkheid om uiteindelijk iets moois te verrichten. Levens te redden, in plaats van te nemen. Een doodzonde die ook op zijn miserabele erelijst prijkt.

Ulm kijkt omhoog en neemt in stilte afscheid van zijn drie kinderen waarmee hij veel te weinig tijd heeft doorgebracht. Hetzelfde geldt voor zijn twee ex-vrouwen die zo lang met zijn nukken hebben moeten leven. Tussen de sterren straalt de ster van zijn leven. Het lieftallige gezicht van Ingrid lacht hem toe. Ze is trots op hem, ziet hij.

Ulm sluit voor even zijn ogen om dit beeld voor eeuwig op te slaan. 'Vergeef me voor mijn zonden,' fluistert de bekeerde misdadiger uit Frankfurt.

Terwijl hij aanzet voor de beslissendste bodycheck uit zijn leven, biggelen de tranen over zijn wangen.

De zwarte bestelbus stopt schuin voor de hoofdingang. Precies op het moment dat de wagen stilstaat, schuift de zijdeur open. Voordat de mannen uitstappen, heeft Silva de kenmerkende vorm van de Kalashnikov al herkend. Een wapen dat zelden weigert, favoriet onder de instructeurs van de opleidingskampen diep in de woestijn.

Zonder dralen stappen vijf mannen uit. In een versnelde ganzenpas beklimmen ze de eerste trappen van vier brede plateau's die naar de hoofdingang leiden.

Hoewel het zo goed als recht voor zijn neus gebeurt, houdt Silva de monitoren in de gaten.

In de foyer staan nog vier man overeind, de rest ligt languit op de grond. Met de vanzelfsprekende souplesse van wilde katten die behoedzaam hun prooi besluipen, nemen Ruiz, Suárez, Sosa en Pacheco hun posities in.

Lopez en Navarro staan respectievelijk met hun rechter- en linker-schouder naar de terroristen toegedraaid. Zogenaamd in een geani-meerd gesprek nu het wat minder druk is. In werkelijkheid houden ze vanuit hun ooghoeken de situatie scherp in de gaten.

Als de voet van de voorste aanvaller het derde plateau raakt, trekken ze gelijktijdig hun dienstwapen, de Sig Sauer negen millimeter. Lopez doet een stap naar rechts, Navarro naar links. Twee salvo's die klinken als één langgerekte knal, beëindigen terstond het leven van twee ter-roristen. Aansluitend duiken beide mannen naar de zijkant en rollen vliegensvlug weg. Ogenschijnlijk ongehinderd door de op maat gemaakte kevlar protectie die ze onder hun smoking dragen.

Vanuit de opening van de hoofdingang openen de vier Nueve-leden het vuur. De overgebleven terroristen zijn volslagen kansloos. Drie hoofden slaan gelijktijdig naar achteren, terwijl hun lichamen veranderen in slappe vleeshopen die het eigen gewicht niet meer aankunnen. Eén Kalashnikov ratelt nog zonder daarbij zichtbare schade aan te richten.

Tien seconden, denkt Silva klinisch. Met het oog op explosief materiaal dat op het lichaam gedragen kon worden, uitsluitend treffers in hals en hoofd.

Langs de traptreden loopt donker vocht dat uit de schedels van de slachtoffers stroomt. Vrijwilligers, verbetert hij zichzelf. Deze branche kent geen slachtoffers.

Hij wendt zijn blik van de monitor af en kijkt door de geblindeerde ramen naar buiten. In het portierraam van de bestuurder zit een fikse ster. Daarachter rust het bebloede hoofd van de chauffeur op het stuur. Ergens in het spervuur van zijn collega's heeft Goncha's schot doel getroffen.

Niet slecht, helemaal niet slecht, vindt hij. Ondertussen zoeken zijn ogen alweer naar beelden vanuit de Yumbo.

Castro's 'indringer, code oranje!' zet hem weer met beide benen op de grond.

Vijf meter voordat hij zijn doel bereikt, eindigt Ulms run. Iemand steekt een voet uit die hem vlak onder zijn knie raakt. Op snelheid, maar volledig uit balans, vliegt zijn zware lijf nog twee meter rechtuit. Hij raakt daarbij niemand, aangezien de man die op het moment van de tackle voor hem stond met bewonderenswaardige snelheid naar voren is gestormd. Evenals vier anderen ziet hij dit op het moment dat zijn imposante pens de vloer van het winkelcentrum raakt.

'Nee!' schreeuwt hij. In een reflex sluit hij zijn ogen en wacht op de onvermijdelijke explosie, die dood en verderf zal zaaien. De klap blijft echter uit.

Hij opent zijn ogen en ziet dat ook de vier terroristen op de grond liggen. Vier andere kerels hebben hen volledig in bedwang. Alsof het dagelijkse routine betreft, betasten acht handen de op de vloer liggende lichamen. Eén man, die eruitziet als een boekhouder met een gele band judo, staat nog rechtop en praat tegen een onzichtbaar iemand.

Ruw worden Ulms armen bij elkaar gehouden, waarna een stekende pijn rond zijn polsen volgt. Dit wordt veroorzaakt door plastic strips die als handboeien dienstdoen. De misdadigers recht voor hem krijgen dezelfde behandeling.

'Verdachten zijn schoon,' meldt Hernandez. Hoewel de vier zijn overmeesterd en gefouilleerd, speuren zijn ogen naar dat éne schoonheidsfoutje.

'Naar de hoofdingang ermee en overdragen aan de guardia,' zegt Castro. 'Tot aan dat moment blijven code oranje en de vijfpuntformatie van kracht.'

Na deze order worden de vijf geboeiden overeind getrokken. De man die hem heeft overmeesterd, maar wiens gezicht hij nog niet heeft gezien, duwt hem bruusk tegen één van de Noord-Afrikanen aan. Omringd door vijf 'Nueve'-leden, komt het kwintet schoorvoetend in beweging.

Aangezien de duur van de arrestatie nauwelijks twee minuten in beslag heeft genomen en zijn geestelijke toestand op zijn zachtst gezegd dubieus was, dringt de realiteit nu pas tot Ernst Ulm door. Er is geen aanslag geweest en er heeft geen bloed gevloeid.

De geschrokken toeristen slaan op een afstandje het gebeuren gade.

Iedereen leeft, ik leef.

Aangedreven door een enorme hoeveelheid vrijkomende energie begint de Duitser te bulderen van de lach. De met een vlakke hand uitgedeelde tik voor zijn kop, neemt hij voor lief.

'Ze geven zich over,' zegt Price. In zijn stem overheerst opluchting.

'Dwazen,' vindt Carmelo. 'Tegen een guardia-patrouilleboot red je het toch nooit.'

Vanachter het stuurwiel knikt Den Vlieger bevestigend.

'Ze hebben zich anders kranig geweerd.'

Dat hebben ze zeker, denkt Price. De stuurman van de speedkruiser heeft werkelijk de vreemdste manoeuvres uitgehaald om de guardia civil maar van zich af te schudden. Op volle snelheid varen, plotseling het gas los laten, slalommen, niets was deze zeepiraat te gek. Uiteindelijk heeft hij de handdoek in de ring gegooid. Wel zo verstandig.

Doordat de achtervolger felle schijnwerpers in de strijd gooide, hebben ze het vanaf de rubberboot goed kunnen volgen. Het werd zelfs even spannend toen de vluchteling in zijn haast om te ontsnappen, recht op hen af kwam. Den Vlieger handelde adequaat door de motor te starten en weg te varen.

Zowel de speedkruiser als haar achtervolger passeerde hen op zo'n honderd meter van bakboordzijde. Vervolgens hield de wilde race nog hooguit een halve minuut aan, waarna de vluchteling er de brui aan gaf.

Vooral gedreven door nieuwsgierigheid, koersen ze met een rustige gangetje op de twee schepen af. De patrouilleboot nadert de speedkruiser gestaag. Veertig meter nog, schat Price. Zelf bevinden ze zich op honderdvijftig meter van de fel verlichte plek.

In tegenstelling tot het bezoek dat de guardia hun eerder op de avond bracht, is er nu geen sprake van gedimde lichten. De dobberende kruiser ligt vol in de schijnwerpers, en Price heeft het gevoel dat daarin voorlopig geen verandering komt.

In de zee van licht ziet hij twee schaduwen op het voorplecht van de patrouilleboot staan. Zo op het eerste gezicht dragen de mannen mitrailleurs die aan een schouderband hangen. De lopen wijzen schuin naar beneden. De wapens lijken eerder uit voorzorg aanwezig, dan voor daadwerkelijk gebruik.

De speedkruiser is ontegenzeglijk een schip uit de duurdere klasse. Dat is gemakkelijk te constateren, aangezien de schijnwerpers de boot in een showroom zonder ruimtelijke beperkingen zetten. Vijftien meter lang, vier meter breed. Prachtige, gestroomlijnde vormgeving. Gebouwd op snelheid en luxe. Een schuit om je vingers bij af te likken.

Bovenin het schip bevindt zich de open stuurkuip. Achter het rad zit een man met een donkere huidskleur. Hij oogt nonchalant, alsof hij op een zondagmiddag van een verkoelend briesje geniet. Zelfs van deze afstand valt dit bizarre detail Price op.

Recht onder de stuurkuip, is een matglazen schuifdeur waarachter zich de keuken en het woon- en slaapvertrek bevinden. Traag schuift de deur naar rechts open. Benieuwd naar wie er verschijnt, knijpt Price zijn ogen tot spleetjes. Een onzinnige handeling die hij onbewust verricht.

De opening blijft echter leeg.

Vreemd, denkt hij. Zinloos ook, want ze moeten allemaal aan dek verschijnen.

Opeens is daar een flits die het licht van de schijnwerpers doet verbleken. De stuurhut van de patrouilleboot explodeert. De twee agenten slaan met een onnatuurlijke boog overboord.

'Jezus!' reageert Carmelo als enige. De rest is te verbaasd en te ontdaan om een geluid voort te brengen. Met opengesperde ogen slaan ze het tafereel gade.

Een paar bevroren seconden rukt Den Vlieger aan het stuur, waardoor de anderen hun evenwicht kwijtraken. Maar met meer geluk dan wijsheid blijft iedereen aan boord, al maakt Hamann wel een lelijke smak met zijn linkerslaap tegen een fleskraan. Het bloed dat uit de snee sijpelt is echter een fractie van wat er even verderop vergoten wordt, ziet Price tot zijn afschuw. Doordat ook hij naar links geworpen is en hierdoor op zijn zij tegen de wand ligt, heeft hij onbelemmerd uitzicht op het drama.

Vanuit de pui van de speedkruiser komen twee mannen tevoorschijn. De eerste draagt een langwerpige buis op zijn schouder die hij achteloos op het achterdek smijt. De tweede heeft in iedere hand een machinepistool waarvan hij er één aan zijn makker overhandigt.

Bij de stuurman is het nonchalante er compleet af. Hij geeft gas en maakt een zo'n kort mogelijke draai naar rechts. Door deze drieste actie verdwijnt de kruiser voor even uit de nog steeds functionerende schijnwerpers van de zwaarbeschadigde patrouilleboot.

Hoewel het onverlichte gedeelte van de zee weinig tot niets onthult, meent Price toch een glinstering waar te nemen.

Zijn adem stokt. De agent die aan stuurboordzijde overboord is geslagen, gaat het door hem heen.

Vechtend voor zijn leven; gewond en veel te zwaar gekleed. Kansloos.

Een aanzwellende golf van misselijkheid blijft steken vanwege een brok in zijn keel.

In zijn blikveld verschijnt een agent die over het dek strompelt. Zwalkend op zijn benen, probeert hij het geschut dat achterop het dek is gemonteerd te bereiken.

Tegen beter weten in hoopt Price dat de gehavende man zijn missie voltooit. De agent waggelt naar de zware mitrailleur waarvan de twee lopen werkeloos naar boven staan gericht.

Aangedreven door twee brullende motoren, snijdt de speedkruiser door het water. De afstand tot de patrouilleboot wordt zienderogen kleiner. Onaangenaam vaardig brengt de stuurman het prachtige schip langszij. In de combinatie van verwaterd maanschijnsel en fletse uitlopers van de schijnwerpers, ziet Price de mannen aanleggen. Op enkele passen van de mitrailleur wordt de agent door een kogelregen getroffen. Na wat spastische bewegingen zakt hij in elkaar. Eén van de schutters draait zich om en vuurt een salvo op het water af.

Ondanks de herrie van het machinepistool, is de gesmoorde gil van de drenkeling in de rubberboot te horen.

'Mijn god,' stamelt Claudia. Uit pure ontzetting slaat ze twee handen voor haar mond.

De twee moordenaars zijn inmiddels overgestapt. De kleinste van de twee loopt naar stuurboordzijde en leegt zijn magazijn in zee. Een kreet blijft uit, al weten ze allemaal dat die wel degelijk geslaakt is. Nadat zijn beulswerk erop zit, speurt de schutter een tijdje de plaats van het misdrijf af.

Doordat de andere man het schip is binnengegaan, wordt deze aan het oog onttrokken. Het schijnt de schoft aan dek weinig te kunnen schelen. Alsof het een alledaagse bezigheid is, verwisselt hij het oude magazijn voor een nieuw. Het lege omhulsel gooit hij over zijn schouder in de golven.

De betrekkelijke stilte is een voorbode voor een luidruchtige executie die spoedig zal volgen, dat weet Price wel zeker. Aan boord van de patrouilleboot waren op zijn minst vijf agenten. Terwijl hij hun gezichten voor de geest probeert te halen, weerklinkt het dodelijke geratel over de oceaan. Zijn gezicht vertrekt in een pijnlijke grimas.

Op zijn dooie gemak keert de moordenaar uit het binneste van het schip terug. Vlak voordat hij weer overstapt maakt hij een teken waaruit triomf spreekt. De speedkruiser trekt in alle rust op, draait met een scherpe boog honderdtachtig graden naar links en vervolgt haar weg richting kustlijn.

Den Vlieger reageert op de nieuwe situatie. Zijn rechterhand, die vanwege de spanning om het stuurwiel geklemd zit, valt naar beneden. Ze varen hooguit twee knopen, maar toch wankelt iedereen als de boeg hard naar rechts zwenkt.

'Wegwezen,' becommentarieert de Vlaming zijn initiatief.

'Mijn idee,' zegt Hamann.

Price haalt twee keer diep adem. Een wirwar van beelden trekt aan zijn geest voorbij. Een gruwelijke mix van verschillende locaties en personen, met één duidelijke strekking: terrorisme.

Gezien de omstandigheden is zijn kop absurd helder. Alle stukjes vallen misschien daarom keihard op hun plaats. De verschrikkingen onderwater, de aanslag in Playa del Inglès, tv-reportages, speculaties over de daders, te haastig getrokken conclusies, de slachtpartij van daarnet.

Het schorem dat hij zojuist aan het werk heeft gezien, is onderdeel van een terroristisch web. 'Normale' misdadigers vermijden dit soort stunts. Ook de drugsjongens. Die gooien hun rotzooi overboord en smeren hem of laten zich inrekenen.

Zij zijn hier met een doel. Of ze staan op het punt een nieuwe aanslag te plegen, of ze pikken tuig op dat er al een heeft begaan. Het laatste ligt het meest voor de hand.

De beelden in zijn kop laten zich door dit intermezzo niet wegdrukken. Deze keer kijken de agenten vragend, verwonderd. Mannen die tijdens hun werk zijn vermoord. Vrijgezelle jongens, kerels met een gezin.

Er zijn tientallen goede excuses te bedenken waarom ze moeten vluchten, weet Price. Maar de beslissing die hij heeft genomen staat hier haaks op. Voor hem doorslaggevend. Iemand moet het doen.

'Omkeren' zegt hij tegen Den Vlieger.

'Wáááát ?!'
'We nemen ze te grazen.'

Met onverholen ergernis tikt Helga op haar horloge.
'Waar blééf je nou?!'
'Sorry hoor, maar het was reuzedruk. Ik heb zeker twee minuten moeten wachten om fatsoenlijk mijn lippen bij te kunnen werken.'

Vertwijfeld kijkt Helga omhoog. Het liefst zou ze zeggen 'bekijk het maar, achterlijke trut'. Ze realiseert zich echter donders goed dat ze dat beter niet kan doen. Best wel geschrokken van Ulms heftige reactie, heeft ze zich tijdens Ingrids toiletbezoek gedeisd gehouden. Ver van de massa, in een vergeten hoek van de buitenmuur waarvandaan ze de opening waaruit Ingrid ieder moment kon verschijnen in de gaten hield. Hierdoor is het tumultueuze gebeuren op de onderste etage volledig aan haar voorbij gegaan.

'Waar maakt Ernst zich nou toch zo druk over?' vraagt Ingrid zich hardop af. Aansluitend zet ze een prullip op. 'We hadden het toch zó naar onze zin.'

Terwijl ze de uitgang naderen, telt Helga in gedachte tot tien. Ze is er zich van bewust dat ieder woord dat nu van haar lippen rolt zwanger van cynisme zal zijn, dus kan ze maar beter zwijgen.

Ze heeft een hekel aan types als Ernst Ulm. Het verleden heeft haar echter wel geleerd in bepaalde situaties blind op hun voorgevoel te vertrouwen. Door hun levenswijze hebben ze een neus voor gevaar ontwikkeld. Dat was daarnet overduidelijk het geval, dus volgde zij de instructies bijna slaafs op.

Ingrid lijkt er oprecht weinig van te begrijpen. Opmerkelijk voor een vrouw die in het nachtleven heeft gezeten. Op een andere manier dan zijzelf, tenminste daar gaat ze dan maar van uit. Toch blijft het opmerkelijk. Eigenlijk spreekt het voor haar.

'Ernst weet heus wel wat hij doet, meid,' weet ze er uit te persen.

Voordat ze de hoofdingang bereiken, passeren ze eerst enkele juwelierszaken die uitsluitend gerund worden door Hindoes. Veel te dikke gouden kettingen, foute ringen en opzichtige stenen schreeuwen vanuit de vitrine om aandacht. Behangen met hun eigen waar lachen de

173

verkopers iedere passant breeduit toe. Uit haar ooghoeken ziet Helga dat haar metgezel als een ekster naar de opsmuk loert.

In het midden van de hoofdingang van winkelcentrum Yumbo staat een cirkelvormige fontein met een doorsnee van tien meter. Het publiek kan zowel links als rechts van de fontein het centrum binnenkomen of verlaten. In het laatste geval passeert men aan de linkerkant een kleine moskee die aan het centrum vast is gebouwd. Ideaal gesitueerd voor de vele moslims die in het centrum handeldrijven. Minder praktisch voor degenen die niet in de buurt wonen of werken. Het is namelijk de enige moskee in het zuiden. De dichtstbijzijnde staat in Vecendario, twintig kilometer noordwaarts.

Logischerwijze is het een komen en gaan van gelovigen. Het is daarom een zeldzaamheid als de deur van de moskee langer dan een paar seconden onberoerd blijft.

Het merendeel van de bezoekers is boven de dertig en gaat vaak in de traditionele gewaden gekleed.

Dit geldt niet voor de acht jonge Marokkanen die bij de fontein rondhangen. Zij zijn van een andere generatie, de meesten van hen zagen op Gran Canaria het eerste levenslicht. Dwalend tussen de overlevering van wat eens het thuisland was en de verlokkingen en geneugten van het snelle leven op het eiland, brengen zij hun dagen voornamelijk nutteloos door.

In feite horen ze nergens bij. Het station waar geleefd wordt volgens de oude waarden en normen, zijn zij allang gepasseerd. Integreren in de maatschappij is evenmin een optie. De canarios betitelen hen steevast als 'moros', een stigma dat ervoor zorgdraagt dat een baantje als bordenwasser of kelner zowel het beginpunt als het eindpunt van een carrière is.

In uitzichtloze posities als deze, gaan gelijkgezinden zich verenigen. Jeugdbendes worden gevormd, heling en drugshandel zijn de enige lucratieve inkomstenbronnen.

Hun werkterrein wisselt iedere dag, dit met het oog op de pakkans. Winkelcentra en strandboulevards zijn de favoriete plekken voor de jeugdige criminelen. Ze blijven nooit langer dan een uur op dezelfde plek. Wanneer de door de overal aanwezige bewaking gewaarschuwde policia local daadwerkelijk de moeite neemt om te komen, zijn ze al lang en breed vertrokken.

Hun steun en toeverlaat is de mobiele telefoon. Een onmisbaar communicatiemiddel voor het scala aan dubieuze zaken waar ze zich dagelijks mee bezighouden. Zoals het groepje rond de fontein, zijn er in het zuiden tientallen. Sommige zijn rivalen, andere houden er een vriendschappelijke band op na. Naast het verhandelen van alles en nog wat, vervelen de jongeren zich het grootste gedeelte van de tijd stierlijk. Ieder verzetje is welkom.

Meestal gaat het om de zogenaamde 'hit and run' of een variant ervan. Groepen buitenlandse toeristen worden openlijk geprovoceerd. Engelsen zijn hierbij vanwege hun heethoofdigheid veruit favoriet. Twee, hooguit drie bendeleden sarren er flink op los. Op het moment dat er gereageerd wordt op het getreiter, trekken de bendeleden zich terug. De toeristen wanen zich de overwinnaars zonder dat er fysiek iets is voorgevallen. Luidruchtig en vol zelfvertrouwen vervolgen ze hun weg.

Inmiddels heeft de mobiele tamtam geklonken. Uit alle windrichtingen komen de op sensatie beluste jongeren op hun scooters aangescheurd. Eenmaal aangekomen, splitsen zij zich in kleine groepen op. Zonder daarbij argwaan van omstanders te wekken, volgen zij de groep toeristen.

Het spel begint opnieuw. De braniemakers van daarnet duiken plotseling weer op en beginnen weer ouderwets te sarren. Nog steeds in een euforische roes, reageren enkele toeristen direct op de ergste beledigingen. Op het moment dat het eerste lichamelijke contact plaatsvindt, stormen de verdekt opgestelde bendeleden op de groep af. De afranseling duurt nooit langer dan een minuut of drie. Als een losgeslagen wilde horde, schopt en slaat de Marokkaanse overmacht erop los.

Tijdens zo'n raid kan het aantal volkomen doorgedraaide deelnemers oplopen tot honderd. Bij hoge uitzondering zijn de jongeren gewapend. Het gaat ze primair om de kick van het flinke pak slaag dat ze uitdelen. Zware verwondingen bij toeristen zorgen voor agressief gedrag en alertheid bij de politie. Zaken waar ze niet op zitten te wachten, aangezien dat hun handel behoorlijk verpest.

In zijn beperkte wereld vervult Yassine een leidersrol. Een aan de zijkanten opgeschoren kapsel, gouden pols- en halskettingen, snelle scooter en een rappe babbel zijn onontbeerlijke attributen om deze status te bereiken en te behouden. Hij is een onverbeterlijke leugenaar met een uitstraling waar de bravoure van afdruipt.

De jongens rondom hem zijn meelopers in wier ogen hij een hele pief is. Hij is hun grote voorbeeld, bij wie zij alleen maar in de schaduw kunnen staan. Eens zal ik mijn eigen clan beginnen, denkt ieder lid in stilte. Tot die tijd zijn zij zowel volgzaam als gehoorzaam. Hun enige alternatief.

Yassine lacht zijn gebit met daarin twee gouden voortanden bloot. Er is sensatie op komst, uit onverwachte hoek, maar wat zou dat. Maakt het alleen maar spannender.

Twee leden van een andere bende, met wie hij op goede voet staat, hebben een sms'je verstuurd dat veel goeds belooft. Terwijl ze wat rondhingen bij de tattooshop op de begane grond, waren ze getuige van een arrestatie van vier Marokkanen en een kolossale buitenlander die hen te lijf wilde gaan. De arrestatie is uitgevoerd door, waarschijnlijk, politie in burger. Vijf man, kerels die eruitzagen als toeristen, watjes. Volgens het bericht lopen ze in de richting van de hoofdingang.

'We gaan zo dadelijk lol trappen,' zegt hij met een sinistere grijns tegen niemand in het bijzonder. Voetje voor voetje schuifelen zijn onderdanen dichter naar hem toe. De gretigheid in hun ogen vloekt met de nonchalance die ze zo graag uit willen stralen.

Het scheurende geluid van snel naderende scooters bevestigt zijn woorden. Soms sturen de groepen onderling elkaar flauwekul berichten. Gewoon, om eens lekker te stangen. Degenen die erin trappen zijn dan dagenlang het pispaaltje. Aan de geluiden te horen, wordt dit bericht echter door een fors aantal maten serieus genomen, denkt Yassine.

Zelf is hij er ook van overtuigd dat het geen geintje betreft. Het nummer dat op zijn display verscheen, is van Samir Ben Taher. Een bendeleider uit het naburige El Tablero, wiens gevoel voor humor begint bij het schoppen van een hond, en eindigt wanneer het beest de geest geeft.

Komt bij dat specifiek de tattooshop genoemd wordt, een zaak waar sinds mensenheugenis Hans de scepter zwaait. Deze Hollander is niet alleen een prima vakman, maar hij ligt ook bijzonder goed bij zowel gangs als toeristen. Doordat hij zijn levensmotto 'leven en laten leven' ook in praktijk brengt, zijn veel bendeleden er vaste klant. Ook de canarios en negers, aangezien de huidskleur van het lichaamsdeel waarop hij tatoeëert hem om het even is. Hij past hooguit de kleur van de inkt iets aan.

Daar komt bij dat de grote, dikke, sympathieke Hollander die altijd twee stevige gouden oorringen draagt, de locals schappelijke prijzen berekent. Mede hierom, en vanwege het feit dat hij zich door niets en niemand de wet laat voorschrijven en geen gedonder in zijn zaak accepteert, geniet hij een stevige populariteit bij alle rangen en standen op het eiland.

Het is dus hoogst onwaarschijnlijk dat Samir de tattooshop in een grap betrekt. Hans zou dat nooit pikken. Yassine knikt voldaan. Het kromme en oerstomme in deze redenatie ontgaat hem volkomen.

Hij draait zijn hoofd naar rechts en ziet de eerste scooters op de parkeerplaats arriveren. Geheel volgens het aloude strijdplan vormen er zich kleine groepjes die zich opsplitsen. De adrenaline begint door zijn lichaam te stromen. Het speciale gevoel dat altijd voorafgaat aan het gevecht, geeft hem een kick. Bezorgt hem een goddelijke roes van roekeloosheid, maakt hem onoverwinnelijk. Hij is de jager die op het punt staat de weerloze prooi te verslinden.

Hij kijkt naar links, de plek waar zijn gevangen genomen landgenoten ieder moment kunnen verschijnen. Het schuifelende publiek bestaat nu alleen nog maar uit toeristen. Wel ziet hij twee hoogblonde vrouwen die een hoger wandeltempo hebben dan de rest. Hij wijst opzichtig naar de twee.

'Kijk eens wat een haast, zeker op weg naar hun klanten!'

Aansluitend maakt hij een obsceen gebaar waarbij zijn tong tegen de binnenkant van zijn wang duwt. Zijn volgelingen lachen om het hardst. Blonde vrouwen zijn een gewild object om hun frustraties op af te reageren. In hun denkwereld zijn ze de belichaming van zedeloosheid, speeltjes van mannen in wier schoenen ze zelf zo graag zouden willen staan. Hoewel ze dat laatste nooit ofte nimmer hardop zullen zeggen.

Gesterkt door het gedrag van de meelopers en de adrenaline die door zijn lichaam pompt, begint Yassine vast aan het toetje waardoor het hoofdgerecht nog lekkerder zal smaken.

'¡Eh puta rubia!' schreeuwt hij. De minachting spat van de woorden en uitspraak af.

Hier in directe nabijheid van de moskee spreekt hij bewust Spaans. De toeristen verstaan hem toch niet, en wat de canarios denken zal hem een zorg zijn.

De mening van de veelal oudere moskeegangers doet er wel degelijk toe. De Marokkaanse gemeenschap op het eiland is groot, maar toch kent iedereen elkaar. Al is het maar via via. Hoort een gelovige, buiten zijn eigen bende, hem in het openbaar schunnige taal uitslaan, dan gonst het morgen in zijn familie. En op straat mag hij dan een hele vent zijn, thuis is zijn vader ouderwets de baas en luistert de leren riem feilloos naar wat diens hand hem opdraagt.

Eigenlijk is dit de enige veiligheidsmaatregel die hij zichzelf oplegt. Zelfs de gierende adrenaline en het euforische gevoel dat daarmee gepaard gaat, kan hem de angst voor zijn vader niet doen vergeten. Hooguit wat laten afzwakken.

De twee blondines lopen door, al had hij even het idee bij de oudste van de twee een lichte aarzeling te bespeuren.

'Me la puedes mamar para cinco euros!' gooit hij er uit. De jongens om hem heen gieren het uit. Stoer kijkt hij om zich heen. Voor even is de wereld van hem alleen.

Ze heeft altijd al belangstelling gehad voor Latijnse talen. Helemaal voor het Spaans, de meest gesproken taal ter wereld, en vaak gebruikt in de oorden die haar aantrokken en dat nog steeds doen. Tijdens haar verblijf op Gran Canaria heeft zij de fijne kneepjes, de nuances, vlot onder de knie gekregen. Dit geldt in de verste verte niet voor Ingrid.

Die is nooit verder gekomen dan 'hola' en 'gracias', weet Helga. Ze schijnt daar echter niet mee te zitten en in het geval van daarnet is het zelfs een voordeel.

Soms, heel soms, zou ze voor even in de schoenen van de vrouw naast haar willen staan. Gewoon absorberen wat jijzelf wilt en al het overige als water van je af laten glijden. Een gave, maar zij kan dat niet, in ieder geval niet op dit moment.

Waardoor het precies komt, ontgaat haar. De woorden van het stuk afval hebben echter doel getroffen, haar bijzonder pijnlijk geraakt. Ergens in haar onderbewustzijn is een hechting uit een oude wond gesprongen waardoor puur gif is vrijgekomen.

Haar gevoel beveelt haar te stoppen, terwijl haar verstand haar beveelt om door te lopen. De eerste belediging was in al zijn grofheid toch van algemene aard, van het soort waardoor je met je tanden knarst, zonder er daadwerkelijk op te reageren. Maar die tweede zin was andere koek!

De sleet die na de eerste vuilbekkerij even vat op haar pas kreeg, zet nu door. Ondanks de dreigementen van haar verstand. Tot Ingrids verbazing houdt ze haar pas in.

'Wat is er?' wil ze weten.

Voordat Helga iets kan antwoorden, klinkt het fluitje. Het scherpe, dwingende geluid omvat meer schunnigheid dan duizend gelijktijdig uitgesproken schuttingwoorden. De obsceniteit ervan ontsteekt al haar innerlijke littekens, waardoor een vuurbal van venijn haar ziel in brand zet.

Ze is weer terug.

Het tuig beschimpt haar, om even later doodleuk hun lusten op haar lichaam te botvieren.

'Hoer.'

Een mechanische stem die symbool staat voor duizenden mannen sleurt haar geest het verleden in.

'Langzamer, hoer. Kreunen, daar betaal ik je voor!'

Ze staat nu doodstil. Iedere spier in haar lichaam spant zich aan. De demonen zijn los en snauwen haar gezamenlijk toe.

'Op je knieën. Jij weet precies wat ik lekker vind.'

Doordat het bloed uit haar gezicht wegtrekt, wordt ze lijkbleek. Er bestaat geen make-up die dit kan verhullen. Daar heeft ze geen spiegel voor nodig, dat voelt ze en weet ze. De intense woede neemt nu het overgrote deel van haar functies over. Haar bovenlip begint te trillen, terwijl langs de eigenaardig fel kloppende aderen in haar nek de spieren angstaanjagend opzwellen. De tot speldenknoppen gereduceerde pupillen zijn summiere openingen waarachter een brandhaard van vergelding woedt.

'Blijf hier, ben zo terug.' Haar stem is als een noordpoolwind op een gure herfstochtend; ijzig en onverzoenlijk.

Met zelfverzekerde passen loopt ze naar de luidruchtige groep jongeren. In één oogopslag ziet ze dat er bij de zogenaamde grappenmakerij een hoop theater aan te pas komt. Gedeeltelijk gespeelde uitgelatenheid om de altijd aanwezige onzekerheid naar aanvaardbaar niveau terug te dringen. Natuurlijk dient dit over de rug van een ander te gebeuren.

Terwijl ze nadert, kijkt de leider van de groep haar uitdagend aan. Tegenover zijn onderdanen kan hij zich geen greintje gezichtsverlies permitteren. Hij heeft zijn armen provocerend over elkaar, als een dopedealer die zijn noodlijdende klant heel misschien uit de brand wil helpen.

Allemaal schijn, weet Helga. Er zit geen greintje vrees in haar opgefokte geest. Op minder dan een halve meter gaat ze recht voor hem staan.

Yassine buigt zich naar voren. Hun gezichten zijn nauwelijks tien centimeter van elkaar verwijderd. Een sterke knoflookgeur dringt haar neusgaten binnen als hij 'vraag het lief, dan neem ik je heel misschien van achteren,' zegt.

Uit haar ooghoeken ziet ze proestende tieners die elkaar op allerlei vreemdsoortige manieren op de handen slaan. Gedrag dat ze hoogstwaarschijnlijk hebben opgepikt uit Amerikaanse films waarin het bendeleven wordt verheerlijkt.

Ze kijkt de Marokkaan onbevreesd in zijn donkere ogen. Op haar lippen verschijnt een glimlach die enkel is voorbehouden aan winnaars.

180

'Het is heel onverstandig van een rasflikker als jij om een echte dame lastig te vallen.'

Een glinstering waaruit totale overrompeling spreekt, smaakt als nectar. Voordat de ander de kans krijgt zich te herstellen, handelt Helga op instinct.

Ze deelt een onvervalste kopstoot uit. Tot haar grote genoegen is ze de techniek nog niet verleerd. Met haar voorhoofd raakt ze de jongen vol op zijn neusbrug. Precies op de manier waarop ze heel vroeger in Hamburg zwaar opdringerige klanten hun vet gaf.

Yassine wankelt. Hij doet een paar stappen naar rechts en slaat ontzet beide handen voor zijn gezicht. Deze beweging brengt hem verder uit balans, waardoor zijn rechterhak de opstaande rand van de fontein raakt. Hierdoor verliest hij compleet zijn evenwicht, klauwt grotesk in de lucht en valt achterover.

Een aantal langslopende toeristen beginnen te lachen. In contrast daarmee kijken de bendeleden met uitgestreken gezichten voor zich uit. In plaats van zich om te draaien en weg te lopen slaat Helga pontificaal haar armen over elkaar. Ze wil nog even genieten van het moment.

Jaren heeft ze erover gedaan om direct de bron aan te pakken. Eindelijk is het haar gelukt. Door haar resolute actie is het leiderstype letterlijk en figuurlijk op zijn bek gegaan. Uit de passieve reactie van de meelopers blijkt hoe relatief ongevaarlijk ze zijn.

De pooier in plaats van de klanten, denkt ze pijnlijk weemoedig. Was ik maar twintig jaar jonger.

Het busje van de aanvallers is al naar een andere plaats gereden. De trappen met verspilt bloed worden met een brandslang schoongespoten. In de foyer staat iedereen weer. De inhoud van een glas wijn verdwijnt met één teug in de uitpuilende pens van een congresbezoeker die een paar minuten gelden nog versteend van angst op de grond lag.

Het debat is in volle gang. Vrijwel niemand daarbinnen heeft iets van de bliksemactie gemerkt, daar is Silva behoorlijk zeker van. De mensen zijn al sinds binnenkomst knap rumoerig, terwijl de zaal zelf uitstekend is geïsoleerd. Dit met het oog op andere activiteiten die gelijktijdig in aangrenzende ruimtes gehouden worden, wat overigens van-avond niet aan de orde is.

'A1 is uit de lucht,' meldt Castro scherp.

Voordat Silva antwoordt, schieten zijn ogen voor de zoveelste keer deze avond langs de beeldschermen. Alles lijkt rustig, volledig onder controle. Nergens een kiem van gevaar te bekennen.

'Laat de helikopter opstijgen.'

Naar alle waarschijnlijkheid is een technische storing debet aan het uitvallen van de verbinding. Castro heeft daar echter niets over gemeld, waaruit Silva alleen kan concluderen dat de oorzaak bij hem onbekend is. Een ongeschreven wet in dit vak geeft aan dat er verder geen woorden aan vuil worden gemaakt.

De helikopter staat tussen Gran hotel Meloneras en de vuurtoren aan de grond. Hier is een kleine parkeerplaats voor ambulances en andere hulpverleners gecreëerd, die in uitzonderlijke gevallen dienst kan doen als heliplatform. In een minuut of drie zweeft de bemanning boven de positie waar de patrouilleboot zich volgens de laatst doorgegeven coördinaten moet bevinden.

'Activiteiten van Marokkaanse jongeren bij de hoofdingang,' klinkt het uit de portofoon.

'Specificeren,' beveelt Castro monotoon.

'Jeugdbendes, ik schat zo'n zeventig man, verspreiden zich in kleine groepjes en hangen rond bij de hoofdingang.'

'Direct gevaar?'

'Positief. Vaak is dit gedrag een voorbode van kortstondige straatge-vechten.'

'Uw eenheden blijven in positie. Ik wil met spoed ieder beschikbaar uniform bij de hoofdingang. Sirenes, veel machtsvertoon. Geldt voor ieder korps.'

'Begrepen.'

Hun blikken kruisen elkaar. Deze muis krijgt een staart denken ze, zonder dat daarbij een woord over hun lippen komt. Silva drukt de lin-kerknop op het paneel in.

'Aan alle eenheden; alternatieve route. Ik herhaal, alternatieve route.'

Precies op dat moment ziet hij de twee voorste camera's naar links draaien. Een menigte die geen vin verroert en hoogst geamuseerd iets gade slaat, komt in beeld.

'Nummer één vijfentwintig, nummer twee vijftien,' zegt hij. Voordat ze naar rechts draaien om de zuidelijke in plaats van de oostelijke uitgang te nemen, wil hij weten wat er aan de hand is.

Het bloed gutst uit Yassines neus. De verbijstering die een halve minuut lang greep op zijn geestestoestand had, is omgeslagen in blinde woede. Ten overstaan van zijn kornuiten is hij vernederd. Erger nog, ten overstaan van een publiek.

En dat door een vrouw!

Nu pas dringt het hoongelach tot hem door. Hij knippert enkele malen met zijn ogen, en aanschouwt de nachtmerrie. Mannen, vrouwen, kinderen lachen hem recht in zijn gezicht uit. Zijn maten staan er als makke schapen bij.

Ze schamen zich voor mij. Die pijnlijke conclusie schiet als een giftige pijl door zijn lichaam en splijt iedere zenuw. Recht voor hem staat de hoer die verantwoordelijk is voor zijn publieke afgang. Ze heeft haar armen losjes over elkaar gelegen en kijkt hem spottend aan. Er huist iets mystieks in haar blik, alsof ze in een soort trance vertoefd.

Hij begint onregelmatig te ademen. Zijn bovenlip komt omhoog waardoor er een wolfachtige grijns op zijn gelaat verschijnt. Van binnenuit is een motor opgestart die hem van ongekende energie en wraaklust voorziet.

De omgeving verandert in een grijs gebied waarin lichte vlekken synoniem staan voor onbekende gezichten. Het spottende gelach om hem heen verandert in een langgerekt gesuis.

In het midden van zijn grauwe wereld staat de vrouw. Ieder detail van haar uiterlijk wordt op zijn netvlies geprojecteerd. Dringt via de poriën zijn lichaam binnen om vat op zijn ziel te krijgen en deze net zo lang te bewerken tot hij voor eeuwig verloren is.

Zijn woede slaat om in onverholen moordlust. In drie stappen is Yassine bij haar. Zijn handen veranderen in dodelijke wapens die niet eerder ophouden totdat er bloed aan kleeft. Duidelijk verrast door de reactie die uit het niets komt, heft Helga haar handen omhoog. Met een uiterste inspanning kan ze Yassines linkerhand bij haar hoofd vandaan houden. Diens linkerhand glijdt echter moeiteloos door haar verdediging en grijpt zich vast in haar blonde lokken. Aansluitend trekt hij als een bezetene haar hoofd naar beneden.

Tegen deze krachtsexplosie is ze niet opgewassen. Door de enorme druk die er plotseling op haar lichaam staat, schaart haar rechterbeen. Keihard klapt ze tegen de grond. Direct klauwt zijn rechterhand in haar kapsel. Met twee handen trekt hij haar hoofd naar de opstaande fonteinrand. Versuft door de val is haar weerstand gereduceerd tot een traag, doelloos gespartel.

Compleet gefocust op zijn buit, ontgaan de eerste afkeurende geluiden hem volledig. Ook het daaropvolgende boegeroep dat aan de massa ontstijgt, krijgt geen vat op de jonge Marokkaan. De laatste dertig centimeter die Helga's hoofd van de stenen rand scheiden, overbrugt hij met een felle trekbeweging.

De directe omstanders kunnen het doffe, krakende geluid horen. Een schrikreactie waaruit pure afschuw spreekt, gonst door de gelederen. Terwijl het merendeel van de aanwezigen als versteend toekijkt, duwt een groep Engelse mannen de menselijke pilaren opzij om maar zo snel mogelijk in te kunnen grijpen. Woest zijn ze, vloekend en tierend overbruggen de kerels de meters naar de hufter die een vrouw mishandelt. In hun ogen het laagste van het laagste.

Yassine heeft het aanstormende gevaar niet in de gaten. Hij tilt Helga's hoofd van de grond en kijkt in haar gesloten ogen.

'Dit is je verdiende loon, kankerhoer,' gromt hij dreigend. Hij heeft een waanzinnige blik in zijn ogen. 'Pak aan!'

Met kracht slaat hij het hoofd van de inmiddels bewusteloze Helga tegen de bovenkant van de rand. Uit haar voorhoofd en mond stroomt bloed.

'Teringhoer!' Opnieuw haalt hij keihard uit.

Omdat leden van 'Nueve' zich soms als mensen van vlees en bloed gedragen, heeft Silva de wreedheden kunnen volgen. In plaats van direct zijn orders op te volgen, bleven de camera's zeker een halve minuut op het macabere tafereel gericht. Toch rekent hij zichzelf deze fout het meest aan. Evenals zijn mensen in het veld heeft hij vanuit het commandocentrum letterlijk sprakeloos toe zitten kijken, en hetzelfde geldt voor Castro, toch ook een doorgewinterde veteraan.

Op het moment dat hij zijn order wil herhalen, zwenken de twee voorste camera's in zuidelijke richting. Tijdens die beweging vangt hij nog een glimp op van een toerist, die de rotzak vol in de rug trapt. Het vervolg laat zich raden, en interesseert hem amper. Hij heeft een essentiële fout gemaakt door te wachten met ingrijpen. De veiligheid van zijn eigen mensen staat voorop, zij moeten ongedeerd het operationele gebied verlaten. Wat zich daaromheen afspeelt, is niet relevant, dat moeten de uniformjongens maar opknappen.

Silva ligt hopeloos met zichzelf overhoop, al is hijzelf de laatste die het toe zou geven. Krachten die hij onderdrukte, schreeuwden tijdens de molestatie 'ingrijpen'. Dat was de mens in hem, degene die zich nooit ofte nimmer met zijn werkzaamheden mag bemoeien. Een hopeloos gevecht dat altijd twee verliezers kent.

Een gigantisch probleem wat in feite voor iedereen in deze branche geldt. Bijvoorbeeld voor die kerels van de guardia. Een arrestatieteam dat onder zijn leiding opereert. Het aftuigen van de vrouw vond voor hun ogen plaats. Conform de regels mogen ze niet ingrijpen, maar moeten ze het aan de uniformdienst over laten. Mochten ze het protocol echter aan hun laars lappen en die klerelijer halfdood trappen alvorens hem aan zijn haren af te voeren, dan kan hij daar vrede mee hebben.

Jij bent totaal ongeschikt voor dit werk, Alfonso Silva, hoort hij zichzelf zeggen. Jammer genoeg heeft hij vaak gelijk.

De beelden die er nu op de beeldschermen verschijnen, laten geen ruimte voor discussie open. Wat aan hem voorbijtrekt, is het begin van een escalatie. Hij dwingt zichzelf razendsnel te analyseren, geen impulsieve beslissingen te nemen.

Vanuit zuidelijke richting komt een groep van zeker twintig jongeren op de voorhoede afgestormd. Zonder dat daarvoor een order was gegeven, draait de camera van nummer zes honderdtachtig graden. Een verzameling armen en drie verwilderde Noord-Afrikaanse gezichten komen in beeld. Het zicht vanuit de camera van nummer drie verschilt weinig tot niets van dat van zijn collega. Ook hier drie dolgedraaide koppen die de hoofdrol opeisen. Twee ervan verdwijnen echter van het toneel als de 'Nueve'-man een getrainde gevechtstechniek toepast.

Ze zitten in de val, weet Silva. Zijn manschappen lopen op een galerij en kunnen geen kant meer uit, aangezien ze zowel van voren als van achteren aangevallen worden. De derde optie, de hoofdingang, valt ook af. Door die uitbarsting van geweld kan hij zijn mannen niet leiden. Het valt nog te bezien of ze er überhaupt kunnen komen.

'Alle eenheden met spoed naar de hoofdingang,' zegt Castro zelfverzekerd door de portofoon.

In Silva's gedachtewereld, die op volle toeren draait, is dit een juiste beslissing. Een pijnlijke, dat wel. 'Nueve', dat assistentie aan de guardia vraagt; de omgekeerde wereld!

In ieder geval durft de man aan zijn linkerzijde een keuze te maken. Vijf beeldschermen maken hem duidelijk dat er tien teamleden in gevecht zijn. Voor de zwaargetrainde specialisten is het een ongewapend gevecht, omdat alleen bij een levensbedreigende situatie een wapen mag worden gebruikt.

'Nummer vier, met spoed naar de hoofdingang, assistentie noodzakelijk.' De beheerste toon waarop hij dit bevel uitspreekt, is in hevige tegenspraak met de twijfels die hem bijna verscheuren. Wanneer is er bij een straatgevecht sprake van een 'levensbedreigende situatie'? Lopen zijn mannen een paar builen op, of staan ze tegenover messen en schietwapens? Is dit een kortstondige knokpartij, of een welbewuste aanval die gericht is om te doden? De beelden geven hierover geen enkele duidelijkheid. Een wirwar van ledematen vult alle schermen. De twee leden die onder nummer vier opereren zijn blijkbaar op de achterhoede van de wilde horde gestuit.

Gelijktijdig met de chaos die tot hem komt, flitst het beeld van de vrouw bij de fontein door hem heen. Precies drie seconden staart hij naar de monitoren.

Ik ben de controle volledig kwijt, realiseert Silva zich. Het commandocentrum heeft geen enkele grip meer op de huidige situatie.

Zijn linkerwijsvinger drukt de linkerknop op het paneel in.

'Aan alle leden; code rood. Ik herhaal, code rood,' meldt hij zonder dat er in zijn stem een spoortje van onzekerheid doorklinkt.

De molestatie van Helga valt net buiten Ulms blikveld. Terwijl de camera's het bloederige tafereel vastleggen, bevindt hij zich één meter voor de afslag. Zodoende wordt de helft van zijn uitzicht aan de linkerkant bepaald door een hoekpand waarin een juwelier is gevestigd. De andere vijftig procent maken hem duidelijk dat er heibel in de tent is. Wat er nou exact gebeurt, daar kan hij alleen maar naar raden. Ondanks zijn lengte kan hij niet goed zien wat er aan de hand is. Hij houdt zijn blik gericht op de terroristen vóór hem. Voor hem zijn dat de belangrijkste personen die er in het winkelcentrum rondlopen.

Een wonder heeft een ramp verhinderd, en de terroristen worden afgevoerd door kerels die hun vak verstaan. Hij is één van hen, al weet niemand dat. Maakt ook niet uit. De vernedering om geboeid tussen het schorem te staan, neemt hij voor lief. Tot het moment dat de celdeur openzwaait zal hij waakzaam blijven. Assistentie bieden waar dat nodig is! Zelfs met geboeide handen lust hij ze rauw.

Tot zijn opluchting komt er weer beweging in de menselijke karavaan. Omdat het arrestatieteam geen opstopping wilde veroorzaken, zijn ze naar de linkerkant uitgeweken, waardoor vrij baan werd gemaakt voor het winkelende publiek. In eerste instantie was het hem onduidelijk waarom ze naar links werden gedirigeerd, zowat tegen de ruit van de juwelier, in plaats van naar rechts. Nu snapt hij waarom. Aan de rechterkant van de galerij ligt de balustrade. In een onbewaakt moment zou één van de terroristen de gok kunnen nemen om zijn vrijheid of dood tegemoet te springen.

Langzaam gaan ze verder. De vitrine van de juwelierszaak verdwijnt uit zijn ooghoeken, waarna de oproer rond de fontein compleet in beeld komt. Dat het meer is dan een opstootje wordt op slag duidelijk. Voor de eerste keer tijdens zijn arrestatie wendt Ulm zijn blik van de terroristen af.

Hij ziet dat in de linkerdoorgang naar de uitgang verschillende vechtpartijen aan de gang zijn. Blank tegen bruin, het enige overzichtelijke in de chaos. De meeste klappen vallen in de directe nabijheid van de fontein. Daar hebben een mannetje of dertig het flink met elkaar aan de stok.

De toeristen die zich dicht bij de uitgang bevinden, kunnen praktisch geen kant op. Uit pure angst of frustratie storten huisvaders zich in het geweld. Voor sommigen is dit het enige alternatief om hun gezinnen te ontzetten, bij anderen zijn stomweg de stoppen doorgeslagen.

'Doorlopen,' hoort hij achter zich iemand vervaarlijk brommen. Een flinke por in zijn rug zet deze woorden kracht bij.

Ulm draait zijn hoofd vijfenveertig graden, waardoor de vier medegevangenen weer in beeld komen. Aangezien ze allemaal strak voor zich uit kijken, gaat alle commotie blijkbaar volledig langs hen heen. Voor de tweede keer binnen een kort tijdsbestek laat Ulms blik de vier los. Dit vanwege het gevaar wat er dreigt. Onbewust spant hij zijn spieren. Een groep van zo'n vijftien jonge Marokkanen komt in volle vaart recht op hen af. Zijn getrainde oog ziet geen messen of slagwapens. Hun aantal en de onvoorstelbaar agressieve houding die ze ten toon spreiden vormt de grootste dreiging.

De terroristen! Maar natuurlijk! De vechtpartijen zijn afleidingsmanoeuvres. Het werkelijke doel is de bevrijding van het viertal dat recht voor hem loopt.

Het is een frontale aanval. Vier man voorop, de rest er vlak achteraan. Ulm zet zich schrap voor de confrontatie die binnen enkele seconden plaats zal vinden.

'Aaaahhh!' Onder het slaan van ijzingwekkende kreten gaan de eerste vier aanvallers neer. De bewegingen van de twee kerels van het arrestatieteam zijn bijna niet met het blote oog te volgen, zo snel. Hun slagen en trappen komen echter stevig aan, getuige de vier relschoppers die liggen te kronkelen van de pijn.

Ulm stapt naar voren om bijstand te verlenen, aangezien de vechtmachines als gevolg van de overmacht in de problemen dreigen te raken. Hij duwt de Marokkaan voor hem ruw opzij. De man draait daardoor een kwartslag, waardoor hun blikken elkaar een halve seconde kruisen. In de ogen van de terrorist staat tot Ulms verwondering een mengelmoes van angst, verwarring en verbazing te lezen. Niets dat in de verste verten maar op euforie of opluchting lijkt.

Voordat Ulm zijn gedachten in daden om kan zetten, doet een klap in zijn stierennek hem wankelen. Volkomen uit balans strompelt hij als een dronkeman voort.

'Oeffff!' De gemene tik in zijn nierstreek komt hard aan. Uitsluitend het feit dat de Duitser over oerkracht beschikt, houdt hem op de been. De pijn negerend, draait hij zich op de ballen van zijn voeten om. Zijn geboeide handen zwaaien verrassend soepel naar achteren, en slaan de belager die rechts achter hem staat, finaal knock-out. Degene naast hem krijgt iets van de mokerslag mee. In ieder geval genoeg om tegen de grond te gaan. Ulm aarzelt geen seconde en schopt hem vol tegen de zijkant van het hoofd.

Eén blik zegt genoeg, hij bevindt zich in het hart van het nieuwe front. Overal in zijn nabijheid zijn gestoorde jongeren. Ze rammen er op los, maar gaan ook bij bosjes tegelijk neer.

Hij kromt zijn armen en haalt uit op de manier zoals een houthakker een boom velt; alleen de bijl ontbreekt. Het gekraak zegt genoeg over de kracht en accuratesse van de klap die zijn tegenstander recht op diens kaak treft.

Gehard en gevormd in de achterstandswijken van Frankfurt, wat toen nog gewoon achterbuurten heette, kent hij geen enkele angst. Het terrein waarop de veldslag nu woedt is luxueuzer en de vijand heeft een lichtbruine huid, verder is er geen verschil. De combinatie van kracht, moed en geslepenheid is de basis voor de overwinning.

Doordat de vier agenten die schuin achter hem liepen naar de rechterkant van de galerij zijn gedrongen, ligt de weg naar de hoofdingang opeens min of meer open. Er wordt weliswaar nog flink gevochten, maar met wat ouderwets ramwerk zijn er mogelijkheden, realiseert hij zich. Gepokt en gemazeld in dit soort situaties twijfelt Ulm geen seconde. Hij stormt naar voren. Het eerste obstakel staat met zijn rug naar hem toe. Zonder enige scrupule breekt Ulm met een uitgekiende stoot een paar ribben. De tweede hindernis, een jongen van hooguit zeventien met krulletjeshaar, schrikt van de onverwachte aanval. Hij maakt de fout om af te wachten, waarna een vlezig scheenbeen hem net boven de linkerknie raakt. Krimpend van de pijn stort hij ter aarde. Door Ulms actie krijgt de belegerde agent wat ruimte. Nummer drie en vier die zijn doorgang blokkeren krijgen een serie tikken en schoppen van de agent, en gaan tegen de grond.

Lichtvoetig vervolgt de logge Duitser zijn weg. Het punt waar de hoofdingang in de omloop overgaat, is veruit de grootste hinderpaal. Doordat toeristen zich in het gevecht hebben gemengd, is er van enig overzicht geen sprake. Het is een kluwen stompende, schoppende, grommende mannen die compleet door het dolle zijn. En er is zo te zien maar één regel: blank molesteert bruin, en omgekeerd.

'Tering,' mompelt Ulm. Vervolgens strekt hij zijn armen en buigt zijn kale kop zover als zijn aanzienlijke onderkin dat toelaat. In een ultieme krachtsexplosie stormt hij naar voren, recht op de massa af.

In totaal zijn er op de plek waar Ulm naartoe rent vierentwintig man in gevecht. Twee leden van 'Nueve', zeven toeristen, en vijftien Marokkaanse jongeren. Twee minuten daarvoor waren dat er nog zevenentwintig. Een groot aantal van de jongeren heeft zich al teruggetrokken. Wat er nu nog van over is, valt onder de noemer 'harde kern' en sensatiezoekers die in hun overmoed te laat het hazenpad kozen en als gevolg daarvan ingesloten zijn geraakt. Het merendeel hiervan vecht nog wel, maar heeft spijt dat ze ooit aan deze missie zijn begonnen. Het venijn is er uit, bij ieder klap verliezen ze óf een maat óf terrein.

Ulms vuisten raken als eerste het borstbeen van een landgenoot. De man slaat naar achteren en raakt met zijn rug twee jonge vechtersbazen die op het punt staan het onderspit te delven tegen een lid van 'Nueve'. Als een menselijke tank dendert Ulm letterlijk over de onfortuinlijke Duitser heen en de jongens worden opzij gebeukt. Hij mist de Spanjaard op een haar na en stoomt door.

De combinatie massa en snelheid is uiterst effectief. Zonder op of om te kijken davert hij verder. Een lange slungel wordt bijna uit zijn schoenen geslingerd als Ulm hem frontaal torpedeert. Drie gezette jongens die schouder aan schouder knokken zorgen echter voor weerstand, waardoor zijn tempo behoorlijk afneemt. Het trio gaat wel neer, waarbij de middelste een fractie later gilt als een speenvarken. Dit heeft te maken met Ulms linkervoet, waarmee de Duitser in zijn haast om door te razen vol op diens rechterhand stampt.

'Mmmmpfffhh,' kreunt de reus. Ook zijn krachten zijn aan een bepaalde limiet gebonden. Zijn snelheid is gereduceerd tot een wandeltempo, en de kracht vloeit uit zijn lichaam. Hij wil zijn armen optillen voor weer een doodklap, maar ze weigeren dienst.

Nog twee man, ziet hij in een flits. De eerste schakelt hij uit met een punter op diens scheenbeen. Het schoffie klapt dubbel, en zijn rechterknie maakt het vervolgens af.

De punt van het mes van het laatste bastion schampt langs zijn rechterschouder. De pijn blijft uit, daar is hij te moe voor. Bijna lodderig bekijkt Ulm de jongen die voor hem staat. Hij is hooguit achttien. Gouden ketting onder een halfopen schreeuwerig geel overhemd, aan praktisch iedere vinger meerdere ringen. Veel zilver, te veel zegelringen met een doodskop. Zwart sluik haar.

Hij kijkt de knaap recht aan. Enorme pupillen kijken eerder verschrikt dan agressief terug.

'Wegwezen, cokesnuiver,' snauwt de Duitser. Hij maakt gelijktijdig een universeel gebaar met zijn hoofd. Zoals de meeste van zijn leeftijdsgenoten, slaat ook deze tiener een bijzonder goed advies in de wind.

De aanval komt van onderen, precies daar waar Ulm het verwacht. In plaats van de steek te ontwijken, stapt hij vooruit en blokkeert de onderarm van de jongen. In één vloeiende beweging helt zijn bovenlichaam naar voren waardoor zijn gezicht op enkele centimeters van dat van de jongen komt. Zoals een spits die een voorzet van de flank genadeloos inkopt, slaat hij zijn hoofd van links naar rechts.

Zonder een kik te geven, gaat de messentrekker neer. Ulm, die aan het einde van zijn Latijn is, gebruikt het bewusteloze lichaam als buffer, zodat de aanraking met het beton wat minder pijnlijk verloopt. Zijn zware lijf perst de lucht uit de longen van de jongen.

Hij draait zich op zijn linkerzij. Alles doet pijn. De tikken die hij heeft opgelopen doen nu van zich spreken. Het duizelt in zijn hoofd, zijn benen voelen loodzwaar aan, zijn beide armen leiden een eigen leven, en zijn rechterschouder voelt aan alsof hij is gestoken door een zwerm wespen.

Hij ademt onregelmatig. De omgeving is wazig, alleen het beeld van de Marokkaan die naast hem ligt is helder. Er sijpelt een straaltje bloed uit diens rechtermondhoek, terwijl hij nauwelijks zichtbaar ademt. Macabere details waar Ulm niet op zit te wachten.

Hij sluit zijn ogen om even tot zichzelf te komen, de batterij op te laden. Dat is link, realiseert hij zich, maar het moet. Mocht iemand in die korte periode van hulpeloosheid een gewillig slachtoffer in hem zien...

Rustig ademhalen, spreekt hij zichzelf toe. Laat de kracht weer in je vloeien.

Na een twintigtal seconden opent hij zijn ogen. Het grijze gordijn dat de omgeving bedekte, is opgetrokken. Hoewel zijn fysieke gesteldheid nog te wensen overlaat, voelt Ulm verbetering. Ergens heeft hij wat kracht kunnen vinden. Of het genoeg is om hier weg te komen, valt nog maar te bezien. Het uitzicht biedt wat dat betreft weinig hoopvolle aanknopingspunten.

Het publiek is duidelijk gemêleerd, in ieder geval meer dan op de galerij het geval was. Er wordt gevochten, maar hij ziet ook andere dingen. Vrouwen, kinderen en bejaarden staan dicht tegen de moskee aangedrukt; bibberend en huilend vanwege het onheil dat hen tijdens de vakantie overkomt.

Tot zijn verbazing ziet Ulm dat ook vrouwen zich in het strijdgewoel hebben gemengd. En als hij ergens een hekel aan heeft, dan zijn het wel vechtende vrouwen. Maar nu interesseert het hem geen barst. Al gaat het voltallige dames-hockeyelftal van Spanje met iedereen op de vuist. Zet 'm op, meiden. Hij moet hier weg.

Kreunend en steunend voegt hij de daad bij het woord. Het lichaam naast hem gebruikt hij als afzetpunt. Hij komt omhoog, om zich direct te laten vallen. Drie snel achter elkaar afgevuurde schoten zijn daar verantwoordelijk voor. Vier hartslagen later valt er weer een schot, en daarna nog een.

Volledige paniek daalt nu over iedereen neer. De knallen veroorzaken een alles overheersende hysterie. Wat in iedere andere situatie als bijzonder positief zou worden ervaren, is nu de opmaat van opnieuw een rampscenario. De gevechten worden weliswaar abrupt beëindigd, maar alle aanwezigen hebben opeens één gezamenlijk doel voor ogen.

De massale aftocht verandert voormalige wapenbroeders van de ene seconde op de andere in gezworen vijanden. Het is nu ieder voor zich.

Ulm ziet de deur van de moskee openstaan. Zes mannen van middelbare leeftijd kijken verbijsterd om zich heen. Ze dragen zonder uitzondering witte gewaden die tot aan hun voeten reiken. De oudste van het stel stapt naar voren en heft bezwerend zijn handen. Met een zo op het oog uiterste krachtsinspanning begint de man de schreeuwen. Het is net aan, maar zijn stem komt boven de herrie uit. Wat hij precies zegt, is Ulm een raadsel. Het klinkt in ieder geval behoorlijk dreigend.

Datzelfde gevoel heerst ook bij een stevige toerist wiens vluchtweg door de oude man wordt geblokkeerd. In het voorbijgaan geeft hij de grijsaard zonder aarzelen een linkse hoek. Verontwaardigd stormen de vijf Marokkanen naar voren. Zij storten zich op de agressor en raken hem daar waar mogelijk.

In zijn vlucht naar rustigere oorden, ontwijkt Ulm hen. Volgens hem is de snelste vluchtweg dwars door de fontein. Enkelen zijn hem reeds voorgegaan. De meeste daarvan zijn moeders met kinderen die het hoofd koel hebben gehouden. Een nat pak is stukken beter dan midden in een vechtpartij zitten. Een logische gedachtegang, lijkt hem.

In zijn haast om weg te komen, sneuvelt er een neusbotje van een veel te dikke toerist die zich geen raad weet met de situatie en daarvoor precies de plek heeft uitgekozen waar Ulm de doorsteek wil maken. Met beide handen voor zijn gezicht gaat de man door de knieën.

Een panische moeder met twee kinderen kruist zijn pad. Bewust houdt hij in, iets waar de oude Ulm van gegruweld zou hebben.

Nog tien meter, schat de kolossale Duitser in. Hij houdt zijn armen half gebogen voor zich, waardoor zijn geboeide handen als onvervalste stormrammen dienst kunnen doen. Er trekt een grijns over zijn gezicht.

Vijf meter.

Vlak voordat hij een treuzelaar een opdonder wil verkopen, stopt zijn hart met kloppen. Maar meteen daarop begint het als een razende te slaan. Vastgenageld staat hij aan de grond. Hij wil schreeuwen, brullen, maar bovenal actie ondernemen. Door de plotselinge schrik lukt het stomweg niet.

Naast de opstaande rand van de fontein zit zijn eigen Ingrid op haar knieën. Als een bezorgde moeder die haar koortsige dochtertje in slaap probeert te krijgen, wiegt ze het bebloede hoofd van Helga op haar schoot heen en weer. De tranen stromen over haar wangen, ziet Ulm tot zijn grote afschuw. Ze huilt met lange uithalen, vol ongeloof en verdriet, maar dat is door alle herrie niet te horen.

Hij schudt heftig met zijn ruige kop, om alles helder te krijgen.

'Ingrid!'

Geen enkele reactie. Het gezicht van zijn vrouw is door verdriet versteend. Ze kijkt recht vooruit, maar lijkt niets te horen of te zien. Van voorbij rennende mensen krijgt ze regelmatig een tik of een schop, maar ook dit gaat volledig langs haar heen.

'Ingrid, godverdomme nog aan toe!' Aangedreven door een ongekende krachtbron, rent Ulm naar haar toe. Een ouder echtpaar moet deze explosie bezuren, en wordt ruw gescheiden.

'Lieve schat van me,' zegt Ulm even later terwijl hij naast zijn vrouw neerknielt. 'Waarom ben je nog hier en wat is er in godsnaam allemaal gebeurd?' komt er razendsnel achteraan. Zijn blik dwaalt naar Helga's ogen die hem uitdrukkingloos aankijken. In een fractie van een seconde weet hij genoeg. Het is niet de eerste keer dat hij deze typische oogopslag aanschouwt.

'Ze... ze is neergeslagen... zomaar.' De woorden komen uit haar mond op een manier die duidelijk maakt dat ze het niet wil en niet kan bevatten. Ze kijkt Ulm aan en vraagt: 'Heb jij al een ambulance gebeld?' Haar ogen zijn poelen van onbegrip waarin zorgzaamheid en machteloosheid naar vaste grond zoeken.

Ulm legt voorzichtig zijn handen op haar schouders.

'Lieve schat, we kunnen niets meer voor haar doen.'

Knullig, vanwege zijn geboeide handen, maar met aandoenlijke tederheid pakt hij Helga's hoofd en tilt het uiterst voorzichtig op. Zo respectvol als in deze situatie maar mogelijk is, legt hij het blonde haar op de kille ondergrond.

'Slaap zacht, meisje,' fluistert hij op een toon die gigantisch contrasteert met zijn uiterlijk.

De voet die iemand in zijn rug zet brengt hem nauwelijks van de wijs. Zijn aandacht is voor even bij Helga, die altijd vrolijke vrouw met haar aanstekelijke lach en nooit aflatende werklust. Een volgende schop van een voorbijganger is alleen maar fysiek ongemak, van voorbijgaande aard. Onbelangrijk.

'Kom lieverd, we moeten gaan.'

Zijn vingers vinden houvast onder Ingrids rechteroksel. Alsof ze een veertje is, tilt hij haar omhoog.

'De ambulance komt eraan.' Heel even glinstert er een sprankje hoop in haar diepbedroefde oogopslag. Vertwijfeld heft ze haar rechterwijsvinger om hem te attenderen op het aanzwellende geluid van sirenes.

'Helga is dood, het spijt me.'

Haar antwoord vervliegt in het rumoer van de menigte die nu massaal de nieuwe vluchtroute heeft ontdekt. Zo zachtzinnig mogelijk trekt Ulm zijn apathische vrouw mee de fontein in. Doordat deze dertig centimeter diep is, bereiken ze de andere kant in een stijl die het midden houdt tussen lopen en waden.

De brede parkeerplaats ligt nu recht voor hen. Tientallen politiewagens staan her en der verspreid. Zonder uitzondering voeren ze blauw zwaailicht, wat een lichtshow oplevert die bij geen enkel rockconcert zou misstaan. Alleen wil niemand dit optreden bijwonen.

Tientallen scooters schieten vlak langs geparkeerde wagens heen. Sommige bestuurders lukt het om de hoofdweg te bereiken, andere krijgen een mep met de wapenstok en gaan ter plekke neer.

Naast de enorme hoeveelheid uniformen, is er ook veel politie in burger aanwezig, constateert Ulm. Zij concentreren zich voornamelijk op mannelijke toeristen, wat er verre van zachtaardig aan toe gaat.

Ze zoeken mij, gaat het door hem heen. Dat dit niet helemaal klopt doet voor de Duitser niet ter zake. Hij moet van het meest negatieve scenario uitgaan. De wet van de asfaltjungle. Alleen dan heeft hij een kans om door de linies heen te breken.

'Ik hou van je, muis. Vertrouw op me.'

Voordat Ingrid de tijd krijgt iets terug te stamelen, scheurt hij in één keer haar blouse aan flarden.

'Ernst!'

'Bedek mijn handen ermee,' zegt hij zo indringend mogelijk, terwijl hij haar strak aankijkt.

Met trage gebaren doet Ingrid wat er van haar gevraagd wordt. Daarna legt Ulm zijn geboeide handen achter haar rug en neemt haar in zijn armen.

'Doe of je bewusteloos bent,' fluistert hij terwijl zijn rechterwang tegen haar linkerslaap wrijft.

Tijdens het lopen zakt Ulm iets door beide knieën. Ook kromt hij zijn rug. Iedere centimeter die hij optisch van zijn lengte af kan knabbelen, telt.

Niet ver weg ziet hij vier ambulances. Hulpverleners eromheen, achterdeuren open, mensen erin, wegrijden, een andere ziekenauto komt alweer aangescheurd. Om hem heen blijft de politie op de scooterjongeren meppen die als wespen uit een nest dat in brand staat proberen weg te komen.

Nog vijftig meter naar de hoofdweg. Vandaar is het een koud kunstje om tussen de complexen door te verdwijnen, weet hij. De snelste weg is nog altijd rechtdoor. Dat hij daarbij afwijkt van de denkbeeldige lijn die naar de ambulances loopt, is een gok die door Ulm bewust wordt genomen.

'Hé!' Vanuit zijn linkerooghoek doemt een agent op die hem iets duidelijk probeert te maken. Hem, of de tientallen anderen die zich naar een veilige plek begeven. Het laatste ligt voor de hand, toch kan hij zo dicht bij de eindstreep geen risico nemen.

Hij brengt zijn mond naast Ingrids linkeroor en zegt: 'Kreun hardop.'

Drie lange seconden denkt Ulm dat zijn vrouw hem niet heeft verstaan of misschien zelfs is flauwgevallen. Op het moment dat hij zijn dringende verzoek wil herhalen, welt er een geluid uit haar mond op.

'Ooooooh, oooooooohhhhhh.' Ze heeft haar ogen half gesloten, terwijl ze licht met haar hoofd heen en weer beweegt. Op haar voorhoofd zit bloed, dat afkomstig is van zijn rechterschouder.

'Goed zo, nu wat harder,' fluistert hij. Een groeiend optimisme klinkt in zijn stem door.

'Oooooh, aaaaaahhhh, oooohhhh!'

Haar timide bewegingen gaan over in een licht gespartel. Ze trappelt ingehouden met haar voeten, draait met haar hoofd en maakt voorzichtige pompbewegingen met haar onderrug. Door deze beweging wiebelen in een weinig verhullende witte bh haar stevige borsten heen en weer.

Rechts van hem ziet hij een huisvader die zijn gezin in veiligheid brengt naar de overacterende Ingrid kijken. De man heeft alleen oog voor de half ontblote stoot die meer lijkt op een kroelende dan op een gewonde vrouw.

'Rustig aan, niet overdrijven,' sist Ulm. Ondertussen kijkt hij vuil naar de man, die schichtig wegkijkt en zijn koers bijstelt, waardoor de afstand tussen hen groeit. Een tweede schreeuw van de politieman blijft uit. Blijkbaar liggen diens prioriteiten ergens anders.

Om het allemaal zo overtuigend mogelijk te maken, loopt Ulm recht op een geparkeerde ambulance af. Hulpverleners duwen een brancard met daarop een gillende Marokkaanse jongen naar binnen. Rond de wagen ligt en zit een ontredderd clubje slachtoffers. Het medisch personeel zeult met allerhande apparatuur en levert daar waar mogelijk assistentie. Het geheel heeft zodoende veel weg van een inderhaast opgezet noodhospitaal. Niemand let op een toerist met in zijn armen een gewonde vrouw.

Een geluk bij een ongeluk, denkt Ulm. Zonder daarbij zijn pas te versnellen, buigt hij naar links af. Een rij geparkeerde auto's onttrekt hen enigszins aan het zicht, voorzover er in deze hel nog iemand geïnteresseerd is in een uit de kluiten gewassen toerist die de benen neemt. Het trottoir naast de hoofdweg voelt aan als een lauw bad na een dag van hard werken. Hij zet Ingrid neer. Daarna kijkt hij over zijn schouder om te checken of niemand hem volgt of belangstelling toont.

Maar alles is nog hetzelfde. Het is ieder voor zich en god voor ons allen. De politie jaagt op relschoppers, terwijl de toeristen als verslagen soldaten het slagveld verlaten. De één strompelt, de ander rent. Het onfortuinlijke leger trekt zich terug na een onverwachte nederlaag.

'Naar huis,' zegt hij kortaf.

Nadat een ambulance in volle vaart is voorbijgescheurd, steken ze snel de straat over. Aan de overkant belanden ze tussen de ramptoeristen die vanuit een veilige haven genoeglijk andermans narigheid gadeslaan. Hoewel Ulm het liefst een tweede rampgebied zou willen creëren, weet hij zonder dat er vanuit zijn mond een onvertogen woord valt door de rijen kijkers heen te glippen.

Eenmaal achter de rij toeschouwers aangekomen, wandelen ze zij aan zij naar hun vier straten verderop gelegen appartement toe.

Tot aan het moment dat ze daar binnenstappen en zich eindelijk veilig wanen, wisselen ze geen woord met elkaar.

Ze varen ongeveer zeventig meter schuin achter de stuurboordzijde van de speedkruiser. In de dode hoek, voorzover die op zee bestaat. De stuurman houdt een rustig tempo aan, zodat Den Vlieger de motoren een laag toerental kan laten draaien zonder terrein te verliezen.

'Laat alle flessen leeglopen behalve de reserve twaalfliter' zegt Price op getemperde toon.

De spanning aan boord is om te snijden, wat doorwerkt op zijn stemgeluid. Ze zijn doodsbang om door de terroristen ontdekt te worden, vandaar het bijna fluisteren. De onzin hiervan dringt tot niemand door, daarvoor is de druk te hoog.

Drie paar ogen kijken hem vragend aan. De resterende lucht uit de flessen verwijderen lijkt een onzinnige actie.

'Doe het nou maar gewoon, wil je! Price' intonatie is bits zonder dat hij daarbij zijn stem verheft.

Hij realiseert zich donders goed dat zijn vrouw en vrienden door zijn gedrag in een levensbedreigende situatie terecht zijn gekomen. Het feit dat Den Vlieger nog geen definitieve koerswijziging heeft doorgevoerd, getuigt echter van veel geloof in zijn kunnen. Vertrouwen dat niet mag uitlopen in een afgang, om over nog verder gaande consequenties van zijn impulsieve gedrag maar te zwijgen.

'Bind ze met een riem of een stuk touw aan elkaar vast, zodat we twee paren krijgen.'

Tot zijn verbazing pakt Carmelo zonder daarbij een woord te zeggen een stuk touw. Twee seconden later doet Claudia hetzelfde. Gesis volgt als de fleskranen om tijd te winnen verder open worden gedraaid. Het komt op hem over als het doordringende gefluit van een stoomlocomotief. Met moeite kan Price de opwelling om demonstratief een gestrekte wijsvinger op zijn lippen te leggen onderdrukken.

Terwijl de flessen leeglopen, neemt hij zijn plan door. Hij is op het idee gekomen door een verhaal dat hij een paar jaar geleden in een duikmagazine heeft gelezen.

Tijdens zijn middagpauze wilde een duikschoolhouder een fles vullen. Het ging om een duikfles van de lokale brandweer, een zogenaamde 'zevenliter' waarin veertienhonderd liter lucht in werd gepompt. Een klusje van niks. Hooguit vijf minuten werk. De man had echter geen zin daarop te wachten. Hij sloot de fles op de compressor aan en vertrok naar huis om te gaan lunchen. De normaalste zaak van de wereld, aangezien de compressor volautomatisch werkte en afsloeg zodra de gewenste druk in de fles was bereikt.

Toen hij na een uur terugkeerde, trof hij een ravage aan. Door materiaalmoeheid, een constructiefout of bevestigingsfout, daar zijn ze nooit achter gekomen, brak tijdens zijn afwezigheid de fleskraan af. Als een ongeleid projectiel sloopte de duikfles in een paar seconden een groot deel van het interieur.

Price ziet de foto's nóg voor zich. Vooral die ene waarop een gat in de muur akelig scherp in beeld werd gebracht. Het enige dat de op hol geslagen fles kon stoppen, was een betonnen muur!

Het artikel diende voornamelijk ter promotie van nat vullen, wat inhield dat de flessen tijdens het vullen in een met water gevulde stenen constructie moesten staan. De temperatuur in de fles liep daardoor tijdens het pompen beduidend minder op. Mocht er dan alsnog iets gebeuren, dan kon het ding in principe geen kant op.

Een zevenliter, denkt Price. Kun je nagaan wat een twaalfliter voor schade aan kan richten. Het optimisme verdwijnt als de foto's plaatsmaken voor het actuele beeld. Vier kerels en een vrouw. Op jacht naar een stelletje moordenaars. Ongewapend.

Vanwege een artikel in een duikmagazine zet jij de levens van vijf personen op het spel. Drie vrienden, je vrouw en jezelf. Een korte blik op de mensen om wie hij veel geeft, doet hem zwaar twijfelen. Dit is waanzin, keer terug, laat dit aan beroepsmensen over, hamert het door zijn hersens.

Hij sluit zijn ogen en fluistert, voor de rest onhoorbaar: 'Welke beroepsmensen?'

Hij zuigt zijn longen vol, en zegt dan: 'Leg het eerste paar in de breedte tegen de rand aan, de andere twee er in de lengte bovenop.'

Iedere twijfel is verdwenen. Zij moeten de klus klaren en niemand anders. Beroepsmensen zijn mensen, ook net als zij. Met hun gebreken en misrekeningen, net als zij.

Vijf beroepsmensen zijn zojuist op kille wijze afgeslacht. Blijkbaar valt de bestrijding van dit soort tuig in een aparte categorie. Een buitencategorie waarvoor nog geen opleiding is uitgevonden. Mocht die wel bestaan, dan zijn de afgestudeerden hier ver vandaan.

Het gajes moet gestopt worden. Het lot of noodlot heeft hen op deze plaats gebracht.

Het is dus aan hen, het is niet anders!

'Leg de volle twaalfliter er in de breedte op.' Hij knikt met zijn hoofd naar de vier lege flessen. 'Kraan naar binnen gericht.'

In een mum van tijd ligt de gevraagde ministellage aan bakboord. Drie gezichten kijken hem verwonderd aan. Het gezeul met de flessen lijkt volledig aan Den Vlieger voorbij te gaan. Als een matroos die vanuit het kraaiennest verwoed naar land speurt, houdt hij de kruiser in de gaten.

'Ik leg het snel uit,' zegt Price koel. Dirck, kun je mij verstaan?' Den Vlieger knikt zonder daarbij de kruiser uit het oog te verliezen.

'In dit tempo zijn we over een paar minuten in de baai van Meloneras. We weten bij god niet wat ons daar staat te wachten, waarschijnlijk terroristen die ze oppikken. Versterkingen dus, ongunstig voor ons. Daarom moeten we die gasten voordat ze de kust bereiken uitschakelen. Op een onorthodoxe manier.' Hij pakt zijn eigen fles bij de aluminium kraan en trekt deze naar zich toe. Om zich ervan te verzekeren dat echt alle lucht eruit is, draait hij nogmaals de kraan helemaal open.

'Ik heb dit uit een magazine, en ik weet dat het zowel in theorie als praktijk kan, of het ons lukt is een tweede.'

De uitdrukkingsloze blikken die er nu op hem gericht zijn, beloven weinig goeds. Logisch, denkt Price. Zou ik meteen vertrouwen hebben in een verhaal dat zo warrig begint? Op zee, in het donker, terwijl verderop een boot vol gewapende terroristen vaart?

'Dirck gaat zo direct het tempo opvoeren. Als we tot op dertig meter zijn genaderd, geeft hij vol gas. Als we langszij komen – hou er dan ongeveer twintig meter ruimte tussen, Dirck – slaan we toe. Ik hoop dat we de terroristen met deze move verrassen.'

Aangezien Den Vlieger taal noch teken geeft, roept Price naar hem: 'Alles duidelijk, Dirck?'

Ja,' antwoordt de Vlaming. En in die twee letters klinkt zijn ongeloof door.

'Mooi.' Hoewel Price precies denkt te weten wat er in het hoofd van de schipper omgaat, laat zijn stem zich er in ieder geval niet door beïnvloeden.Maar de twijfel blijft knagen.

' Carmelo en Jens gaan tegenover elkaar zitten, de flessen tussen hen in. Jens zorgt dat de vier lege op hun plek blijven, Carmelo neemt de bovenste volle twaalfliter voor zijn rekening.

Het allerbelangrijkste is dat het zootje niet gaat schuiven.'

De twee mannen knikken, verre van enthousiast, maar ze knikken. En dat is al heel wat, denkt Price. De tijd om te bedenken wat hij in een soortgelijke situatie zou hebben gedaan, gunt de Amerikaan zichzelf niet.

'Op het moment dat we langszij komen, ram ik met mijn fles de kraan van de volle twaalf eraf. De vrijkomende druk lanceert de fles en boort zich in die kruiser. Het mooiste zou zijn als ik ze midscheeps weet te raken, al is een treffer op zich al prachtig. Geheid dat ze zinken, al die praatjes over een onzinkbaar product ten spijt. Claudia blijft achter mij staan. Mocht er iemand uitvallen, dan neemt zij die plek in.'

Price wacht op de verbale storm, maar het blijft stil aan boord, alleen de wind, de golven en de motoren zijn te horen.

'Oké, laten we...'

'Jij denkt zeker dat ik gestoord ben, of zo?' Carmelo kijkt hem vol ongeloof aan, maar er is helemaal niets grappigs aan de gezichtsuitdrukking van zijn beste vriend.

'Waar haal je dit soort idioterie vandaan? Niet zíj maar wíj gaan de lucht in, mafkees! Dit slaat nergens op, het kan niet...'

Het kan wél,' reageert Hamann ijzig. 'Het verhaal waar Matthew op doelt heb ik ook gelezen. Sterker nog, ik heb reportages gezien waarin het werd vertoond. Het doelwit was een twee meter dikke muur in een laboratorium. Op twintig meter afstand daarvan een speciaal geprepareerde stellage met daarin een volle tienliterfles. De kraan werd er door een vallend blok lood afgeslagen. Op dertig centimeter na werd de muur doorboord.'

'Welke randdebielen maken nou zulke films?' bijt Carmelo hem toe.

'De Universiteit van Michigan, in opdracht van PADI. De film was bedoeld voor PADI-mensen die veel op locatie werken. Bedoeld om te laten zien waar ondeugdelijk materiaal en slecht onderhoud in de duikcentra toe konden leiden.'

Carmelo slaakt een diepe zucht.

'Help me eraan te herinneren, dat, mochten we dit door een wonder overleven, ik mijn lidmaatschap opzeg.' Aansluitend legt hij beide handen op de volle duikfles. Een vage glimlach verschijnt op zijn gezicht.

'Zijn we eruit?' vraagt Den Vlieger spottend.

'Ik denk niet dat die gasten op ons blijven wachten.'

'Gas, Dirck,' zegt Price gedecideerd. Hij doet twee stappen naar voren om op zijn plek te komen. Claudia gaat achter hem staan. Haar linkerhand streelt kort het neopreen ter hoogte van zijn linkerzij. Ze buigt zich naar voren.

'Het gaat je lukken,' fluistert ze in zijn rechteroor.

Hij knikt bevestigend, maar zijn geloof in een goede afloop verslechtert per seconde. Deze actie is inderdaad krankzinnig. Carmelo heeft groot gelijk!

De afstand tot de kruiser verkleint zienderogen. Doordat de maan verre van helder schijnt, en het schip geen licht voert – wat ook voor henzelf geldt – is het onmogelijk details te onderscheiden. Ze varen op een duister object af, een obstakel dat al dood en verderf heeft gezaaid op de kalme zee. Het eerste is een nachtmerrie, het laatste een voordeel, aangezien een stevige golf op het moment van lanceren flink roet in het eten kan gooien.

Als wij hen zien, dan zien zij ons ook, schiet het door Price heen. Een denkbeeldig salvo dat hen onbarmhartig naar de kelder jaagt, is verantwoordelijk voor het onplezierige gevoel van opstaande lichaamshaartjes die tegen neopreen schuren.

Negeer het, concentreer je uitsluitend op je taak, bijt hij zichzelf toe.

Den Vlieger duwt de gashendel stukje bij beetje omhoog. Het sonore geluid van de motoren gaat over in een dreigend gebrom. Hoewel de boot onmiskenbaar aan snelheid wint, klinken de motoren verre van gezond. Dat is op zijn zachtst gezegd vreemd, omdat Den Vlieger waar het onderhoud betreft, een echte Pietje precies is. Atechnisch als hij is, hoort Price duidelijk een hoge, bijna snerpende dissonant tussen het vertrouwde dieselgebrom. Hij kijkt vluchtig naar de Vlaming die alleen oog heeft voor de contouren van het zwarte monster dat zij met rasse schreden naderen.

Ieder zijn taak, prent Price zichzelf in. Je hebt het net zelf nog gezegd. Dirck heeft het afwijkende geluid heus wel gehoord. Maar wat kan hij daar nu aan doen? Zijn prioriteit ligt bij het uiterst secure stuurwerk. Gaat de motor stuk, dan is het afgelopen, de missie afgebroken. Verdomme, man! Hou je eigen werk in de gaten, de rest is mans genoeg hun taak uit te voeren.

Doordat het zweet in zijn handen staat, wordt de greep om de aluminium kraan behoorlijk glibberig. Hij klemt de fles tussen zijn knieën, veegt beide handen snel aan zijn wetsuit af en pakt de kraan wat minder gespannen vast. De lege fles weegt een kilo of vijf, zes. Voor deze opdracht mag het gewicht geen probleem zijn.

Ter bevestiging tilt hij de cilinder twee keer achter elkaar tot aan borsthoogte op. Zelfs onder deze omstandigheden gaat dit moeiteloos.

Het wapen zelf is klaar voor gebruik, nu het schot nog.

Den Vlieger drukt de gashendel opnieuw naar boven, zodat de boot gaat planeren. De ideale glijvlucht is nu bereikt. De motoren briesen woest, terwijl het vreemde geluid eveneens aan kracht toeneemt. Price negeert het. Hij staat klaar als een slagman die met 'volle bak' de beslissende homerun moet slaan. Alle honken zijn bezet. De bal ligt stil en heeft de vorm van een kraan.

De kruiser is nu duidelijk zichtbaar, binnen de kortste keren komen ze langszij. Ieder moment kunnen de kogels hen om de oren vliegen.

Eén kans, weet Price. Aangezien Hamann geen krimp geeft, ligt de stellage nog intact voor hem. Carmelo heeft beide handen op de twaalf-fliter die enkele centimeters boven de wand rust, wat een lancering zonder obstakels garandeert.

Om zijn raakvlak te markeren, tikt Price met de onderkant van zijn fles tegen de kraan. In het verlengde van zijn blik de oogopslag van zijn strijdmakkers. Berustend, gespannen, angstig, ijzingwekkend… ondefinieerbaar.

Terwijl het vreemde gezoem erin is geslaagd het gebrul van de motoren naar de achtergrond te dringen, spant hij zijn armspieren. Volledig in balans wacht hij het moment af om toe te slaan.

De kruiser bevindt zich in zijn rechterooghoek. Er staan twee kerels op het achterdek. Schaduwen, contouren, geen details, daarvoor is het te donker. Den Vlieger heeft de perfecte lijn te pakken. Zijn ze ter hoogte van het achterdek, dan ramt hij de kraan eraf. Met veel geluk slaat de twaalfliter midscheeps binnen. De polyester romp mag geen enkel probleem vormen. Als een mes door de boter.

Op het moment dat ze tien meter van het punt van langszij komen verwijderd zijn, tilt Price in één vloeiende beweging de fles boven zijn hoofd. In gedachte telt hij af.

Drie, twee… Verder komt hij niet. Een soortgelijke vuurstraal die zoveel leed op het patrouilleschip aanrichtte, schiet vanaf de kruiser schuin omhoog. De klap die volgt verlicht de hemel. De brandende helikopter beweegt als een vuurvlieg met een ernstige evenwichts-stoornis.

In een reflex gooit Den Vlieger het stuur naar rechts om. Een actie die het leven van zowel Price als Claudia redt.

Een regen van kogels scheert vlak over de boot. De vallende Price incasseert net boven zijn rechterknie een treffer. Tijdens haar val voelt Claudia iets warms langs haar linkerwang schieten. Gelukkig is de schade niet meer dan een bloederige streep. Carmelo en Hamann horen de dodelijke projectielen letterlijk om de oren fluiten. Als door een wonder blijft Den Vlieger ongedeerd. Een gat aan de zijkant van het console is de stille getuige van zijn onwaarschijnlijke mazzel.

'Matthew!'

Op handen en voeten kruipt Claudia naar de kreunende Price toe.

'Matthew!'

Van de eerste schrik bekomen steekt Price zijn hand op.

'Niets aan de hand, een vleeswond.'

Steunend op zijn linkeronderarm komt hij een paar centimeter omhoog.

'Hoe is het met de rest?' vraagt hij bezorgd. In zijn stem klinkt voornamelijk schuldgevoel door.

'Alles oké, hier,' zeggen Carmelo en Hamann bijna gelijktijdig.

Het 'Kon niet beter,' van de stevige Vlaming neemt iets van de enorme druk weg waaronder ze staan.

Price opent zijn mond om ook een snedige opmerking te maken. Meer uit opluchting dat zijn stompzinnige gedrag geen desastreuze gevolgen heeft gehad voor zijn crew. Het luchtige antwoord wordt echter overstemd door de enorme herrie die gepaard gaat met het neerstorten van de helikopter.

'Mijn god nog aan toe!' fluistert Claudia. Automatisch wil ze beide handen naar haar mond brengen. Middenin deze beweging maakt ontzetting echter plaats voor woede. Haar bovenlip begint te trillen terwijl haar neusvleugels zich verwijden. Stokstijf, maar toch perfect in balans, ziet en hoort zij hoe het brandende helikopterwrak door de oceaan wordt verzwolgen.

'Tuig,' sist ze tussen haar opeengeklemde kaken. Met de motoriek van een robot draait ze haar hoofd in de richting waar de speedkruiser zich ongeveer moet bevinden.

'Hier zullen jullie voor boeten,' klinkt het ijzig kalm maar angstaan-jagend strijdlustig. Ze balt haar rechterhand tot een vuist. Uit dit gebaar spreekt zoveel frustratie en woede dat Price direct reageert. Hij weet waartoe zijn vrouw op momenten als nu in staat is. Dan over-schrijdt ze moeiteloos grenzen en verandert ze in een vrouw die zich door niets en niemand laat tegenhouden.

'En dat zal ook gebeuren, schat. Zulk geteisem delft op den duur het onderspit. Heus, de politie grijpt ze wel.'

Terwijl hij spreekt, weet Price hoe onlogisch deze logica klinkt. Dat wat hij zegt compleet haaks staat op zijn denk- en handelwijze van de afgelopen minuten. Dat de échte spirit in zijn vrouw huist.

'Het is afgelopen, jongens. We hebben er alles aan gedaan,' zegt hij op evenwichtige toon.

'Als de bliksem terug naar de haven Dirck, dan kan ik mijn poot laten verbinden.'

Om zijn woorden kracht bij te zetten, trekt hij een pijnlijk gezicht. Daarna leunt hij vermoeid met zijn hoofd tegen de wand en wacht op het aanzwellende geluid van de motoren.

Claudia is het dieselgeweld echter te vlug af. Haar stemgeluid is hel-der en beslist.

'We gaan niet terug naar de haven.'

Price sluit zijn ogen en kreunt inwendig. Datgene wat hij al aan voel-de komen, wordt werkelijkheid.

'We doen het precies zoals afgesproken,' zegt Claudia terwijl ze de kunststof verbandtrommel pakt. 'Ik neem Matthews plaats in.' Uit haar mond klinkt het net alsof ze de tafelschikking aan de gasten van een diner mededeelt. Uiterlijk onbewogen smeert ze jodium op Price' wond en verbindt deze snel en kundig.

'Ga je er nog achteraan of moeten we soms duwen, Dirck?' vraagt ze tijdens haar eerstehulpwerkzaamheden.

'Claudia, die gasten hebben hoogstwaarschijnlijk infraroodkijkers,' werpt Hamann tegen. 'Hoe denk je anders dat ze die heli uit de lucht konden knallen? Omdat ze het aan zagen komen, natuurlijk. Ze had-den alle tijd om het juiste vuurmoment uit te kiezen.'

Hij kijkt Claudia strak aan.

'Als we er weer op afgaan, zijn we niets meer of minder dan een schietschijf.'

Ondanks zijn pessimisme trekt de Zwitser zuinig zijn linkermondhoek omhoog.

'Aan de andere kant bewonder ik je lef, meid.'

Carmelo kijkt hem hoofdschuddend aan.

Claudia richt zich op, twee handen uitdagend in haar zij.

'Ik hou het op twee tegen twee, Dirck. Aan jou de beslissing.'

Anderhalve seconde later voegt ze er aan toe: 'Ik heb wel eens gehoord dat je de ballen van een stier hebt.'

Alleen de wind is niet onder de indruk van Claudia's taalgebruik; de kalme bries fluistert een oerrefrein over de golftoppen.

Price opent zijn mond om tegen deze belachelijke gang van zaken te protesteren. Maar voordat hij een geluid kan maken, spreken de motoren. Den Vlieger geeft vol gas, waardoor verdere discussie bij voorbaat uitgesloten is. Hoewel het met dit lawaai volstrekt onmogelijk is om te horen wat iemand zegt, zou Price zweren dat hij de Vlaming 'pokkenwijf' hoorde brommen.

De rubberboot neemt de golven met het gemak van een topatleet die over de horden vliegt. De koers die Den Vlieger aanhoudt, brengt hen verder weg van de letterlijk veilige haven. Je hoeft geen zeeman te zijn om dit te constateren, denkt Price nijdig. Ze varen namelijk recht op de kust van Meloneras af. Hij keurt de actie van Den Vlieger af, maar heeft er wel begrip voor. Tegelijkertijd haat hij zichzelf vanwege zijn slappe gedrag, zijn halfbakken optreden en al die andere stupide zaken waarbij hij een flater sloeg. Welke precies, is hem even ontschoten, maar ze waren er echter wel degelijk.

'Klasse Dirck,' schreeuwt Claudia de Vlaming toe.

Na dit compliment gaat ze tot actie over. Gracieus en gretig pakt ze de fles die als slagwapen dienst moet doen. Terloops deelt ze een knipoog naar Price uit.

Haar: 'Gaat helemaal goed komen,' is bedoeld om hem op te beuren, maar heeft het tegenovergestelde effect. Met de grootst mogelijke moeite weet hij er 'Wees voorzichtig' uit te persen. Een dooddoener van het zuiverste water. Hij voelt zich slecht, nietig, vernederd. De duisternis rondom hem krijgt zwaar vat op zijn geestestoestand.

Claudia neemt recht voor de provisorische stellage op haar knieën plaats. Vanwege de constante snelheid en het dreigende gevaar van rondvliegende kogels, wil ze het anders dan Price aanpakken. Vanuit deze lage, betrekkelijk veilige positie gaat ze de situatie inschatten. Pas op het allerlaatste moment wil ze omhoogkomen en de beslissende klap uitdelen. Ze is er zich van bewust dat theorie en praktijk in de regel niet samengaan. Toch moet ze ergens van uitgaan, een basisplan, al is de basis bijzonder wankel.

'Daar zijn ze,' meldt Den Vlieger. 'Op elf uur.' In de stem van de altijd stoïcijnse Vlaming klinkt een verontrustende opwinding door.

Claudia kijkt over de rand in de richting van de zojuist aangegeven richting. Hoewel ze over uitstekende ogen beschikt, kan ze er niet meer dan een donkerzwarte stip in zwarte omgeving van maken. Te ver om er een redelijke schatting op los te laten.

'Meld het me als we binnen schootsafstand zijn,' mokt Carmelo. 'Dan kan ik de witte vlag hijsen, misschien trappen ze erin.'

Hamann giechelt op een puberachtige manier. Zenuwen, weet Claudia. Zelf moet zij ook de neiging om stompzinnig te gaan lachen onderdrukken. De angstprop in haar keel komt hierbij echter goed van pas.

'Over een paar seconden een zigzag koers, Dirck,' zegt Price luid en duidelijk. Van enige terughoudendheid is geen sprake. Hij is zijn onzekerheid de baas en weer vol zelfvertrouwen.

'Als iemand het kan ben jij het wel,' zegt hij met een halve grijns tegen de liefde van zijn leven. Ze is een dappere vrouw die iedere steun die er is verdient. Ze maakt af wat hij is begonnen. Daarvoor moet hij respect hebben. De machotrekjes van zijn mannelijke ego heeft hij overboord gekiept.

'Zet je schrap,' brult Den Vlieger.

Hij zet de door Price voorgestelde koers in. Door het zigzaggen stuitert de rubberboot over de golftoppen. Een manoeuvre die bij onstuimiger weer volstrek onmogelijk zou zijn geweest. De lijnen die nu door Den Vlieger wordt aangehouden druisen namelijk in tegen alle vaarlogica. In plaats van de golven aan te vallen en er recht overheen te denderen, duikt hij er schuin in. Als er een hogere deining zou zijn geweest, zou dit absoluut tot kapseizen hebben geleid.

De gitzwarte vlek wordt zienderogen groter. Claudia voelt haar ademhaling onregelmatiger worden. Nerveus glijden haar handen over de rechtopstaande fles voor haar.

'Hou je kop erbij, meid,' gromt Hamann. Strak kijkt hij voor zich uit. De stellage is zijn wereld. Achter zijn rug wordt de speedkruiser steeds groter. Een kort moment benijdt Claudia hem zijn positie.

Hoewel ze erop voorbereid waren, komt het geratel onverwacht.

'Laag blijven!' schreeuwt Den Vlieger terwijl hij probeert zijn logge lijf zo klein mogelijk te maken.

Ondanks het gejakker van de motoren en de suizende wind, horen ze het fluiten van de kogels en de inslag aan de voorkant. Een angstig ogenblik stuitert de boot oncontroleerbaar, waarna Den Vlieger zijn stuurmanskunst toont en het vaartuig weer plat op het water weet te krijgen.

'De linkerkamer is geraakt,' brult hij. Hij trekt als een bezetene aan het stuur om de boot recht te houden.

Price beseft direct de ernst van de situatie. De wand van de rubberboot bestaat uit compartimenten. Een perfecte constructie voor het geval er één of twee lek slaan. De rest houdt de boot namelijk drijvende, zodat je met een rustige vaarstijl moeiteloos de dichtstbijzijnde haven kunt bereiken. Een prachtige theorie die onder deze omstandigheden geen hout snijdt. Met deze snelheid is het een kwestie van aftellen voordat ze crashen, beseft Price.

Het volgende salvo scheert over hun hoofden.

'Auuww!'

Den Vlieger wordt in zijn linkerarm geraakt, maar weet wonderwel de boot onder controle te houden. Met zijn rechterhand blijft hij tegensturen om de leeglopende linkervoorkant boven water te houden.

De contouren van de speedkruiser zijn nu zichtbaar. Vanaf het achterdek lichten vlammetjes op. Monden des doods die er alles aan gelegen zijn een fatale kus te geven.

'Maak ze af,' mompelt Carmelo. Zijn beide handen rusten nog steeds op de volle twaalfliterfles.

Het punt waarop ze op één lijn met de kruiser komen is zo goed als bereikt, ziet Claudia. Ze haalt diep adem en staat razendsnel op. Dit is ontegenzeglijk het moment waarop ze het meest kwetsbaar is. Mochten kogels haar openrijten, dan is het nu.

Vloeiend tilt ze de fles boven haar hoofd. Het schampen van een kogel tegen het aluminium ervan brengt haar niet van de wijs of uit evenwicht. De plek waar de fleskraan zich bevindt, staat tot op de millimeter in haar geheugen gegrift. Met alle kracht die ze bezit, ramt ze de lege fles naar dit punt.

Wwhhhhhooooeeeeeessshhhhhhh.

Alleen het geluid dringt tot hen door. De snelheid waarmee de fles gelanceerd wordt is fenomenaal en niet met het blote oog waarneembaar. De gigantische klap die daarop volgt wél.

Voorafgaande aan de explosie is er een felle lichtflits. De hitte daarna is als de hete adem van een vuurspugende draak. De kracht ervan werpt zowel Claudia als Den Vlieger tegen de bodem. Stukken polyester vliegen door de lucht. Door de enorme snelheid waarmee het lichte materiaal weggeslingerd wordt, is ieder stukje op zich een potentiële killer. De schade blijft echter beperkt tot een paar diepe krassen in de console en de beschermkap van de linkermotor.

Price komt als eerste omhoog. Steunend en kreunend volgt de rest. Uit hun reacties concludeert hij dat er voldoende builen, schrammen en blauwe plekken zijn opgelopen. Geen serieuze verwondingen. De schotwond van Den Vlieger baart hem de meeste zorgen. Tot zijn grote verbazing heeft de stevige Vlaming het roer alweer vast. Tevens is hij bij de les, want ze verminderen flink snelheid. De woorden die hij er nonchalant uitgooit nemen het gros van Price' onrust weg.

'Morgen kan ik niet duiken, da's zeker en vast.'

Zijn linkerarm bungelt slap langs zijn zij terwijl hij met zijn rechterhand stuurt. De gashendel wijst schuin naar beneden. In een traag tempo heelhuids de haven bereiken is nu het devies.

Aan hun linkerzijde staat het wrak van de speedkruiser in lichterlaaie. Vlammen happen naar polyester– en benzineresten. Iedereen aan boord is dood, daar is geen twijfel over mogelijk. Het opruimen van de resten door de vlammen en de oceaan, is alleen een kwestie van tijd.

210

Price slaat een arm om Claudia's schouder.

'Je hebt de benzinetank geraakt,' zegt hij met een mengeling van trots en ongeloof. Voorzichtig breekt er een glimlach door. 'Morgen kun je in het circus beginnen.'

Hoewel het zien van de vuurzee niet bepaald opwekkend is, begint ook de rest te grijnzen. Nu pas dringt het tot hen door dat ze het hachelijke avontuur hebben overleefd. Het besef dat er een morgen is, brengt een opluchting teweeg die ze nooit eerder gekend hebben. Het gevoel is zó intens, dat zelfs het lugubere decor geen kans krijgt er afbreuk aan te doen.

'Ik heb altijd al beweerd dat PADI uitsluitend toppers aflevert,' zegt Carmelo met een uitgestreken gezicht.'Een wereldorganisatie.'

Langzaam pruttelen ze richting haven.

Hartje zomer in begin december. Zon, zee, strand. Hij kent heel veel plekken waar het stukken minder prettig toeven is. Silva trekt een gek gezicht naar zijn dochter die vlak voor hem in het zand met vormpjes zit te spelen.

'Papa, raar,' zegt ze met een piepstemmetje, waarna ze het uitschatert.

Hij voelt Grace' hand op zijn bovenarm. Ze geniet ook van deze korte vakantie en laat dat veelvuldig door middel van kleine dingen merken. Een spontane kus, hem zomaar toelachen of, zoals nu, een lichte aanraking waaruit zoveel warmte spreekt.

De beslissing om er veertien dagen tussenuit te gaan, is een uitstekende geweest. Nu pas blijkt hoezeer ze het nodig hadden om als gezin in een schitterende omgeving vakantie te vieren.

Dat de keuze op Gran Canaria viel, was niet verwonderlijk. Behalve het geweldige klimaat en de korte reistijd, speelde er ook sentiment mee. Hier hadden ze elkaar leren kennen, en ontstond het fundament voor hun geluk. Daar kwam bij dat ze de plek geweldig vonden, maar dat het eiland nooit een echte kans heeft gekregen. Tijdens hun ontmoeting speelde de haaienaffaire een niet onaanzienlijke bijrol, en enkele maanden geleden was er die onverkwikkelijke zaak met de terroristen.

De eerste week is omgevlogen. Ze logeren in hotel RIU Palace, een superluxe vijfsterrencomplex. Via een tropische tuin bereiken ze binnen drie minuten het strand, waar een aanzienlijk deel van de dag wordt gespendeerd.

'Papa, meedoen,' klinkt het lief dwingend.

Silva glijdt uit zijn strandstoel en neemt naast Carmen plaats. Hij vermengt het zand in de kleine bakjes met het water uit de plastic emmer. Snel draait hij ze om, waarna er donkere vormpje in het lichtbruine zand staan.

'Jaaaaaaaahhh!' is de beloning die ieder ander geschenk te boven gaat.

Telkens klinkt er éénstemmig gejuich op als hij weer een andere variant tevoorschijn tovert. Na een half uurtje boetseren voor beginners, lost Grace hem af.

'Zou mama het net zo goed kunnen als papa?' kan rekenen op een welluidend 'néééééé!' waarna een hilarisch gelach van moeder en dochter volgt.

Heerlijk onderuit in zijn strandstoel voelt Silva zijn oogleden zwaar worden. In combinatie met het lieflijke gekwebbel van zijn gezin, is het bescheiden gemompel van de zee een perfect slaapliedje. Hij dommelt, zonder daarbij in slaap te vallen. Een toestand waarin het heerlijk toeven is.

Hoewel hij de wereld wel degelijk om zich heen voelt, is er een zekere afstand. Een vacuüm waar vanuit het zo eenvoudig analyseren is. Zonder druk of stress. De beslissingen die hij heeft genomen en gaat nemen zijn ineens minder omstreden. Het lijkt eeuwen geleden dat hij zich zó prettig heeft gevoeld. Een opmerkelijke gewaarwording na maanden van niet aflatende stress.

Na het, vanuit zijn standpunt gezien, echec van Gran Canaria, werd hij echter met alle egards behandeld door een selecte groep topambtenaren van Binnenlandse Zaken. Ze waren bijzonder onder de indruk van de door 'Nueve' neergezette prestatie. Toch kon hij zich niet aan de indruk ontrekken dat deze bureaucraten geen flauw idee hadden wat er écht was voorgevallen. Het ging hen uitsluitend om het totaal, dat wonderwel naadloos in het door hen ontworpen draaiboek paste. De Spaanse veiligheidsdienst had op Gran Canaria fantastisch werk geleverd. Alleen door de inspanningen van deze elite-eenheid waren verdere escalaties voorkomen. Hoewel Spanje in eerste instantie positief achter het toetreden van Marokko tot de Europese Gemeenschap had gestaan, was de Spaanse regering van mening dat dit standpunt wellicht té overenthousiast naar buiten was gebracht. Verdere evaluaties hieromtrent zouden volgen.

Spanje had zijn vingers gebrand, en zocht naar smeermiddeltjes om de pijn te verzachten, wist hij al na het eerste gesprek. Ze zouden Marokko als een baksteen laten vallen en door middel van allerlei concessies achter gesloten deuren de oude partners weer achter zich proberen te krijgen. Schreeuwende krantenkoppen werden op den duur kleine artikeltjes, de kortstondige affaire zou uiteindelijk als een onbeduidend slippertje worden afgedaan.

Simplistisch gedacht, maar hij was uiteindelijk geen politicus. En echt ver zat hij er met deze conclusie niet vanaf. 'Nueve' was als grote winnaar uit de bus gekomen. Overal tevreden gezichten, daar waar de eenheid ter sprake kwam. Wat hem betrof een zeer hachelijke zaak. Doordat het in hun politieke straatje van pas kwam, werd hij met hulde overladen. Zou de regering een andere koers zijn ingeslagen, dan waren er hoogstwaarschijnlijk heel andere gevolgtrekkingen geweest. Met 'Nueve' in de rol van schlemiel en hijzelf in die van geslachtofferde.

'Nu papa weer.'

Door zijn zo goed als gesloten oogleden heen, ziet hij dat Grace haar vinger op haar lippen legt. Ze buigt zich voorover en fluistert iets in de trend van 'laat papa maar even,' in Carmens oor.

Hoewel een licht schuldgevoel hem bekruipt, houdt Silva zich slapende. Straks is hij er weer voor die kleine. De geestestoestand waarin hij zich nu bevindt is te prettig, te leerzaam en te waardevol om te onderbreken. Maanden van gedane arbeid trekken op een welhaast luchtige manier aan hem voorbij. Het is relativeren zonder de druk van conclusies. Bijna met een glimlach.

Intern waren ze er minder snel uit. Tapes en gevoerde strategieën werden uitvoerig bekeken en geanalyseerd. Dit gebeurde naast de dagelijkse werkzaamheden, aangezien de ETA en andere organisaties geenszins van plan waren hun activiteiten in aantal te verminderen.

Gaandeweg vlakte het slechte gevoel dat hij aan de operatie had overgehouden af. Ook werd hij milder ten opzichte van zijn eigen rol in het geheel. De code rood, zijn eerste, die als een benauwende deken boven hem had gehangen, begon scheuren te vertonen. De ontstane imaginaire stralen wierpen toch een wat ander licht op de zaak.

De uitvoering en afwerking van de operatie in en rond het congrescentrum was bijna perfect te noemen. Dit was de hoogste norm, aangezien perfect in hun ogen niet bestond. Iemand beging altijd wel een schoonheidsfoutje.

De terroristen waren tijdig en bekwaam uitgeschakeld. De genodigden hadden niets of nauwelijks iets van de actie gemerkt, en met de media waren na afloop uitstekende afspraken gemaakt. Voorzover er al beelden bestonden van het schietincident, dan had de andere partij zich keurig aan de overeenkomst gehouden. Alleen fragmenten van onherkenbaar gemaakte 'Nueve'-leden die in personenwagens met geblindeerde ramen stapten, kwamen in actualiteitenrubrieken voorbij.

Nee, aan deze operatie was weinig mis. Met die conclusie kon hij wel leven. In zijn vakgebied ging het er echter niet om wat goed ging, maar waar gefaald was. En in dat andere deel van 'operatie tomaat' was dat het geval. Althans, dat was de insteek voordat hij er in Madrid daadwerkelijk mee aan de slag ging.

Twee doden en vierendertig gewonden, van wie twaalf ernstig. Burgers, al wilde het ministerie van Justitie het publiek anders doen geloven. Evenals de veertien Marokkaanse gewonden, werden zeventien van hun gearresteerde landgenoten beschuldigd van terrorisme. Dat deze aantijging van geen kant klopte, deerde het ministerie allerminst. Tijdens de rellen waren veel opnames door toeristen gemaakt. Aangezien het ondoenlijk was al dit beeldmateriaal uit handen van de media te houden, paste de regering haar koers aan.

De televisiemaatschappijen werd gevraagd de gezichten van de 'undercoveragenten' zoveel mogelijk te retoucheren. Dit, vanwege voor de hand liggende redenen. Met het uitzenden van het beeldmateriaal had de regering geen enkel probleem, sterker nog, er werd op aangedrongen zoveel mogelijk van het buitensporige geweld op de tv te vertonen.

Het ging om de interpretatie. Alleen een zwakzinnige kon na het aanschouwen van de beelden de Marokkanen steunen, de rest zou ervan gruwelen. Natuurlijk wist het ministerie dat de aanklacht van terrorisme nergens op gebaseerd was. Iedere weldenkende rechter zou het achteloos van tafel vegen en de jongeren voor openbare geweldpleging of iets van dien aard een straf op leggen. Maar dat was allemaal van later zorg. De publieke opinie werd door deze uitspatting van zinloos geweld exact gevormd naar de wens van de machthebbers.

Het lobbyen voor Marokko was een ernstige fout geweest die hersteld moest worden. Met dit soort beesten wilde het Spaanse volk niets te maken hebben. De regering had al openlijk het boetekleed aangetrokken, en begon iets van de verloren sympathie terug te winnen. Ook internationaal, zodat Spanje langzamerhand op de kaart terugkeerde.

Hoewel Silva wel degelijk met het politieke gekonkel te maken had gekregen, liet hij zich tijdens het analyseren van de beelden hierdoor niet beïnvloeden. De arrestatie van de lokvogels en het uitbreken van de rellen waren weliswaar met elkaar verbonden, maar politieke of terroristische motieven hadden hier niets mee te maken. Uit de verhoren was dit duidelijk gebleken. De jongeren vonden een aanleiding om eens flink herrie te trappen, zo simpel lag het.

De leden van 'Nueve' waren in deze loop van omstandigheden klem komen te zitten. Na het uitvoerig bekijken van de beelden, kon hij alleen tot de conclusie komen dat zijn mannen niets te verwijten viel. De instructies waren tot in detail opgevolgd. Na code rood was er gericht op ledematen geschoten. Geen enkele kogel was fataal voor de aanvallers geweest. De twee slachtoffers waren een Duitse vrouw en een Marokkaanse jongen. Doodsoorzaken waren respectievelijk een schedelbasisfractuur en een gebroken nek. In het geval van de jongen gepleegd door omstanders, die in afwachting van hun proces in verzekerde bewaring waren gesteld.

'Papa, nu?'

Opnieuw gefluister.

Je bent geweldig, Grace, denkt Silva. Hij wil het nu afmaken. Hier in de Canarische zon. Die onzekerheid overboord zetten, voer voor de knagende vissen. Daarna verder gaan met een schone lei, en dan ten slotte de eindafrekening, later deze maand.

Op het moment dat de vrouw werd afgetuigd, handelde hij fout. Nadat het misdrijf in beeld kwam, had hij direct de order voor een alternatieve route moeten geven. De opdracht staat altijd voorop.

Ook had hij voor een directe arrestatie van de geweldpleger door zijn teamleden kunnen kiezen. Niet logisch, maar wél een mogelijkheid. Alles was beter dan de halfslachtige keuze die hij had gemaakt.

Of voor het team kiezen en wegwezen, óf ingrijpen. Een halve minuut toekijken sloeg helemaal nergens op.

Was het team wel op tijd weggekomen? Had hij de vrouw kunnen redden? Deze twee vragen spoken al maandenlang door zijn hoofd. Voor beiden geldt het antwoord 'nee'. Door toeristen gemaakte opnames wezen uit dat op het moment dat zijn team met de mishandeling geconfronteerd werd, de bendes hun posities al hadden gekozen. Het was hoe dan ook op een handgemeen uitgedraaid.

Uit de lijkschouwing bleek dat de vrouw zo goed als op slag dood was. Zelfs bij supersnel ingrijpen was de moord niet door zijn mensen te voorkomen zijn geweest. Merkwaardig genoeg was het tweede slachtoffer de jongen die het halsmisdrijf op zijn geweten had. Een groep Engelsen schopte hem letterlijk dood.

Hiermee hield het aantal bizarre toevalligheden niet op.

De reusachtige kerel die door de teamleden in de Yumbo werd overmeesterd, bleek dezelfde vent te zijn die de terrorist in de Kasbah had geplet. Ernst Ulm, een naam om nooit te vergeten. Tweemaal door de bliksem geraakt worden en het toch overleven. De grijsgedraaide banden vertelden hem dat deze Duitser zich tijdens de rellen kranig had geweerd. Met geboeide handen nog wel. Mede doordat hij als een losgeslagen stier door de vechtende meute heen walste, wist Ulm te ontsnappen. De dag daarop meldde hij zich echter op het politiebureau waar hij direct werd gearresteerd.

Zes dagen later was Ernst Ulm weer een vrij man. Het door Silva gevoerde telefoongesprek met de hoofdofficier van justitie in Las Palmas was daar verantwoordelijk voor. Op basis van de feiten kon Silva alleen maar concluderen dat de mastodont tot de categorie 'miskende helden' behoorde. Na een lichte aarzeling ging de hoofdofficier akkoord met zijn invrijheidstelling.

Saillant detail was de relatie die er tussen Ulm en de vermoorde vrouw, Helga Kaufmann, bestond. Zij werkte als serveerster bij één van zijn horecagelegenheden. Aangezien er zich geen nabestaanden meldden, nam Ulm de kosten voor haar begrafenis op zich. Tijdens deze door vele cameraploegen bezochte droeve aangelegenheid, stond de enorme Duitser als een klein kind te huilen.

Ernst Ulm is een man met een duister verleden, weet Silva terwijl hij langzaam zijn oogleden opent. Daarvoor hoeft hij niet te gaan spitten. Wat deze man ooit heeft uitgespookt, zal hem echter een zorg zijn. In twee hachelijke situaties heeft de zwaargewicht moedig gehandeld en bewezen dat zijn hart op de juiste plaats zit.

De dood van Helga Kaufmann dragen zij beiden met zich mee. Ieder op zijn eigen manier. De grote overeenkomst is dat zij zichzelf nog meerdere malen af zullen vragen of ze haar hadden kunnen redden. Door eerder op de onheilsplek aanwezig te zijn, of adequater in te grijpen. Vragen die hen de eerstkomende tijd nog zullen achtervolgen. Om uiteindelijk te vervagen.

Silva kijkt naar zijn grootste bezit. In het heetst van de strijd zijn ze zich onbewust van zijn gespeelde ontwaken. Rondom Grace een mini-museum van zandvormpjes die met grote regelmaat door Carmens actieve handen en knieën geplet worden.

Hij glimlacht nederig, als een man die begrijpt dat er zich voor zijn ogen een wonder voltrekt. Want dat is het, beseft hij iedere dag weer een beetje meer. Wonderen bestaan, het bewijs daarvan zit recht voor hem.

Na het debacle in de Yumbo spoedde hij zich naar huis, Castro kreeg de leiding. De uren in het vliegtuig waren een lijdensweg. Zichzelf de schuld gevend van de gang van zaken, terwijl zijn gedachten alleen met zijn gezin bezig waren. Een helletocht van tweeledigheid. Geen lichtpuntje drong er tot de inhoud van zijn schedel door. Vakkundig werden zijn hersens door een legertje demonen tot pulp vermalen. Gesloopt door zichzelf kwam hij in Madrid aan.

Voorbereid op het ergste opende hij de voordeur, en trof Grace en Carmen spelend aan. De begroeting was ontroerend, zonder dat er tranen vloeiden. Dat zou later komen, wisten ze.

Door de escalatie op Gran Canaria, de maatschappelijke onrust die dreigde, het doortastende optreden van de regering, de analyses en de reguliere werkzaamheden, kon hij onmogelijk hele dagen vrij nemen. Wel bracht hij iedere beschikbare minuut met zijn gezin door.

De eerste twee weken gingen in een merkwaardige roes voorbij.

Thuis, en onder leiding van een psychiater die voor het ministerie van Binnenlandse Zaken werkte, werd er over Grace' afschuwelijke belevenis gesproken. De sessies waren eerder pijnlijk dan helend. Volgens de psychiater kon dat geen kwaad. Zij dachten daar allebei echter anders over. De man werd bedankt voor zijn diensten; ze kwamen er verder zelf wel uit.

Parallel met deze sessies liep de begeleiding van Carmen. Onder leiding van een vrouwelijke psychiater gebeurde dit bij Silva thuis. Na vijf weken kwam de arts tot de verbluffende, tevens bevrijdende conclusie dat Carmen niets schadelijks van het voorval had meegekregen. Tenminste, dat was haar eerste diagnose. Ze wees hen er terdege op dat trauma's zich pas in een veel later stadium konden openbaren. Voor zover zij het kon inschatten, had Carmen die avond in een soort roes beleefd. Als in een droom. En aangezien een kind van haar leeftijd dagelijks zoveel nieuwe indrukken opdeed, was het heel goed mogelijk dat de droom hierdoor uit haar geheugen was gewist.

Toen de vrouw was vertrokken, vielen ze elkaar opgelucht in de armen. Natuurlijk moesten ze voorzichtig zijn, maar het begin was er. Een goed begin.

Hij kijkt naar zijn schatten. Zijn glimlach wordt steeds breder. Ze zijn nu een goed half jaar verder. Zijn band met Grace is geweldig. Ze lachen, kibbelen, discussiëren en vrijen innig met elkaar. Ze zijn nog nooit zo gelukkig geweest. Drijvende kracht hierachter is Carmen. Ze is een ongecompliceerd kind dat de hele dag straalt. Nergens een spoortje van littekens op haar zieltje. Iedere dag groeit hun hoop. Iedere dag krijgt die hoop meer vaste ondergrond.

'Wakker!'

Haar mollige rechterwijsvinger prikt zijn kant op.

'Papa, spelen, nu.' Ze werpt hem een glimlach toe die het hart van ieder ijskonijn direct zou doen smelten.

Silva staat op, tilt zijn kleine meid omhoog en drukt haar zachtjes tegen zijn borst.

'Papa lief.' Een kus op zijn kin volgt.

'Papa auw.' Met een verongelijkt gezicht kijkt ze naar zijn baardstoppels.

Hij gooit zijn hoofd naar achteren en schatert het uit. Ook Grace ziet er de humor wel van in. Ze lacht mee, zij het ingetogener.

'Nou,' zegt Silva met een grote grijns, 'zo'n slim dametje lust zeker wel een ijsje?'

Zijn vraag wordt met gejuich ontvangen. Hij geeft Grace een teken dat ze een poosje voor zichzelf heeft en wandelt hand in hand met Carmen naar het verderop gelegen ijstentje. Op een stuk waar het zand behoorlijk onder hun voetzolen brandt, versnellen ze hun pas. Een paar meter verder zorgen uitlopers van de branding voor verkoeling.

'Boot, boot!' opgewonden wijst ze naar de rubberboot die volgeladen met duikers de stevige golfslag trotseert. De rijzige gestalte van Matthew Price springt direct in het oog. Hij houdt zijn pas in en kijkt de boot die nu naar open zee koerst na.

Vier mannen en één vrouw. Een Amerikaan, Zwitser, Belg, Spanjaard en een Duitse. Als enigen zijn zij winnend uit de strijd gekomen die enkel verliezers kende. Hun optreden vertoonde veel gelijkenissen met dat van Ulm. Het grote verschil was echter dat de door het vijftal gevoerde strijd uitgebreid de pers haalde, terwijl de logge Duitser geruisloos van het toneel verdween.

In tal van nieuwsuitzendingen en talkshows maakten zij hun opwachting. De bescheiden Amerikaan Matthew, zijn aantrekkelijke Duitse vrouw Claudia, Jens, de Zwitser met de opvallende paardenstaart, de norse Belg Dirck, en gangmaker tevens grappenmaker Carmelo. Deze Spanjaard verraste menig programmamaker door te beweren dat zijn Ierse bloed hem tot de heldhaftige daden had aangezet, terwijl hij even daarvoor vertelde van Spaans-Engelse afkomst te zijn. Ook presteerde hij het om tijdens een serieus interview doodleuk een mop te vertellen. Het publiek smulde van het dappere vijftal, waarbij men vooral Carmelo in de armen sloot. Hij werd voor even het nationale knuffeldier. De mannen konden namelijk lachen om zijn grappen en daarbij passende jongensachtige uitstraling. Het vrouwelijke deel genoot van zijn natuurlijke charme, wat weer uitmondde in honderden huwelijksaanzoeken. Met een stralende glimlach accepteerde Carmelo ze in een live-programma allemaal, wat vanzelfsprekend voor de nodige deining zorgde.

Zoals zoveel dingen in het leven vervaagde na verloop van tijd de belangstelling voor het vijftal. Ook Carmelo's inmiddels vertrouwde gezicht verdween uit de spotlights. Het leven ging door. Actuelere zaken namen de plaats in van de vijf duikers die voor even het hart van de Spaanse bevolking hadden gestolen.

'Papa.'

Ongeduldig trekt Carmen aan zijn hand. Ze probeert zijn blik te vangen die op de steeds kleiner wordende rubberboot is gericht. Haar oogjes schieten van zijn gezicht naar de zee.

'Wie boot?' Ter verduidelijking wijst ze naar de horizon.

Silva neemt haar op zijn arm, waardoor haar gezichtsveld wordt verbreed.

'In die boot zitten de dapperste mensen van de wereld, lieve schat van me.'

Ze lacht haar parelwitte tandjes bloot.

'Papa weer raar!'

Zijn antwoord is niets meer dan een gefluister dat door de zilte adem van de oceaan wordt geabsorbeerd.

221

Epiloog

Woedend is hij, al een half etmaal lang. Het wil maar niet verminderen, wat na verloop van tijd toch hoogst merkwaardig genoemd mag worden.

Na telefonische meldingen van de opzichters in Ketama, moest hij eerst enkele minuten op zijn geliefde bank gaan zitten. De emoties waren zo gigantisch dat hij even dacht erin te blijven. Toen de pijn die zijn hele lijf in een houdgreep had weg begon te zakken, kon hij weer normaal denken. Ook lukte het hem te spreken zonder tussen ieder woord te vloeken.

Zijn twee grootste plantages waren tot aan de grond toe afgebrand.

Platgebombardeerd. Door vliegtuigen van het Marokkaanse leger.

Er kon geen misverstand zijn, meldden zijn mensen. Ze hadden het met hun eigen ogen gezien. Tijdens zonsopgang waren de helse machines verschenen, waarna de hele oogst binnen tien minuten is as was veranderd.

De hele dag heeft hij aan de telefoon gezeten. Maar wie hij ook sprak, niemand kon een zinnig antwoord geven. Zelfs zijn tipgevers in regeringskringen, mensen die hij dik betaalde voor informatie, wisten nergens van.

Hij streelt het ijzer. Na de kwalitatief hoogstaande maaltijd die hem smaakte als hondenvoer, zit hij op zijn favoriete plekje. Aangezien het 's winters na zonsondergang razendsnel afkoelt, heeft hij een deken om zich heengeslagen. Eigenlijk is het overbodig, omdat binnenin de woede nog koortsachtig gloeit en de kou daarom geen vat op hem krijgt.

Naast de woede is er langzamerhand een tweede gevoel zijn lichaam binnengeslopen. Een gemoedstoestand die zich nergens mee laat combineren, aangezien het altijd overheerst.

Angst.

De order om zijn velden te vernietigen komt vanuit de top. Een machtsblok waarop zelfs hij geen invloed kan uitoefenen. Hij krijgt slechts als één van de eersten te horen wat ze hebben besproken of beslist. Dit gebeurt door omgekochte ambtenaren die belast zijn met de uitvoering van de genomen besluiten.

Niemand van dit verrotte korps had echter enig idee waar de order vandaan kwam. Zíj hadden het in ieder geval nooit onder ogen gekregen.

De enige conclusie die hij hieruit kan trekken, is tevens de meest onheilspellende. De ministeriële raad wil hem een lesje leren. En het is hen menens, aangezien niemand gelekt heeft. Het waarom lijkt duidelijk, maar is tevens onwaarschijnlijk. Als ze hem ergens anders van verdachten, dan was hij allang opgepakt. Of vermoord.

Terwijl een scala aan speculaties zijn hersens pijnigt, komt een bediende bedeesd aangelopen. In zijn hand een telefoon. De man buigt licht en overhandigt deze aan hem.

Voor de eerste maal sinds dertien uur glimlacht hij. Dit nummer is namelijk alleen bekent bij mensen die iets te melden hebben, een selecte groep. Hij gokt op een verklikker, iemand die hem in het kort uit de doeken doet wat er gaande is.

'Ja?' zegt hij kortaf, terwijl er onbewust een zweem van verwachting in doorklinkt.

'Goedenavond, Abdelkader Ben Brahim,' zegt een monotone mannenstem in het Engels.

Geschrokken kijkt de Marokkaan op. Slechts weinigen weten dat hij deze taal beheerst.

'Vanmorgen vroeg is een eskader bommenwerpers van de Marokkaanse luchtmacht opgestegen met als doel twee drugsplantages die aan u toebehoren te vernietigen. Dit gebeurde in opdracht van de minister van Defensie. De missie is geslaagd.'

Ben Brahim hapt naar adem, zijn keel is plotsklaps gortdroog.

'Dit is slechts één van de sancties die men heeft besloten u op te leggen,' dreunt de stem die rechtstreeks uit de hel lijkt te komen, verder.

'Tijdens een bijeenkomst achter gesloten deuren van Marokkaanse en Spaanse regeringsafgevaardigden, is de tegen u verzamelde bewijslast grondig doorgenomen. Alle aanwezigen verklaarden u schuldig aan landverraad en moord met voorbedachten rade.'

Hij voelt zichzelf lijkbleek worden, een vreselijke gewaarwording. Al zou hij de man willen interrumperen, dan is het fysiek onmogelijk. Zijn keel is dichtgesnoerd door een onzichtbaar touw.

'Vanaf morgenochtend wordt er zowel op uw bezittingen als op uw banktegoeden beslag gelegd. Nadat de benodigde procedures zijn doorlopen, zullen deze door criminele activiteiten verkregen goederen en liquide middelen verbeurd worden verklaard. De staat beslist wat er met de vrijgekomen middelen zal gebeuren. Ondersteuning van dakloze en kansarme kinderenprojecten staan hoog op de lijst.'

Even zwijgt de stem. Stilte voor de ware storm, weet Ben Brahim. Het moet er een met orkaankracht zijn, gezien de schade die al is aangericht. Wezenloos kijkt hij voor zich uit.

'Uitsluitend ter verrijking van uzelf, zijn tientallen onschuldige mensen op een afschuwelijke wijze aan hun eind gekomen. Tevens is door uw toedoen het prestigieuze plan om Marokko te laten profiteren van de westerse economie, gedwarsboomd.

Vanwege uw misdaden tegen de mensheid, komt er slechts één straf in aanmerking. Om geen maatschappelijke onrust in de hand te werken, is het onmogelijk deze publiekelijk te voltrekken. Vandaar dat de passende straf twee seconden nadat ik dit gesprek beëindig, zal worden uitgevoerd.'

De plotselinge stilte overtreft de dreiging die er van de stem uitging.

Panisch werpt Ben Brahim de telefoon weg.

'Aaargghhh.'

Dan explodeert de bank.

Zonder een spoor van emotie op zijn gezicht kijkt Silva naar het oplaaiende vuur, twee kilometer verderop. Dit is de eerste, denkt hij en stopt de mobiele telefoon en een zwart kastje van tien bij tien centimeter in de zakken van zijn leren jack.

'Kom, we hebben nog zat te doen.'

Castro knikt.

Om de pest uit zijn lijf te verjagen, denkt hij aan de goede dingen die hem de laatste maanden zijn overkomen. Een hele rij, hij kan kiezen.

Een stevige kuil teistert de schokbrekers, wat hem een vloek ontlokt. Dit soort zaken bederven de voorpret danig.

De uitnodiging die hij heeft ontvangen staat niet alleen borg voor ongeremd plezier, maar is tevens een grote eer. Een paar keer per jaar duikt Saddiki Khlifa onder in een hotel vlak bij Khenifra, een plaatsje ten zuiden van Meknes. De reden waarom Khlifa naar dit gehucht trok, was even apart als simpel. Hij viel als een blok voor het uiterlijk van de vrouwen die deze streek bevolken. Door een speling van het lot waren de meesten van hen gezegend met grote borsten, harde gelaatstrekken en een atletisch figuur. Een genetisch samenspel waartegen Khlifa eens in de zoveel tijd geen verweer tegen had. Op het moment dat zijn libido zwaar opspeelde, stuurde hij een handvol ondergeschikten vooruit om met zakken vol geld dames te ronselen. Het unieke was echter dat prostituees, voor zover die er waren, niet in aanmerking kwamen. Alleen de lokale dames konden een smak geld verdienen. Een jaarsalaris, aangezien de bevolking aldaar op de armoedegrens leefde. Het onmenselijke dilemma dat Khlifa's mannen neerlegden, was onderdeel van het mensonterende spel. Doordat huismoeders door achtenveertig uur seksueel beschikbaar te zijn het hele jaar de monden van hun kinderen konden voeden, en opgroeiende tieners het geboden geld als dé mogelijkheid zagen om uit de naargeestige omgeving weg te komen, ontstonden er iedere keer weer hartverscheurende taferelen in menige huiskamer.

Voor de eerste keer nadat hij hoorde dat zijn vliegtuig aan de grond moest blijven vanwege mechanische problemen, verschijnt er een glimlach op Mossaoui's gelaat. De duivelse grijns die helemaal past bij de invitatie. Geeneens zó velen zijn hem voorafgegaan, denkt hij. Khlifa staat erom bekend voor de slotdag – de eerste vierentwintig uur brengt hij samen met zijn lijfwachten bij de vrouwen door – hooguit vijf personen uit te nodigen. Zonder uitzondering machtige en/of schatrijke personen. Derhalve is het 'sjeikgehalte' op zijn feestjes uitzonderlijk hoog.

Dat hij nu tot dit selecte gezelschap toe gaat treden, is het absolute bewijs dat zijn ster rijst. Een proces dat zich na het succesvolle Canarische project op gang is gekomen. In de wereld waar hij vertoeft, is een geheim niet langer een geheim als er meer dan één persoon van afweet. Helemaal wanneer het Khlifa betreft. Zijn selectieve loslippigheid heeft er inmiddels voor gezorgd dat heel wat investeerders op de hoogte zijn van de voortsnellende carrière van zijn 'huurder'.

Saddiki Khlifa, de man die tegenover zijn mannen een puriteinse levensstijl predikte. Wars van geld en vleselijk genot. Ja, ja. Hemel nog aan toe, wat had ook hij zich in deze 'heilige' vergist. Wat overigens wel aangaf dat Khlifa een topper op zijn vakgebied was.

Nog twee uur voordat ze Khenifra bereiken, schat hij zo. Hij kijkt verveeld door de geblindeerde ramen naar buiten. Het is een heldere winterdag waarbij de zon de woestijn van een gouden aureool voorziet. Een uitzicht dat hem nauwelijks kan boeien.

Zijn gedachten zijn al in het afgehuurde hotel. Bij de vrouwen die twee dagen de hoer spelen. En alle dingen die hij met ze gaat doen.

De explosie achter hem is oorverdovend. Zijn schouders trekken bijeen. Terwijl hij zichzelf dieper in het leer drukt, kijkt Mossaoui naar links waar Lamtaka onverstoorbaar voor zich uit zit te kijken.

Zijn schreeuw gaat verloren in de tweede explosie die de auto voor hen in een brandend wrak verandert. De chauffeur reageert adequaat op het gevaar recht voor hem en stuurt de limousine behendig langs het rijdende crematorium.

Met de snelheid van een cobra schiet Lamtaka naar voren. Zijn linkerarm sluit zich rond de luchtpijp van de chauffeur en verbrijzelt deze. Gelijktijdig trekt zijn rechterhand de handrem aan. Slippend, glijdend en hobbelend komt de limousine tot stilstand.

Mossaoui is te verbouwereerd om iets te zeggen. De houding van zijn lijfwacht speelt daar een cruciale rol in. Zonder tekst of uitleg neemt deze namelijk weer op zijn vertrouwde stek plaats.

Nu het geluid van de explosies langzaam uit zijn oren is verdwenen, bemerkt hij het monotone geratel dat aan kracht wint. Snel draaiende wieken. Helikopters.

De deur wordt aan Lamtaka's kant geopend. Het gezicht dat in de deuropening verschijnt is bekend en gevreesd. Mossaoui weet een kreet van ontsteltenis te onderdrukken.

In zijn linkerhand heeft Silva een aantal foto's die hij in de enorme hand van de reus drukt. Zonder iets te zeggen, geeft Lamtaka het stapeltje aan zijn broodheer.

Op de eerste foto die hij onder ogen krijgt, staat Ahmed Lotfi. Beter gezegd, hij hangt. Aan een elektriciteitskabel die rond zijn nek is gewikkeld. Onder zijn slappe benen een omver geschopte stoel.

Het tweede kiekje is hoofdzakelijk gevuld met het door kogels ontzielde lichaam van Omar Adneffi. Haastig gooit Chillaba het angstaanjagende plaatje van zich af. Hij heeft het idee dat hij zich in een carrousel bevindt die zijn hersens steeds sneller laat draaien. Door de snelheid wordt logisch denken steeds lastiger. Hij zoekt naar vastigheid, maar grijpt in het luchtledige.

De derde foto brengt de door messteken om het leven gebrachte Rashid Nasserbet in beeld. Op de achtergrond onmiskenbaar de contouren van New York, de stad waar hij de laatste details van een mega-aanslag aan het bespreken was.

Bij het aanschouwen van de vierde foto sluit Mossaoui een ogenblik zijn ogen. Een pijnlijke trek tekent voor even zijn magere gezicht.

Een betere symboliek voor deze schoft is nauwelijks denkbaar, weet Silva. 'De zwerver' kijkt namelijk naar de puinresten van wat eens zijn opleidingskamp was. Met de grond gelijkgemaakt door een jachteskader van de Marokkaanse luchtmacht.

Op de laatste foto het bebloede lijk van Saddiki Khlifa. Hij ligt op een bed, aan zijn voeten een stapel aan flarden geschoten lichamen die eens zijn stoere lijfwachten waren. Om de lijven heeft zich een kring van lachende vrouwen gevormd.

'We hebben bijna alles van je afgenomen,' zegt Silva op een toon die slechts minachting verraadt. 'Je bent het afzichtelijkste stuk vreten dat op deze aardbodem rondkruipt.'

'Ik heb gehoord dat jouw vrouw van grote lullen houdt,' antwoordt Mossaoui ogenschijnlijk kalm. Woede, verwarring en wanhoop staan echter met grote letters in zijn gifgroene ogen geschreven.

'Je had nooit aan mijn gezin moeten komen, schoft. Daarom neem ik nu ook het laatste dat je bezit van je af.'

De terrorist opent zijn mond. De woorden die hij spreekt moeten zelfverzekerd klinken, maar zijn stem laat het afweten.

'Jij bent een laffe hond die zijn zaakjes door anderen op laat knappen,' komt er verre van vloeiend uit.

'Het eerste is een leugen,' zegt el jefe van Oficina numero nueve.

'De tweede bewering gaat vandaag inderdaad op.'

Aansluitend geeft hij een teken aan Lamtaka.

Mossaoui's hoofd verdwijnt in diens twee enorme handen. Een korte, heftige beweging veroorzaakt een scherp knakkend geluid, waarna Chillaba als een lappenpop in elkaar zakt.

Bedaard stapt de lijfwacht uit. Hij sluit het portier en opent zijn rechterhand.

Silva knikt. Uit de binnenzak van zijn jack haalt hij een Spaans paspoort. Het is voorzien van alle benodigde stempels, alleen de persoonsgegevens ontbreken.

'Ik stel Juan Baptista Arroche voor, kun je daarmee leven?'

Het norse gezicht van Lamtaka breekt open, waardoor een bijzonder clowneske glimlach ontstaat. Dit komt hoofdzakelijk omdat een gebit ontbreekt.

Samen stappen ze in de helikopter.

Dankwoord

Onderstaande personen waren van essentieel belang bij het tot stand komen van dit boek. Zij droegen aanwijzingen en feiten aan, ik maakte de fouten.

Azzouzi Abdel Majid, Arnold Timmer, John Brogan, Bhiku Vadera, het team van Canariaoline, Sander en Elsbeth Verheijen, Robert van den Berg en mijn vrouw Annemiek.